JN307805

決定版 東海道五十三次ガイド

東海道ネットワークの会21

講談社+α文庫
プラスアルファ

前口上

四〇〇年前の大プロジェクト「東海道五十三次」

お江戸日本橋から、京は三条大橋まで。

全長一二六里六丁一間。約四九二キロの道のり。

広重《ひろしげ》が描き、弥次喜多《やじきた》が旅した東海道が、日本随一の幹線路として本格的に整備されたのは、徳川家康《とくがわいえやす》の江戸開府と、ほぼときを同じくします。

いまから四〇〇年余り前の慶長《けいちょう》五年（一六〇〇）、関ケ原の戦いに勝利した徳川家康は、幕藩体制を確立するための諸政策にとりかかりました。その一つが、慶長六年（一六〇一）の伝馬《てんま》制でした。伝馬制とは、主要な街道に宿駅（宿場）を設けて、役人の往来や物資の輸送、情報の伝達のために、人や馬を提供させる制度です。それと同時に、東海道、中山道《なかせんどう》、日光道中、奥州道中、甲州道中の五街道を制定。幕府はこれら幹線道路を支配していくとともに、街道の整備に着手しました。

江戸と京都を結ぶ東海道は、古代以来の幹線道路でした。この道程は、江戸幕府にとって、政治的、軍事的にきわめて重要な交通路でした。伝馬制により、東海道には五三の宿場が置かれ、幕府の物資輸送や役人往来のための諸制度が敷かれました。

東海道の交通量は、五街道のなかでもきわだって多く、街道筋はよく繁栄しました。寛永《かんえい》一二年（一六三五）に制度化された参勤交代、また民衆の寺社参りや物見遊山の流行で、その主要ルートとしての東海道は、往来する大名や役人、一般の旅人でたいへんなにぎわいでした。

いにしえの旅の名残をたどる現代版東海道中の愉しみ

「お江戸日本橋七つ立ち」と歌われる「七つ」とは、およそ午前四時。むかしの旅人は、まだ夜も明けきらない早朝に出発し、日暮れ前には宿に着いたのです。

当時の人々は、日本橋から京・三条大橋までの全行程を、一二日から一五日で歩きました。平均すると、一日で約一〇里（約三九キロ）です。足弱《あしよわ》といわれた女性連れでも、一日平均六里（約二三・六キロ）を歩きました。かつての旅人の健脚ぶりがうかがえますが、これも順調にいってのことです。川止めや災難にあえば、予定もたたずに日程が延びました。

それが、いまでは、新幹線で二時間半の道のりです。むかしの旅人が、これを見たら、便利になったものだと感嘆すると同時に、気ぜわしい世の中だと、ため息の一つももらすかもしれません。江戸の旅人とおなじテンポと心持ちで、とまではいかなくとも、たまにはすこしばかりのんびりと、また気ままに旅するのも楽しいものです。

五三の宿場に日本橋と三条大橋を加えた五五の場所と、それをつなぐ旧街道。どこか一つの場所に旅するもよし、街道をすべて踏破するもよし。本書がその手助けの一つになれば幸いです。各宿場とその周辺の地図、そして本文解説は、できるかぎり現状を反映したものにしました。また、立ち寄りスポットをご紹介する「ちょっと寄り道」、「名物のうまいもの」や「泊まってみたい宿」などの情報も盛り込みました。

街道筋では、いにしえの名残を数多く見いだすことができるはずです。一方、大きく変貌をとげ、かつてのおもかげさえ見いだせない場所も多いでしょう。しかし、それだから旅がつまらなくなるわけではありません。見る影もなくなった風景の変貌が、長い時間の経過をしめすものであるなら、それもまた現代版東海道中の愉しみの一つでしょう。東海道五十三次をめぐる旅は、「場所への旅」であるとともに「時間への旅」でもあるのですから。

なお、本書は、『完全 東海道五十三次ガイド』（東海道ネットワークの会編・講談社+α文庫一九九六年刊）に全面改訂をほどこしたものです。刊行から十年近くが経過し、街道と宿場にも変化がありました。「東海道ネットワークの会21」の会員が再調査し、道路の変更、施設の新設・閉鎖、標識の新設、交通機関の路線変更などの最新情報を本書に反映しました。

旧国名	→	←			武蔵	→	
現在の都府県名	神奈川			→	← 東京	→	
	5 戸塚	4 保土ケ谷	3 神奈川	2 川崎	1 品川	日本橋	
宿間距離(km)	7.8	8.8	4.9	9.7	9.8	7.8	
日本橋からの距離(km)	◀ 41.0	◀ 32.2	◀ 27.3	◀ 17.6	◀ 7.8	◀ 0	
三条大橋からの距離(km)	451.1 ▶	459.9 ▶	464.8 ▶	474.5 ▶	484.3 ▶	492.1	

東海道五十三次 旅程表

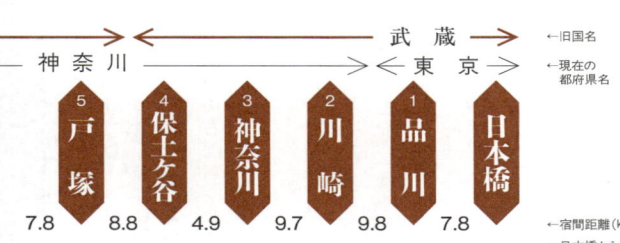

駿河 → 伊豆 ← 相模

静岡 → ←

12	11	10	9	8	7	6
沼津	三島	箱根	小田原	大磯	平塚	藤沢
5.9	5.8	14.7	16.5	15.6	2.9	13.7
◂118.0	◂112.2	◂97.5	◂81.0	◂65.4	◂62.5	◂48.8
374.1▸	379.9▸	394.6▸	411.1▸	426.7▸	429.6▸	443.3▸

駿　河

19	18	17	16	15	14	13
府中	江尻	興津	由比	蒲原	吉原	原
5.6	10.5	4.1	9.1	3.9	11.1	11.7
◂174.3	◂163.8	◂159.7	◂150.6	◂146.7	◂135.6	◂123.9
317.8▸	328.3▸	332.4▸	341.5▸	345.4▸	356.5▸	368.2▸

33	32	31	30	29	28	27
二川	白須賀	新居	舞坂	浜松	見付	袋井
6.1	5.7	6.5	5.9	10.8	16.4	5.8
◂281.2	◂275.5	◂269.0	◂263.1	◂252.3	◂235.9	◂230.1
210.9▸	216.6▸	223.1▸	229.0▸	239.8▸	256.2▸	262.0▸

伊　勢

三　重

47	46	45	44	43	42	41
関	亀山	庄野	石薬師	四日市	桑名	宮
6.5	5.9	7.8	2.7	10.7	12.6	27.3
◂414.0	◂408.1	◂400.3	◂397.6	◂386.9	◂374.3	◂347.0
78.1▸	84.0▸	91.8▸	94.5▸	105.2▸	117.8▸	145.1▸

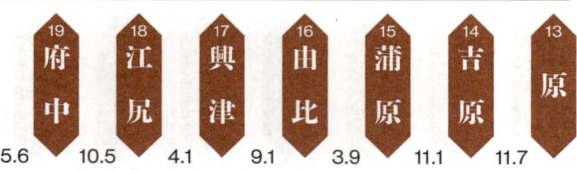

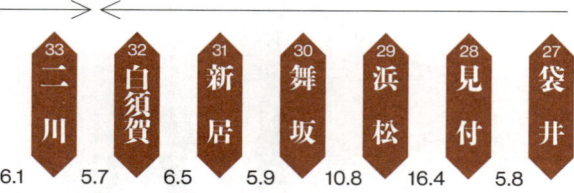

遠江 → ← 静岡

26 掛川	25 日坂	24 金谷	23 島田	22 藤枝	21 岡部	20 丸子
9.5	7.1	6.5	4.0	8.6	6.7	7.8
◂220.6	◂213.5	◂207.0	◂203.0	◂194.4	◂187.7	◂179.9
271.5 ▸	278.6 ▸	285.1 ▸	289.1 ▸	297.7 ▸	304.4 ▸	312.2 ▸

尾張 → ← 三河
愛知

40 鳴海	39 知立	38 岡崎	37 藤川	36 赤坂	35 御油	34 吉田
6.5	11.0	14.9	6.6	8.8	1.7	10.2
◂340.5	◂329.5	◂314.6	◂308.0	◂299.2	◂297.5	◂287.3
151.6 ▸	162.6 ▸	177.5 ▸	184.1 ▸	192.8 ▸	194.6 ▸	204.8 ▸

山城 ← 近江 → ←
京都 ← 滋賀 → ←

三条大橋	53 大津	52 草津	51 石部	50 水口	49 土山	48 坂下
	11.7	14.3	11.7	13.7	10.5	9.7
492.1	◂480.4	◂466.1	◂454.4	◂440.7	◂430.2	◂420.5
0 ▸	11.7 ▸	26.0 ▸	37.7 ▸	51.4 ▸	61.9 ▸	71.6 ▸

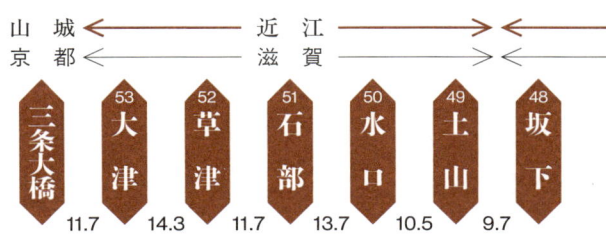

目次

コラム　宿場と街道よもやま知識

凡　例

〔地図〕

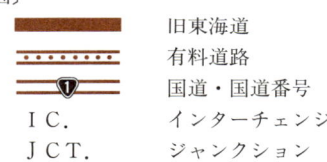

	旧東海道
	有料道路
1	国道・国道番号
I C.	インターチェンジ
J C T.	ジャンクション

◆史跡、旧蹟、寺社、旧東海道ゆかりの地など、歴史的遺物の名称は、罫線でかこんで記した。

例：田中本陣跡

〔解説部分〕

◆本文中の「東海道」「街道」「旧街道」はすべて、旧東海道、特に江戸期の道程を示す。

◆【最寄り駅】の駅名に冠した鉄道路線名のうち、「ＪＲ」のみを冠した場合は「ＪＲ東海道本線」を示す（例：ＪＲ藤枝駅）。ほかのＪＲ路線名については、路線名をＪＲの後ろに付した（例：ＪＲ関西線・関駅）。

◆略称を用いた私鉄の名称は以下の通り。

京急＝京浜急行電鉄／小田急＝小田急電鉄／相鉄＝相模鉄道／静鉄＝静岡鉄道／名鉄＝名古屋鉄道／近鉄＝近畿日本鉄道／京阪＝京阪電気鉄道

◆施設、店舗等に関する情報は2005年６月末現在のものです。開館（営業）時間、定休日は変更される場合があります。なお、博物館、美術館等の多くは、閉館時間の30分前以降は入館不可となりますのでご注意ください。

決定版　東海道五十三次ガイド

◆江戸・日本橋

【最寄り駅】▼JR東京駅。八重洲口《やえすぐち》を出て直進、約二〇〇㍍のブリヂストン美術館の角を左に行けば日本橋。▼地下鉄・三越前《みつこしまえ》。B6出口を出ると、日本橋北東角の乙姫広場《おとひめひろば》。

【街道を歩く】慶長《けいちょう》六年（一六〇一）、徳川家康《とくがわいえやす》によって東海道に伝馬《てんま》制《せい》が敷かれ、街道が整備された。これが東海道五十三次のはじまり。その翌々年の慶長八年（一六〇三）、全国の大名が労働力を提供してかけられた橋が、日本橋である。以来、幾度となく焼失と修復をくりかえし、現在の橋は、明治四四年（一九一一）に、それまでの木の橋から、石の橋として生まれ変わったもの。橋の中央に**日本国道《にほんこくどう》路元標《ろげんぴょう》**のプレートが埋め込まれている。

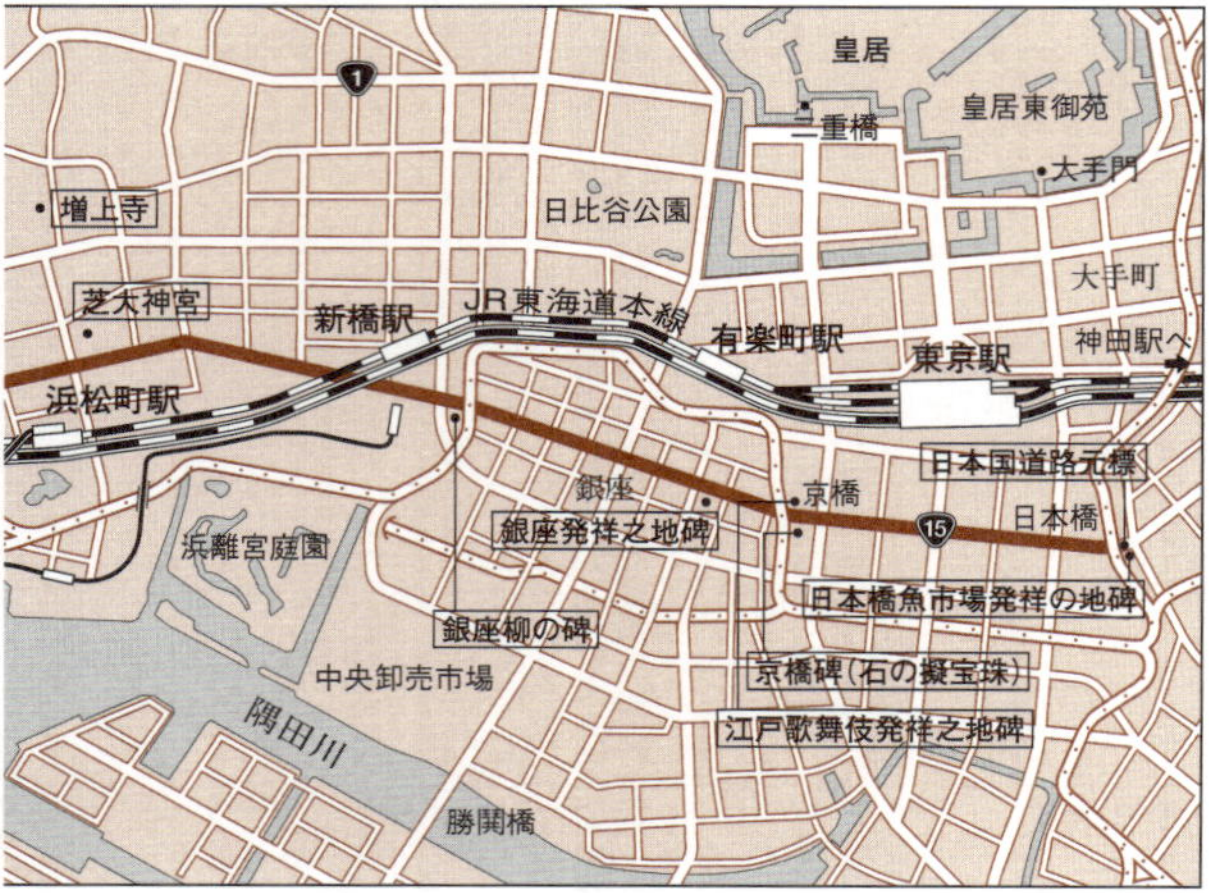

架橋八〇周年をむかえた平成三年（一九九一）には、橋の四隅が、**花の広場**、**乙姫広場**、**元標の広場**、**滝の広場**として整備され、さらに平成八年（一九九六）には装飾品の補修工事があり、美しくよみがえった。

　むかしの旅人気分で東海道を歩いてみようと思う人は、まず日本橋に立つのがよい。元標の広場をながめ、乙姫広場の**日本橋魚市場**《にほんばしうおいちば》**発祥**《はっしょう》**の地**の碑を見て、橋をわたる。滝の広場は、元の**晒**《さら》**し場**《ば》**跡**。ついでに花の広場の**日本橋由来記**《ゆらいき》もとくとながめてから出発する。

　日本橋から京橋《きょうばし》、銀座《ぎんざ》、新橋《しんばし》にいたるまで、髙島屋《たかしまや》、松屋《まつや》、三越、松坂屋《まつざかや》などのデパートや商店がたちならび、散策するだけで楽しめる。

　京橋は、川こそ埋め立てられたが、**石の擬**《ぎ》**宝珠**《ぼうしゅ》が記念碑として残っている。橋の手前右側に**江戸**《えど》**歌舞伎**《かぶき》**発祥之地**《はっしょうのち》**碑**。寛永《かんえい》元年（一六

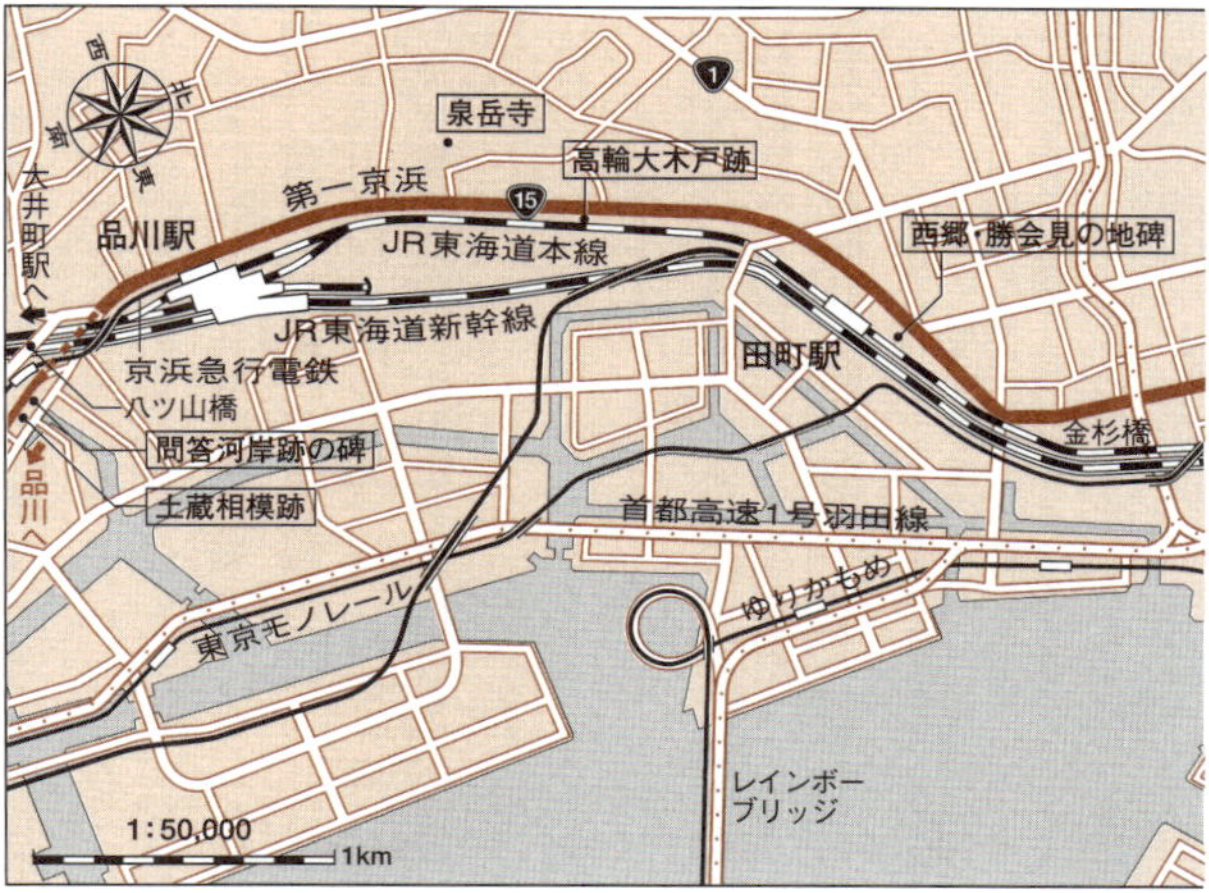

二四）に初代中村（猿若《さるわか》）勘三郎《かんざぶろう》が興行した場所。

そのさき銀座二丁目左側に、**銀座発祥之地碑**。慶長一七年（一六一二）に、駿河《するが》の銀貨《ぎんか》鋳造役所《ちゅうぞうやくしょ》の銀座をこの地に移したもので、明治二年（一八六九）以降、ここが「銀座」と呼ばれるようになった。

新橋もまた、川は埋め立てられたが、橋をわたり、首都高速道路のガードを越えてすぐの左側に、**銀座柳の碑**。西条八十《さいじょうやそ》作詞、中山《なかやま》晋平《しんぺい》作曲の名曲を伝える。そばに柳の木がひっそりとたっている。

新橋のガードをくぐると、道は第一京浜国道《だいいちけいひんこくどう》となる。ここから浜松町《はままつちょう》、田町《たまち》、品川《しながわ》までの道のりは、車の通行がはげしく、視界はビルにさえぎられ、単調な道中となる。

芝大門《しばだいもん》一丁目にさしかかると、右手奥に、江戸の火消し「め組」の喧嘩《けんか》で有名な**芝大神宮**《しばだいじんぐう》。やがて右手に、徳川家の菩提寺《ぼだいじ》、**増上寺**《ぞうじょうじ》の大門が見える。その奥に三門、本殿がある。**金杉橋**《かなすぎばし》をすぎて、しばらく行くと、左側の家並の裏あたりは「**雑魚場**《ざこば》」と呼ばれた漁師町。落語「芝浜《しばはま》」にも登場する。

JR田町駅手前の左側には、**西郷隆盛**《さいごうたかもり》・**勝海舟**《かつかいしゅう》**会見の地碑**。**札**《ふだ》**の辻**《つじ》をすぎるとやがて**高輪大木戸**《たかなわおおきど》**跡**。

かつては、旅立つ人をここまで見送り、別れの水盃《みずさかずき》をかわしたともいう。道の左側に石垣が残っており、往時《おうじ》をしのばせる。

日本橋を七つ立ち(午前四時頃出発)して、ここで「夜明けの提灯《ちょうちん》消す」となる次第。大木戸を出れば、江戸ともお別れで、京への長い道のりが待っている。

途中、赤穂義士《あこうぎし》の墓のある**泉岳寺**《せんがくじ》へお参りするもよし。つぎの宿へと急ぐもよし。道はJR品川駅前へとむかう。

【ちょっと寄り道】

●**江戸東京博物館**

地上七階、地下一階の巨大な博物館。江戸～東京の四〇〇年にわたる歴史、文化の研究の中心となるべく平成五年（一九九三）に開館した東京の新名所。常設展示される日本橋などの大型復元模型が見もの。JR総武《そうぶ》線・両国《りょうごく》駅の前にあり、街道筋ではないが、日本橋を起点に東海道の旅に出る前に立ち寄っておくのも一興。＊03・3626・9974／9時30分～17時30分（木曜・金曜20時まで）／休館日　月曜（休日の場合はその翌日）、年末年始

●**増上寺**

家康以来の徳川家の菩提寺で、浄土宗七大本山の一つ。明徳《めいとく》四年（一三九三）、聖聡《しょうそう》上人《しょうにん》によって開かれ、もとは千代田区平河《ひらかわ》町《ちょう》から麹町《こうじまち》にかけての地にあったが、慶長《けいちょう》三年（一五九八）に現在の芝に移転。朱塗りの三解脱門《さんげだつもん》に将軍家の威風が残る。JR浜松町駅より徒歩一〇分、都営地下鉄三田線芝公園駅より徒歩三分、浅草線・大江戸線大門駅より徒歩五分。

●**泉岳寺**

京急・泉岳寺駅から徒歩六分。またはJR品川駅から北に徒歩一五分。日本橋からは、高輪大木戸をすぎて、右手坂上にある。赤穂の城主、浅野家の菩提寺。浅野家代々の墓と、大石内蔵助《おおいしくらのすけ》ら四十七士《しじゅうしちし》の墓がある。境内には古いみやげもの屋が軒を連ね、討入《うちい》り太《だい》鼓《こ》、赤穂提灯、義士せんべいなどが色とりどりに店さきを飾っている。

【名物のうまいもの】

●**和菓子**

榮太樓総本舗《えいたろうそうほんぽ》（03・3271・7785）は安政《あんせい》年間（一八五四～一八六〇）創業。南蛮渡来の細工菓子アルフェロア（有平糖《あるへいとう》）を祖とす

る「**梅《うめ》ぼ志《し》飴《あめ》**」で有名。

日本橋をわたってすぐ右手には、創業四五〇年をうたう京都の菓子司《かしのつかさ》**とらや**（03・3271・8856）。明治二年（一八六九）、遷都とともに東京に出店。この日本橋には終戦直後に店舗をかまえた。小倉羊羹《おぐらようかん》「**夜の梅**」の小箱入りは、道中のおやつにも最適。

●海苔

創業嘉永《かえい》二年（一八四九）の**山本海苔店**《やまもとのりてん》（03・3241・0261）は「まるうめ」の屋号で知られ、「梅の花」銘柄に代表される味付海苔の元祖。創業元禄《げんろく》三年（一六九〇）の**山本山**《やまもとやま》（03・3271・3361）は宇治《うじ》、静岡、狭山《さやま》の銘茶でも知られる。ほかに創業明和《めいわ》元年（一七六四）の**山形屋**《やまがたや》**海苔店**（03・3561・0161）も、知らぬ人のない老舗。

●かつお節・乾物

創業元禄一二年（一六九九）の**にんべん**（03・3241・0241）、創業元文《げんぶん》二年（一七三七）の**八木長本店**《やぎちょう》（03・3241・1211）、薩摩《さつま》本節《ほんぶし》で有名な**大和屋**《やまとや》（03・3241・6551）などの老舗がならぶ。

●つくだ煮

新橋玉木屋《しんばしたまきや》（03・3571・7229）は創業天《てん》明《めい》二年（一七八二）。杉折《すぎお》りに入れたつくだ煮の詰め合わせとともに、煮豆も有名。

●食事処

日本橋をスタートする前に腹ごしらえ、という向きには、中央通りを神田方面にちょっともどり、三越本店むかいの一角、日本橋室《むろ》町《まち》の各店がおすすめ。そば、会席料理、うなぎ料理の老舗が多数集まっている。

会席料理の**とよ田**（03・3241・1025）は創業文久《ぶんきゅう》三年（一八六三）。四代目が暖簾を引き継ぐ。一階は気さくなスタンド割烹、二、三階は和室。旬のものをあつかった会席風ランチがおすすめ。

うなぎの**日本橋宮川**《みやがわ》（03・3241・6545）は、日本橋乙姫広場から、川沿いの通りをへだててはすむかいに看板が見える。現在の主人が築地《つきじ》「宮川」から暖簾分けしてもらい、もともと明治以来のうなぎ屋「まるまん」があった江戸橋《えどばし》のたもとに店舗をかまえたのち、現在の新ビルに移転した。

日本橋から京橋を抜け、銀座で食事をとるなら、新橋の手前、銀座柳の碑のならびに、一二〇年近い歴史をもつ**銀座**《ぎんざ》**天國**《てんくに》**本店**（03・3571・1092／11時30分～22時　年末年始以外は無休）がある。

【気のきいたおみやげ】

●**漆器**

黒江屋《くろえや》（03・3272・0948）は元禄年間（一六八八～一七〇四）の創業。一階のショーウインドウには、万治《まんじ》元年（一六五八）幕府用達《ようたし》の大工《だいく》、椎名《しいな》兵庫《ひょうご》の作になる日本橋欄《らん》干《かん》の**擬宝珠**が飾られている。

●**和紙**

創業文化《ぶんか》三年（一八〇六）の**はいばら**（03・3272・3801）の各種和紙、浮世絵をあしらった飾り紙、のし袋、和紙細工などは、軽く、かさばらず、おみやげに最適。

歌川広重「東海道五拾三次之内
日本橋行列繰出」

江戸より 1 番目の宿

品川 しながわ

【最寄り駅】▼京急・北品川駅《きたしながわ》。駅前商店街が旧東海道。旅籠《はたご》の土蔵相模《どぞうさがみ》跡はすぐそば。

【街道を歩く】

江戸を出る旅人との別れを惜しんで見送る人と、江戸にくだる旅人を出迎える人で、かつての品川宿はいつもにぎわっていた。また、**御殿山**《ごてんやま》が桜の、**海晏寺**《かいあんじ》が紅葉《こうよう》の名所で、江戸近郷《きんごう》の遊興地として栄えた。

川柳に「品川の客ににんべんのあるとなし」とあるが、にんべんがあるのは武士(侍《さむらい》)。ないのが僧侶(寺)。本来は、旅人のための旅籠だったが、近くの武士や僧侶も得意客になっていた。

ＪＲ品川駅から第一京浜国道《だいいちけいひんこくどう》沿いに歩き、**八**《や》**ツ山橋**《やまばし》をわたると、右側に八ツ山コミュニ

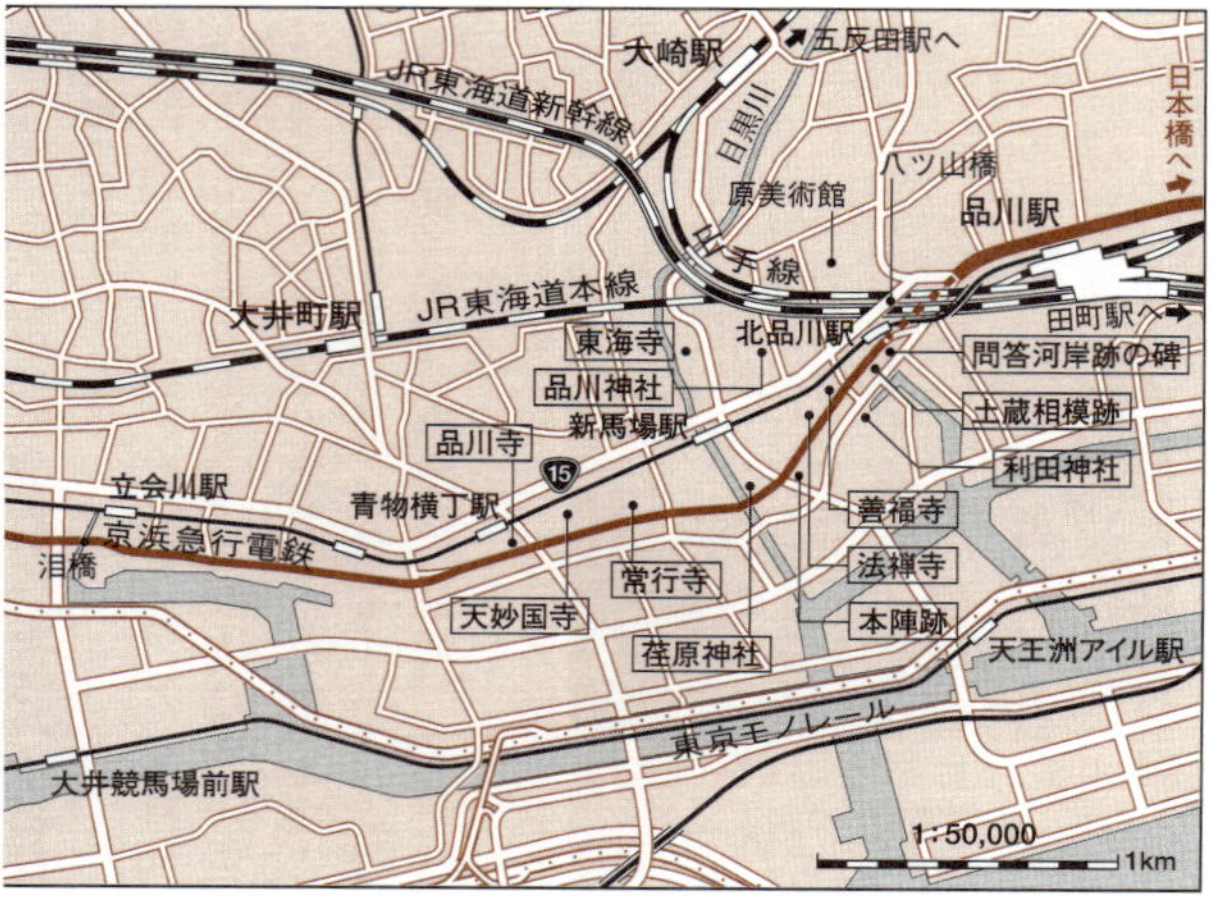

ティ道路。このあたりが品川宿の入り口にあたることから、かけかえ前の八ツ山橋の橋門《きょうもん》や往時の京橋《きょうばし》の親柱《おやばしら》も設置されている。

京急の踏切をわたると、北品川商店街がつづく。この道が旧東海道である。

旧道に入ると、左側の寿司屋の角に**問答河《もんどうか》岸《し》跡の碑**。三代将軍家光《いえみつ》が東海寺《とうかいじ》を訪れた。河岸まで見送りにきた沢庵和尚《たくあんおしょう》に「海近くして東（遠）海寺とは如何《いか》に」と問うと、和尚は「大軍を率いて将（小）軍というがごとし」と答えたという。

商店街を進むと、左側にコンビニエンスストアがある。ここが旅籠の**土蔵相模跡**。幕末、御殿山にイギリス公使館が建設されると、長州藩《ちょうしゅうはん》の高杉晋作《たかすぎしんさく》や久坂玄瑞《くさかげんずい》らは、この土蔵相模で密議《みつぎ》し、焼き打ちをかけた。

そのさき右側の横丁を入ると、時宗《じしゅう》の**善福《ぜんぷく》寺《じ》**。**伊豆長八《いずちょうはち》の鏝絵《こてえ》**があることで知られる。

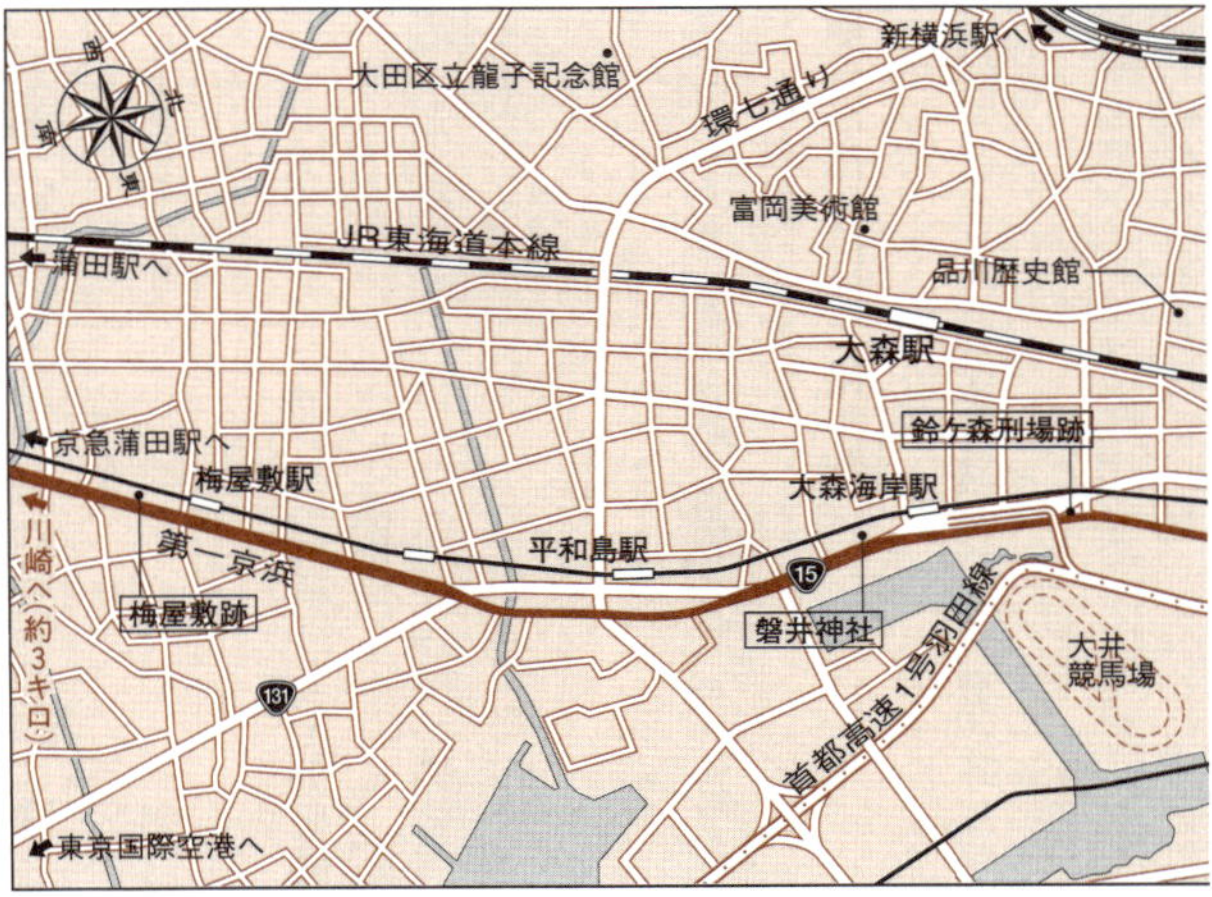

旧道にもどって左側の品海《ひんかい》公園には、「日本橋より二里」の道標（**品川一里塚**）があるが、これは近年にたてられたもの。

青物横丁駅の先の**品川寺**《ほんせんじ》には、江戸六地蔵の一つである露座の地蔵菩薩像がある。

旧道は、**浜川橋**《はまかわばし》（**泪橋**《なみだばし》）をわたり、やがて**鈴ケ**《すずが》**森刑場**《もりけいじょう》**跡**にいたる。

火あぶり用の鉄柱の穴石、はりつけ用の木柱をたてた角穴石などが往時をしのばせる。**首洗**《くびあら》**い井戸**《いど》、**髭題目**《ひげだいもく》**の碑**の前にたてば、歌舞伎や映画の名場面が目に浮かんでくる。この髭題目の碑の前で、幡随院長兵衛《ばんずいいんちょうべえ》が白井権八《しらいごんぱち》に「お若えの、お待ちなせ〜い」と声をかけるのである。

ここからしばらく京浜国道沿いを歩くと、右側に**磐井神社**、**梅屋敷跡**。京浜国道の京急踏切をわたって直進すると、やがて六郷川手前左側に**六郷神社**。国道右に**六郷一里塚**があったが、位置は不明。新六郷橋の際に**渡し跡**。橋をわたって川崎宿へ。

【ちょっと寄り道】

●**品川区立品川歴史館**

ＪＲ大森《おおもり》駅から徒歩一〇分、ＪＲ大井町《おおいまち》駅から一五分。江戸時代の品川宿を中心に、原始、古代から現代にいたる品川の歴史が学べるようになっている。当時の品川宿の模型や、大森貝塚《かいづか》のコーナーなどを展示。一九九六年にリニューアル・オープンした。＊03・3777・4060／9時〜17時／休館日 月曜、祝日（日曜と重なった場合は開館）、年末年始

●**東海道品川宿お休み処**《どころ》

地域おこしに取り組んでいる「旧東海道品川宿周辺まちづくり協議会」が、北品川と南品川の旧宿場筋に、計七カ所を設置。和菓子屋や旧家、天竜寺《てんりゅうじ》、品川寺の境内などに、常時、縁台《えんだい》が用意されている。なかでも、北品

川本通り商店会のビルの一階にある「新宿《しんじゅく》お休み処」では地元の工芸品を販売するほか、一〇円で「まち歩きマップ」が用意されている。

【名物のうまいもの】

●**海苔**

江戸湾をのぞむ品川は、江戸前の漁業がさかんだった。特に、品川浦《しながわうら》から羽田浦《はねだうら》にかけてとれた海苔は、このあたりの特産物だった。本格的な養殖は、延宝《えんぽう》の頃（一六七三〜一六八一）に品川浦ではじまったといわれる。その後、周辺の大井村から大森村の一帯へ広がり、生産も増え、「**御膳海苔**《ごぜんのり》」として将軍家に献上されるようになった。品川でとれた海苔は浅草に運ばれ、江戸名産の「**浅草海苔**」として売られた。「品川のり」銘柄の焼き海苔は、いまでも北品川、南品川の地元商店街でもとめることができる。なかでも**品**《しな》**川屋**《がわや》（03・3471・4649）は大正時代から同地で焼海苔を販売。ただし現在の「品川のり」は、残念ながら千葉産のもの。

●**品川餅**

同地老舗の**木村屋**（03・3471・3762）が製造販売する大納言《だいなごん》入りの白玉餅《しらたまもち》。江戸時代の品川宿の茶屋で親しまれた「**品川の餅**」を土台に創作された。好みにより、黒蜜をかけて食べる。

●**日本酒「品川宿」**

南品川商店街の酒屋、**マイマートみくにや**（03・3471・8793）オリジナルの日本酒。茨城の「よしくぼ」酒造で製造。

●**食事処**

古いたたずまいを残す北品川で食事するなら、街道右手、品川寺を過ぎたあたりにある、そば処**吉田家**（03・3763・5903／11時〜20時30分　火曜定休）。天ぷら、うどんすき等も人気。

江戸より **2** 番目の宿

川崎 かわさき

【最寄り駅】▼JR川崎駅。東口（南側）を出て大通りを南進、約二〇〇メートルで砂子《いさご》交差点。このあたりが川崎宿の中心。▼京急・川崎駅。南口に出て商店街をぬけると、すぐ左手角に総合案内板。街道に出る。

【街道を歩く】

川崎宿は、街道をのぼる旅人の昼食、休憩の地として、くだる旅人には六郷《ろくごう》の渡しをひかえた最後の宿泊地としてにぎわった。

東海道は、品川方面から、多摩川《たまがわ》にかかる六郷橋をわたって、すぐ右に入る。**六郷の渡し跡**は、橋よりもすこし下流の場所。その近くに奈良茶漬《ならちゃづ》けで有名だった**万年屋《まんねんや》**がかつてあった。

宿場は、久根崎《くねざき》、新宿《しんしゅく》、砂子、小土呂《こどろ》の四

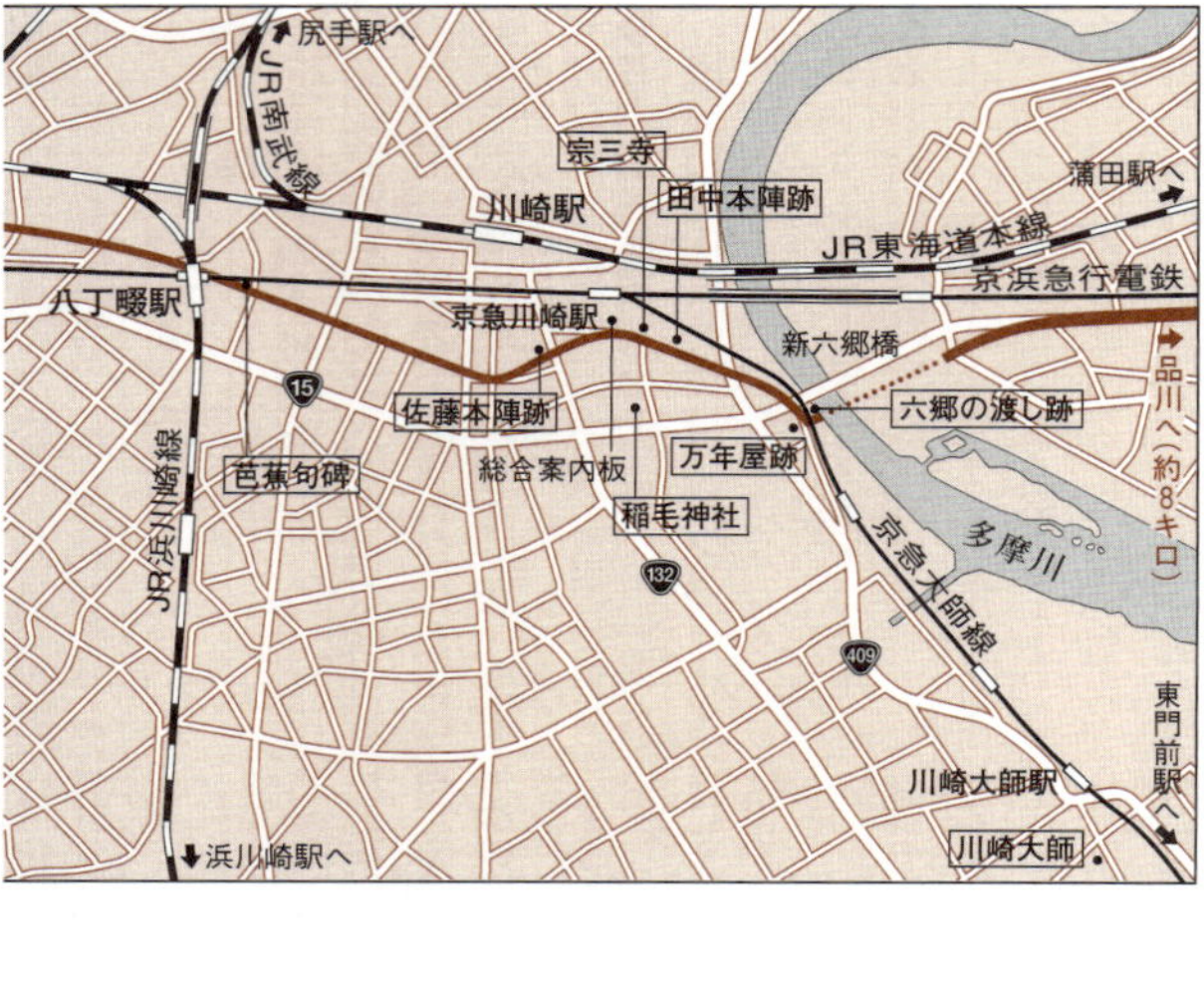

町で構成されていた。砂子はいまも地名として残り、小土呂と久根崎は、バス停や交差点にその名をとどめている。しかし、宿の中心だった新宿は、その地名の名残さえ見出せない。いまの京急・川崎駅の南あたり、本町一帯がほぼ当時の新宿にあたる。

このあたりに当時のおもかげはないが、最近、総合案内板や道標が新設され、**兵庫《ひょうご》本陣跡**、**助郷会所《すけごうかいしょ》**、**宗三寺《そうさんじ》**（**飯盛女《めしもりおんな》供養塔**）、**問《とい》屋場《やば》跡**などの説明がある。

道は**佐藤《さとう》本陣跡**をすぎて、京急・八丁畷《はっちょうなわて》駅へと進む。駅手前、右側に、**芭蕉《ばしょう》句碑**「麦の穂をたよりにつかむ別れかな」。元禄《げんろく》七年（一六九四）五月に江戸を発った芭蕉が、郷里伊賀へ帰るとき詠んだ句で、この年一〇月に大坂で亡くなったため関東最後の句となった。

京急の踏切をわたり、しばらく行くと、左

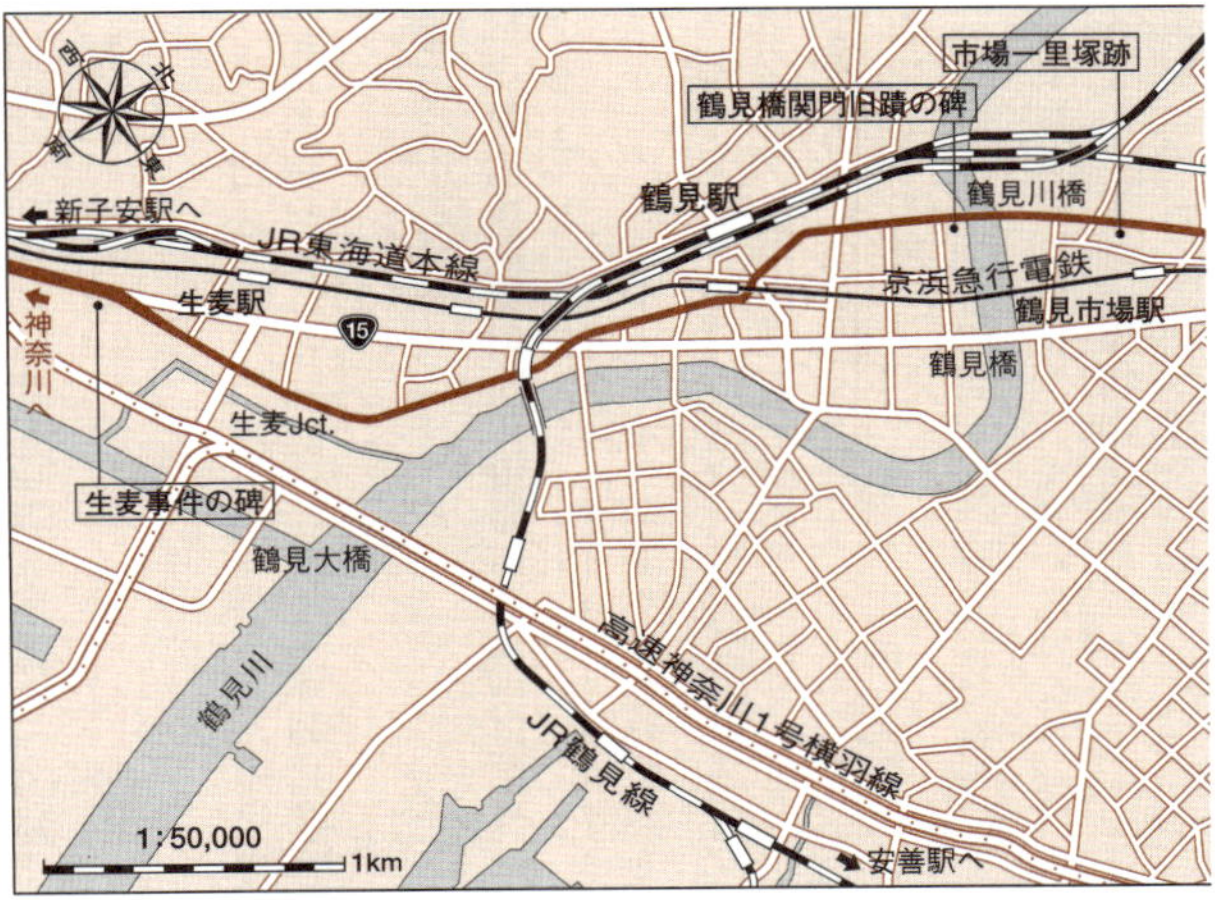

側に**市場一里塚碑**《いちば》。敷地内に**稲荷社**《いなりしゃ》と「**いちばゝし**」の碑。

鶴見川橋《つるみがわ》をわたると、左側に**鶴見橋関門旧蹟**《つるみばしかんもんきゅうせき》**の碑**。安政《あんせい》六年（一八五九）横浜開港当時、警備のため設けられた要衝がこの関門。

さらに進むと、道は左にゆるくカーブして、京急・鶴見駅の横手を横断。しばらくは旧道の雰囲気をわずかに残す道を歩く。

キリンビール工場を左に見て、そのさき国道と合流するところの左に、**生麦事件**《なまむぎ》**の碑**。文久《ぶんきゅう》二年（一八六二）島津《しまづ》久光《ひさみつ》の行列の前を、馬に乗った英国人リチャードソンほか三名が横切ろうとしたところ、薩摩《さつま》藩士《はんし》に切り付けられ、殺傷事件となった。

ほどなく、東海道は国道15号に合流。やがて神奈川宿へといたる。

【ちょっと寄り道】

●川崎大師《かわさきだいし》

京急大師線・川崎大師駅下車徒歩一〇分。総本山は京都東山七条にある智積院《ちしゃくいん》。開創大《だい》治《じ》三年（一一二八）。江戸時代から、一般に「厄除《やくよ》け大師」として信仰を集める。現在も正月や毎月二一日の縁日はひときわにぎわう。

●川崎市市民ミュージアム

JR川崎駅東口から東急バス「市民ミュージアム行き」で四〇分。街道からはやや離れるが、川崎宿や大山道《おおやまみち》に関係する資料や模型を常設展示。＊044・754・4500／9時30分〜17時／休館日 月曜、祝日の翌日、年末年始

【名物のうまいもの】

●長十郎梨《ちょうじゅうろうなし》

川崎の梨づくりは、江戸時代に大師河原《だいしがわら》ではじまり、明治になってさかんになった。なかでも、大師河原村の当麻《とうま》辰次郎《たつじろう》がつくった新種は、病害に強く甘みがあり、のちにその

屋号をとって「長十郎」と名付けられ、全国に広がった。現在、川崎付近の梨園《なしえん》は北部に移動し、多摩川梨として受け継がれている。

●海苔

大師地区は、江戸以来、海苔づくりがさかんで、戦後の一時期、浅草海苔の大半をまかなったほど。その後、浜の埋め立てが進み、昭和四七年（一九七二）、約一〇〇年の海苔養殖は幕を閉じたが、いまでも川崎大師の境内で「**大師海苔**」の銘柄を売る店が多い。

●久寿餅《くずもち》

天保《てんぽう》年間（一八三〇〜一八四四）より、川崎大師の門前で売られていた。東京の亀戸天神《かめいどてんじん》、池上本門寺《いけがみほんもんじ》にならぶ、くずもちの名産地。山門のすぐ右手にある**住吉《すみよし》**（０４４・２８８・４４３７）は大正六年（一九一七）の創業で、黄色と茶色の包み紙で知られる。

●鶴見の米饅頭《よねまんじゅう》

ＪＲ鶴見駅東口を出て徒歩約三分の**清月《せいげつ》**（０４５・５０１・２８７７）で。

●食事処

かつての街道筋は、現在では繁華な商店街。飲食店には事欠かないが、名物や老舗を探すのはむずかしい。川崎大師にまず足を伸ばし、参道で食事をすますのも一手。

川崎大師参道の**恵《え》の本《もと》**（０４４・２８８・２２９４）は、三三〇年の歴史をもつ料亭で、海産物のコースや、地場産のハマグリ料理（要予約）がおすすめ。

川崎市役所本庁舎となりの**川崎グランドホテル**（０４４・２４４・２１１１）では昼の予約メニューとして**奈良茶飯弁当**を用意。江戸時代に「河崎万年屋」で人気を博した茶飯を現代風にアレンジして再現したもので、もともと奈良の東大寺や興福寺で炊き出したので、この名がついた。

江戸より 3 番目の宿

神奈川《かながわ》

【最寄り駅】▼JR横浜《よこはま》駅。西口に出て沢渡《さわたり》方面に歩き、約七分で旧神奈川宿「台《だい》」の通りに出る。▼順序よく歩きたいなら、京急・神奈川新町《かながわしんまち》駅。駅の南側、改札右手に案内板があるので、ここを出発点に。

【街道を歩く】

神奈川宿は、**神奈川湊《かながわみなと》**をもつ宿駅として、その役割を果たしてきたが、安政《あんせい》六年（一八五九）の横浜開港にさきだって、神奈川を開港場にすべきと要求する諸外国との国際外交の舞台となった。

宿内の寺院は諸外国の公館として利用され、さらに海面には台場《だいば》が築かれ、外国侵攻の防衛の役割も課された。やがて横浜が開港すると、陸路から港への玄関口として重要な

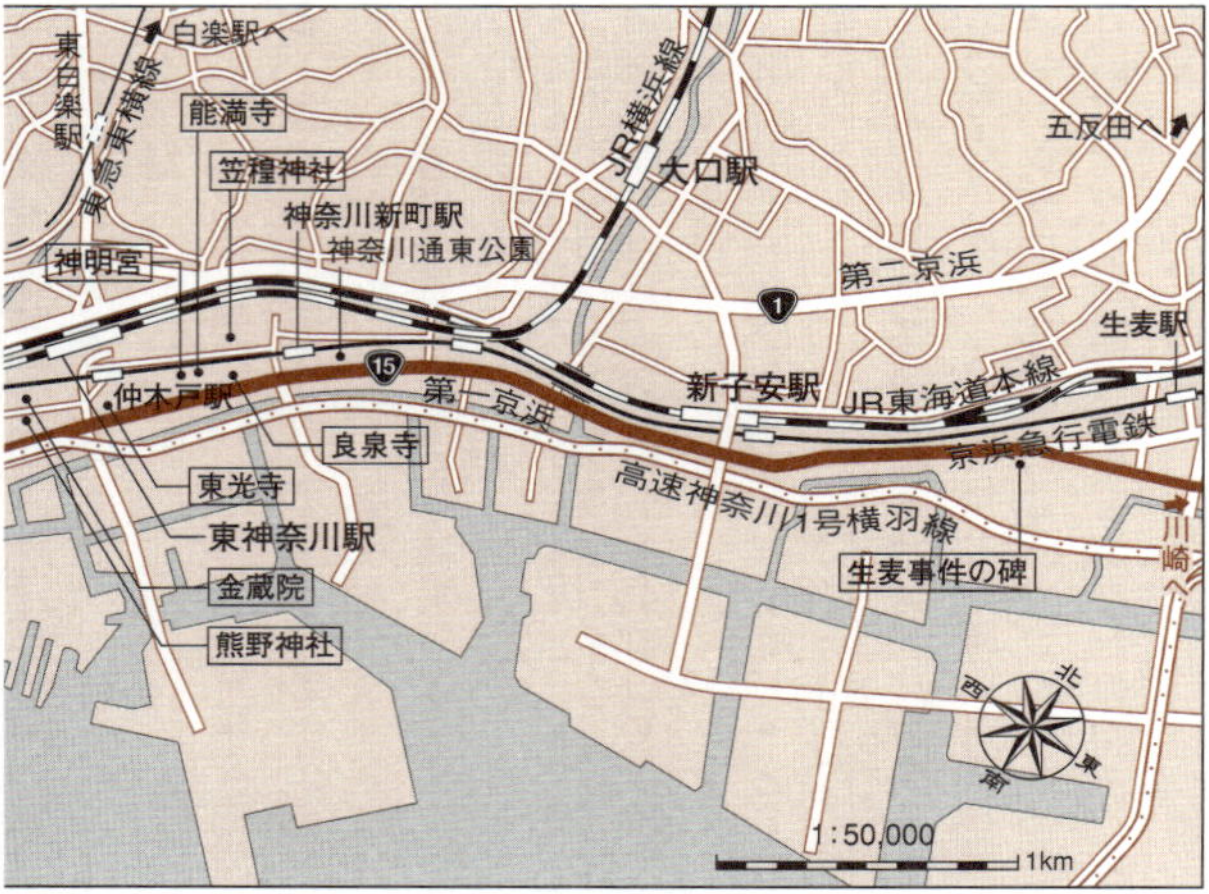

地帯となった。

京急・神奈川新町駅からスタートすると、駅のすぐ裏の**神奈川通《どおり》東《ひがし》公園**は、**旧長延寺《ちょうえんじ》跡**でオランダ領事館《りょうじかん》跡、神奈川宿の**土居《どい》跡**でもある。

　駅方向にもどっていくと**良泉寺《りょうせんじ》**、本堂の屋根をはがし、修理中であることを理由に外国公館を断った寺。その裏は**笠䅣《かさのぎ》稲荷神社**、鎌倉時代からの社《やしろ》という。このあたりから旧街道の道筋は不分明になるが、芭蕉《ばしょう》の句碑がある**能満寺《のうまんじ》**、そのとなりはひっそりと**神明宮《しんめいぐう》**、さらにそのさきは市立神奈川小学校で、擁壁《ようへき》を利用しての**東海道分間延絵図《ぶんけんのべえず》**の神奈川宿部分のタイル絵が拡大されて掲出されている。

　このあたりから、青海波《せいがいは》をデザインした歩道と、浦島《うらしま》伝説にちなんでカメをかたどった車止《くるまど》めがつづく。

　学校の塀に沿って左折すると**東光寺《とうこうじ》**。そこ

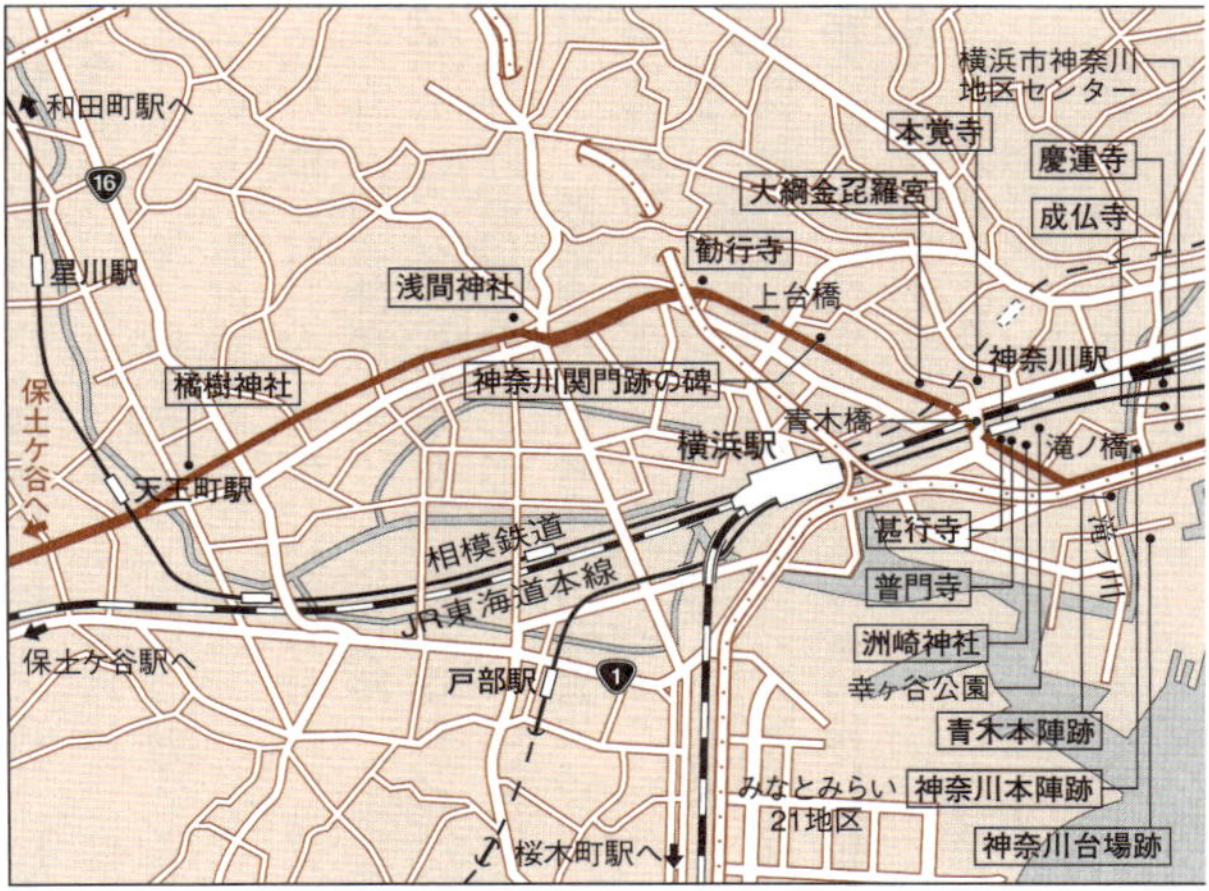

からすぐ、東海道は国道15号に沿って走る。右手は京急・仲木戸《なかきど》駅とＪＲ東神奈川駅前の広い道路。そこを横断すれば**金蔵院**《こんぞういん》と**熊野神社**がむかいあう。左側に**横浜市神奈川地区センター**、構内には実物大の**高札場**《こうさつば》が復元されている。

道なりに、さらに行けば**成仏寺**《じょうぶつじ》。幕末アメリカ宣教医師ヘボン博士や宣教師ブラウンの宿舎跡である。

直進すると**滝**《たき》**ノ川**《がわ》に沿う道に出る。それを右折してガードをくぐれば**慶運寺**《けいうんじ》。フランス領事館跡で、浦島伝説から「**浦島寺**《うらしまでら》」とも呼ばれる。

川沿いの道をもどって、土橋から少し入ったところには**浄瀧寺**《じょうりゅうじ》がある。ここはイギリス領事館跡。門前の小路《こみち》をぬければ**宗興寺**《そうこうじ》。**ヘボン博士施療所**《せりょうじょ》**の跡**。境内に碑がある。近くには通称「**お天気井戸**」（神奈川の大井戸）と呼ばれる名物井戸があり、旅人に喜ばれた遺構という。ここから滝ノ川べりに出ると解説パネル。**滝**《たき》**ノ橋**《ばし》をわたり、高架の高速神奈川１号横羽《よこはね》線が頭上を覆う。

滝ノ橋をはさんで東側の自動車会社のところが**神奈川本陣跡**。近くに**高札場跡**。西側は銀行のところが**青木**《あおき》**本陣跡**。いずれも痕跡はない。国道15号のむこう南側を、一〇分ほど行くと、勝海舟《かつかいしゅう》設計の**神奈川台場跡**である。いまは石垣の一部が残っているだけだ。

もとの道にもどれば、宮前《みやまえ》商店街入口。中央部には、源頼朝《みなもとのよりとも》の創建と伝わる**洲崎**《すさき》**大神**がある。その前面がかつての**神奈川湊の荷揚場**で横浜開港の中心地であった。

神社のさきは**普門寺**《ふもんじ》。ここはイギリス士官の官舎跡。さらに小路には**甚行寺**《じんぎょうじ》。フランス公使館のあったところ。ここまでくれば、すぐに陸橋《りっきょう》の**青木橋**。眼下は東海道本線、横須賀線などの線路だが、明治五年（一八七二）、わが国ではじめて鉄道が開通した際の**軌道跡**《きどう》の一部でもある。

橋のむこうの高台には**本覚寺**《ほんがくじ》。ここはアメリカ領事館跡で、山門のたたずまいに往時をしのばせる。地つづきの高台には**三宝寺**《さんぼうじ》。幕末の歌僧・弁玉《べんぎょく》ゆかりの寺。

いったん途切れていた旧東海道の道筋もこのあたりで復活。道の右側に**大綱金毘羅神社**《おおつなこんぴら》。旧神奈川湊の海運関係者の信仰を集めた社で、以前には**神奈川一里塚**が社の前にあったが、いまは解説板に一里塚の存在を記されるのみである。

ここはまた「**台**」の入口である。ゆるやかな坂、軒をならべた料理屋、料亭。白帆を浮かべた海。広重《ひろしげ》が描いた「神奈川」はこのあたり。ただし現在はＪＲ横浜駅をふくめ、一帯すべてがビルの林立である。

坂をのぼると料亭があり、塀の外壁には十返舎一九《じっぺんしゃいっく》の「**東海道中膝栗毛**《とうかいどうちゅうひざくりげ》」の一節と、広重《ひろしげ》描く「神奈川宿袖ヶ浦」の浮世絵がレリーフとなってはめこまれている。

坂の両側は高層マンションがたちならぶ。のぼりきると**神奈川台関門跡**《かんもん》**の碑**。横浜開港後、外国人保護のために、関門が設けられたことを記す。

ここから、くだり坂で、すぐに陸橋上台橋《かみだいばし》がある。このあたりが宿のはずれ。解説パネルがあり、いわば現代版上方見附《かみがたみつけ》といったところ。

直進すれば、保土ケ谷宿方面。左にくだれば横浜駅西口へは数分だ。

【ちょっと寄り道】

●**洲崎大神**

京急神奈川駅すぐ、旧東海道のおもかげを残す宮前商店街の中ほどにある。建久《けんきゅう》二年

(一一九一)、源頼朝が安房国《あわのくに》より安房神社を勧請して創建したとされる。社殿は戦災などで何度か焼失し、現在の社殿は昭和三十一年(一九五六)の再建。六月上旬の例祭には「提灯《ちょうちん》祭り」の名でも知られる「お浜下り」の神事が催される。かつては参道のすぐ先まで海岸線が迫り、船着場があり、横浜開港時には横浜と神奈川を結ぶ港として栄えた。

●**横浜市神奈川地区センター**

滝ノ川にむかう松並木の通り沿い、成仏寺のはすむかいの市営施設。神奈川宿のほぼ中間地点にあたり、休憩場所に最適。

神奈川宿にゆかりの本や雑誌を集めた図書コーナー、一階ロビーに、みごとな「神奈川宿復元模型」があり、屋外には、実物大に復元された「高札場」がある。＊045・453・7350／9時〜21時(日曜祝日は17時まで)／休館日 第2月曜

【名物のうまいもの】

●**食事処**

そば・うどんの**勇喜屋**《ゆうきや》(045・441・5173)は宮前商店街内の洲崎大神のならびにあり、約一〇〇年の歴史をもつそばの名店。むかしなつかしい庶民的な店構えで、地元の人に親しまれている。そばはすべて特製抹茶入りの茶蕎麦。三代目の店主自慢の天ぷらがのった**穴子**《あなご》**天そば**がおすすめ。

歌川広重「東海道五拾三次之内 神奈川台ノ景」

◆宿場（しゅくば）

「東海道五十三次」の五十三次とは、江戸の日本橋から京の三条大橋にいたる東海道に設けられた五三の宿場のこと。宿場とは、街道沿いの交通の要地として幕府が認め、その支配下においた集落である。

古くからの町がそのまま用いられたところもあれば、城下町の一部が指定されることもあり、また、あらたに住民が集められ、町屋《まちや》が形成される場合もあった。

小田原、浜松、掛川、岡崎、水口などは、城下町の一部を宿場とした例。箱根は、あらたにつくられた宿場の典型。元和《げんな》四年（一六一八）、箱根関所の設置にともない、箱根の東にある小田原と西にある三島から、五〇軒ずつが集められ、箱根宿ができあがった。

宿の役割は、主に三つあった。公用人馬の調達、公用文書の輸送、そして旅行者の宿泊である。それぞれの宿場では、これらをになう施設が整えられ、幕府によって管理されていた。

宿場の中心地は、これらの役割を果たす問屋場《といやば》、本陣《ほんじん》、脇本陣《わきほんじん》などでしめられた。ついで旅籠《はたご》や店屋などがならび、宿のはずれには旅人をもてなす茶屋が置かれるのが、一般的な配置だった。これらの建物は、多くの場合、街道に沿った地割にあわせて整然と建てられていた。

江戸より **4** 番目の宿

保土ケ谷《ほどがや》

【最寄り駅】▼JR横須賀線・保土ケ谷駅。西口に出てすぐ、帷子町《かたびらちょう》の西口商店街の保土ケ谷税務署のあたりが問屋場《といやば》跡で旧宿の中央部。▼相鉄・天王町《てんのうちょう》駅。改札を出てすぐ左の通りが旧東海道で、すぐ環状1号に合流する。かつての江戸《えど》方見《かたみ》附《つけ》は、天王町商店街内。

【街道を歩く】

JR横浜駅から相鉄・天王町駅へ、下車して左側、帷子橋をわたって**橘樹**《たちばな》**神社**、さらに国道16号を横断して松原商店街。むかし海岸沿いに松並木があったことから、その名がある。そのはずれが追分《おいわけ》。

天王町駅までもどってすぐ南、小公園が**旧帷子橋跡**。旧帷子橋は、昭和三一年（一九五六）、帷子川の改修と相模鉄道の立体化などによって消滅した。いまは橋の模型が公園内に配置されている。

岩間町《いわまちょう》や帷子町の歩道が最近になって整備され、小さな車止めの柱には、ちょんまげと裃《かみしも》姿がデザインされている。途中の**岩間市民プラザ**は、昭和二年（一九二七）区制施行以来の保土ケ谷区役所の跡地に建設。さらに街道に沿って**香象院**《こうぞういん》、**見光寺**《けんこうじ》など。旧宿場時代の人々の墓碑が見られる。

街道沿いの保土ケ谷税務署あたりには**問屋場跡**や**高札場**《こうさつば》**跡**といわれている場所に標柱がある。

左手に細い辻《つじ》があって、ここが通称**金沢横**《かなざわよこ》**町**《ちょう》。旧東海道から分岐する角に**道標**《どうひょう》が四基ある。その一つは「程ケ谷《ほどがや》の枝道曲《えだみちまが》れ梅の花」の句を刻んだ道標で、文化《ぶんか》一一年（一八一四）のもの。脇往還《わきおうかん》（街道の脇道）の金沢《かなざわ》八《はっ》景《けい》への道を示す。

直進すると、JR東海道本線の踏切。わたると、直角に国道1号と合流する。この地点に**保土ケ谷宿本陣《ほんじん》跡**。建物は旧状ではないが、当主軽部氏は現住。塀の中に屋根付きの通用門が残る。

国道1号には、明治・大正期の商家建築が最近まで散見されたが、つぎつぎと高層のマンションにたてかえられている。残ったわずかの明治初年建築の住宅が旧状をしのばせる。**脇本陣《わきほんじん》**の家のほか、旧家が残っていて、いまも各戸がむかしの屋号の呼び名で通じている。

途中、今井川と接合する地点に川をへだて**外川《とがわ》神社**があり、道路脇には一里塚と上方見附跡の存在を記した解説板がある。しばらくすると道路は分岐、左は国道1号、右は旧道となる。

このあたりは旧称「元町《もとまち》」。草屋根の上にイチハツの花を咲かせた風情は、戦後まもなく失われてしまった。わずかに残る旧家のたたずまいで往時をしのび、**樹源寺《じゅげんじ》**やその近くの小祠《しょうし》や石仏に、旧宿の雰囲気を想像するだけである。

ここからしばらくして左折し、一〇〇㍍さきの右手が**権太坂《ごんたざか》**の入口。このあたりが旧宿のはずれとなる。

坂はここからはじまり、すこしのぼると左手に小祠があって、**権太坂改修記念碑**がある。そのさきは権太坂陸橋。脚下は保土ケ谷バイパスで自動車の流れがはげしい。

坂の途中に県立光陵《こうりょう》高等学校。送電線が頭上を走る。そのさきは権太坂小学校。このあたりから商店が点在しはじめる。

標高約八〇㍍の地で、右側は団地、眺望が開ける。晴れた日は富士山が見える。北斎《ほくさい》の描く松並木のむこうに富士を見る「保土ケ谷」はこのあたりと連想させられる。

平坦になった道の左右は住宅地。左にすこしくだれば**投込塚《なげこみづか》の碑**。あわれにも往還に倒れた人々の枯骨《ここつ》が、昭和三六年（一九六一）、付近の宅地開発の際に発掘され、戸塚の東福寺に改葬されたのち、ここに供養《くよう》碑が建立《こんりゅう》された。往時の旅のきびしさを感じさせる。

道は境木《さかいぎ》小学校、境木中学校の脇に沿う。直進すると、一軒の堅牢な旧家の屋敷の門が目を引く。ここにきてようやく宿場の名残を見た気がする。

権太坂の頂点には、地元の信仰があつい**境木地蔵尊**。このあたりは武蔵と相模の国境だったので、この名がある。ここからすこし坂をおりると**萩原代官屋敷跡《はぎわらだいかんやしき》**と**萩原道場跡**。幕末騒然の頃、近郊からの入門者も多かった。建物はとりこわされて、門だけが残る。

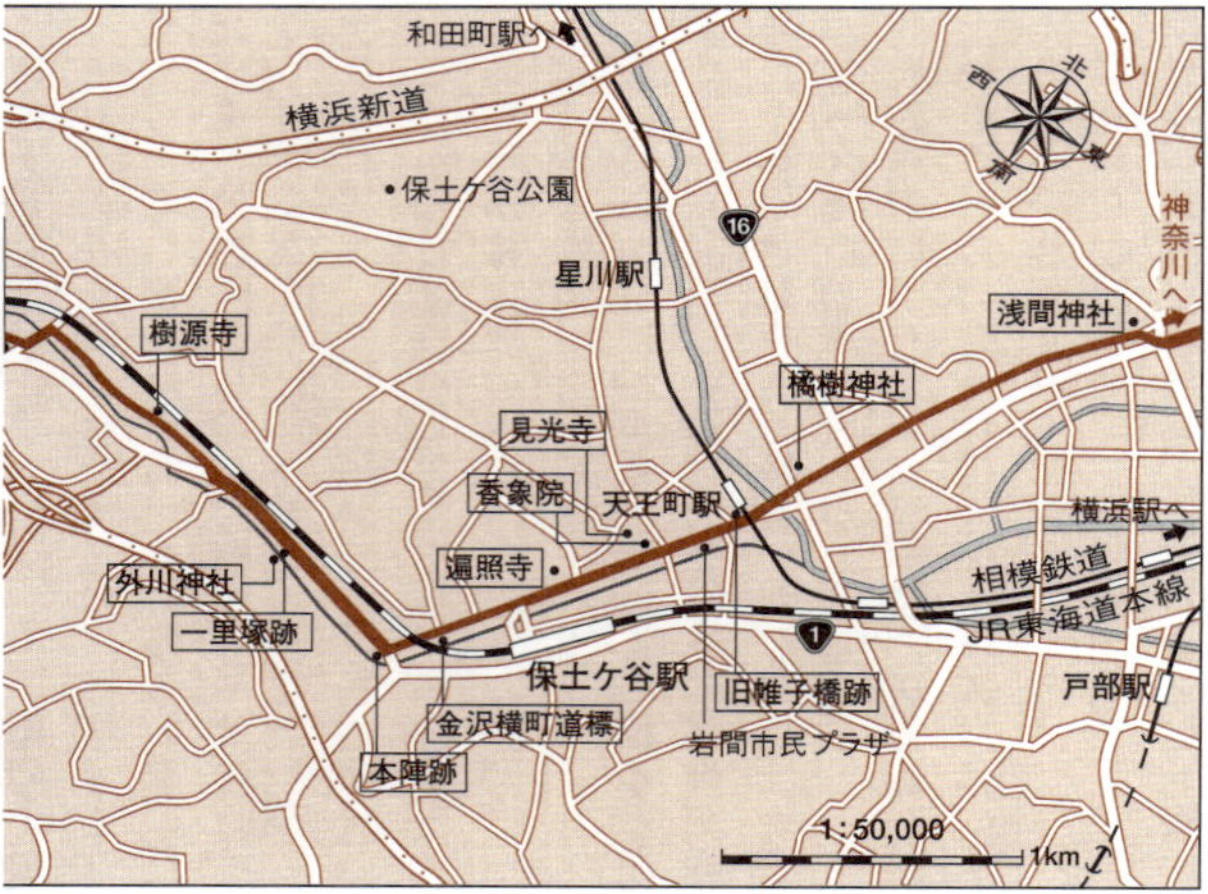

境木地蔵尊からすぐに切通《きりどお》しになり、さらに**品濃《しなの》一里塚**。ここには両側の塚が当時の形で残っているため、往時の東海道を想像することができるだろう。しかしそれもつかのま、木々の梢《こずえ》の上に、忽然と高層ビルの先端が出現して空を覆う。ＪＲ東戸塚《ひがしとつか》駅はすぐ目の前である。

【ちょっと寄り道】

●横浜市岩間市民プラザ

相鉄・天王町駅から旧東海道に出て、保土ケ谷方向に徒歩約三分。新しい市営施設で、ホールやスタジオ、レクチャー・ルーム、図書やビデオの閲覧コーナーがあり、一般利用が可能。＊０４５・３３７・００１１／9時〜22時／休館日第2月曜（祝日の場合は翌日）、年末年始

●神奈川県立保土ケ谷公園

保土ケ谷駅にいたるすこし手前で旧東海道を北方向に入り、遍照寺《へんしょうじ》の脇の坂をのぼって

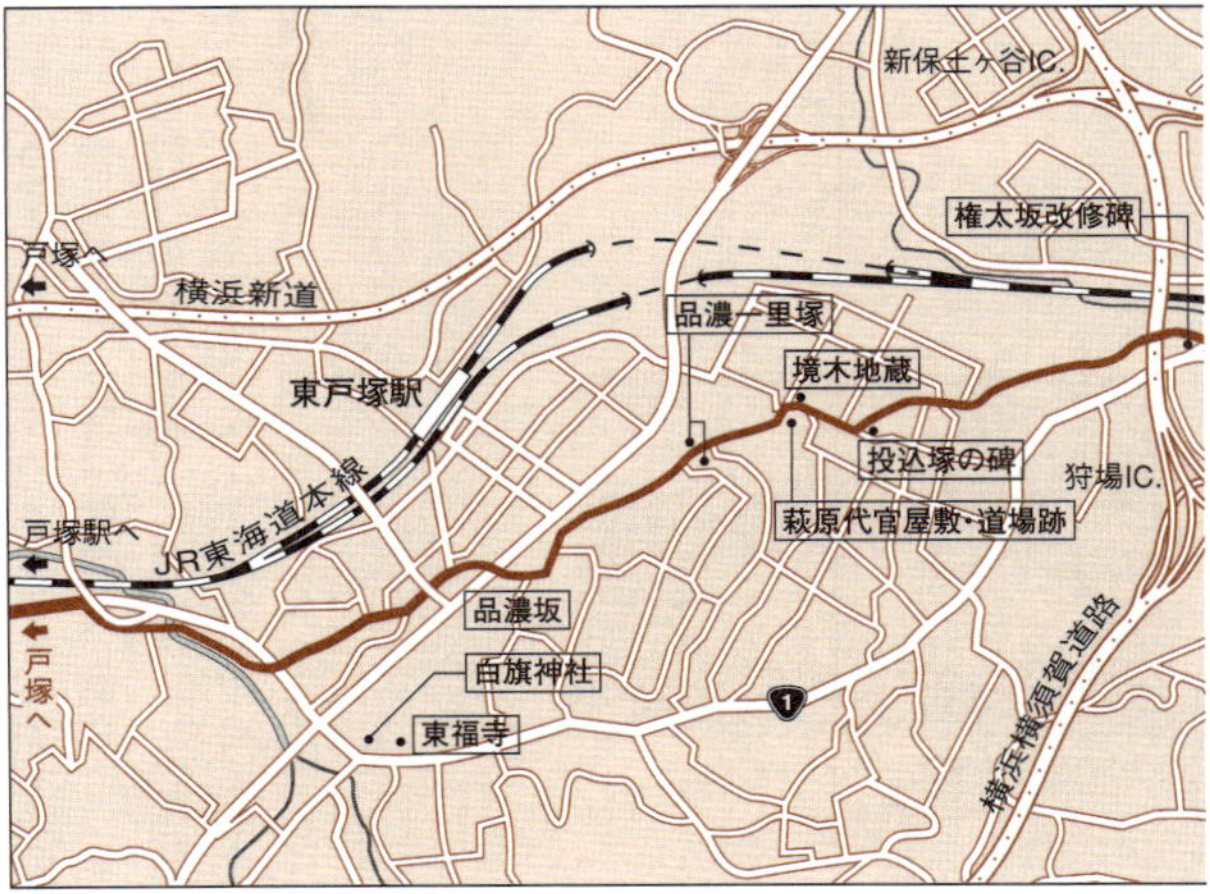

約二五分。あるいは保土ケ谷駅西口から市営循環バスで約八分「花見《はなみ》台《だい》」下車。広大な敷地に樹木が茂る美しい公園で、春さきには梅、桜がみごと。高台からは、横浜港付近や「みなとみらい21」の建物群をのぞむながめが楽しめる。

【名物のうまいもの】

菓匠栗山（045・713・2515）の**ごんた餅**は、権太坂にちなんだ名物菓子。

保土ケ谷駅西口駅前の**宿場そば・桑名屋《くわなや》**（045・331・0233）は、一〇〇年の歴史をもつ手打ちそば屋。「茶屋風」を再現した店構えが目を引く。「本陣」「問屋場」など、趣向をこらしたセットメニューで、そばとともに刺し身や蒸し物、煮物などが楽しめる。季節に応じて出される、桜切り、柚子《ゆず》切りなどの「季節の変わりそば」もおすすめ。

●**道中稲荷《どうちゅういなり》**

いなりずしに干瓢《かんぴょう》を巻きつけて、旅人の背負い荷物に見立てた道中稲荷は、東海道にまつわる昨今の郷土名物として、保土ケ谷商店街がつくったもの。保土ケ谷駅の東口にある**権太鮓《ごんたずし》**（045・741・7500）で、注文に応じておみやげにつくってくれる。

歌川広重「東海道五拾三次之内
保土ケ谷新町橋」

◆本陣（ほんじん）と脇本陣（わきほんじん）

宿場にある宿泊施設のなかで、幕府の役人や参勤交代の大名、また公家《くげ》などが公用の旅で利用する宿舎が本陣である。幕府公認のお墨つきをもらった由緒《ゆいしょ》ただしい旅館ということになる。東海道では、本陣は一つの宿場に数軒。地元の名家や、宿内の裕福な家の家屋が、これにあてられた。

脇本陣は、本陣がいっぱいのときの予備として代用される、要人のための宿泊施設である。東海道では、これも一宿場に数軒置かれた。

本陣と脇本陣には、玄関、門、書院を設けることが許された。これらの設置は本陣と脇本陣だけの特権で、旅籠屋《はたごや》には禁じられていた。

大名は、数百人の家臣を引き連れて往来するので、その宿泊で宿場全体がうるおうこととなった。大名の宿泊が決まると、本陣の前には、その数日前から、大名の逗留《とうりゅう》をしめす関札《せきふだ》が立てられた。宿場はきれいに清掃され、その到着に備えたという。

ただし、大名クラスの要人が宿場に宿泊する機会はそう多くない。脇本陣の多くは、通常はふつうの旅籠として営業した。

しかし、要人以外を泊めることができない本陣は、深刻な経営難におちいるケースも出たという。

江戸より 5 番目の宿

戸塚 とつか

【最寄り駅】▼JR戸塚駅。西口に出てすぐ、大踏切から商店街を藤沢《ふじさわ》方面に歩く。約五分で、本陣のあった旧宿の中心。または、東口バスセンターから保土《ほど》ケ谷《がや》行きバスで一〇分「ポーラ前」下車で、旧家、益田《ますだ》家の近く。そこから旧東海道を戸塚駅方面に歩いて、約一〇分で江戸《えど》方見《かたみ》附《つけ》跡。

【街道を歩く】

保土ケ谷から戸塚駅方面にむかうと、やがて柏尾町《かしおちょう》の三叉路《さんさろ》手前の南に**益田家**。神奈川名木百選に選ばれた**モチの木**がある。

そのさき旧道は左に入る。旧東海道の道幅のまま残っているところだ。護良親王《もりながしんのう》の伝説にまつわる**首洗井戸**《くびあらいいど》があり、道は右にカーブしてやがて国道1号と合流する。

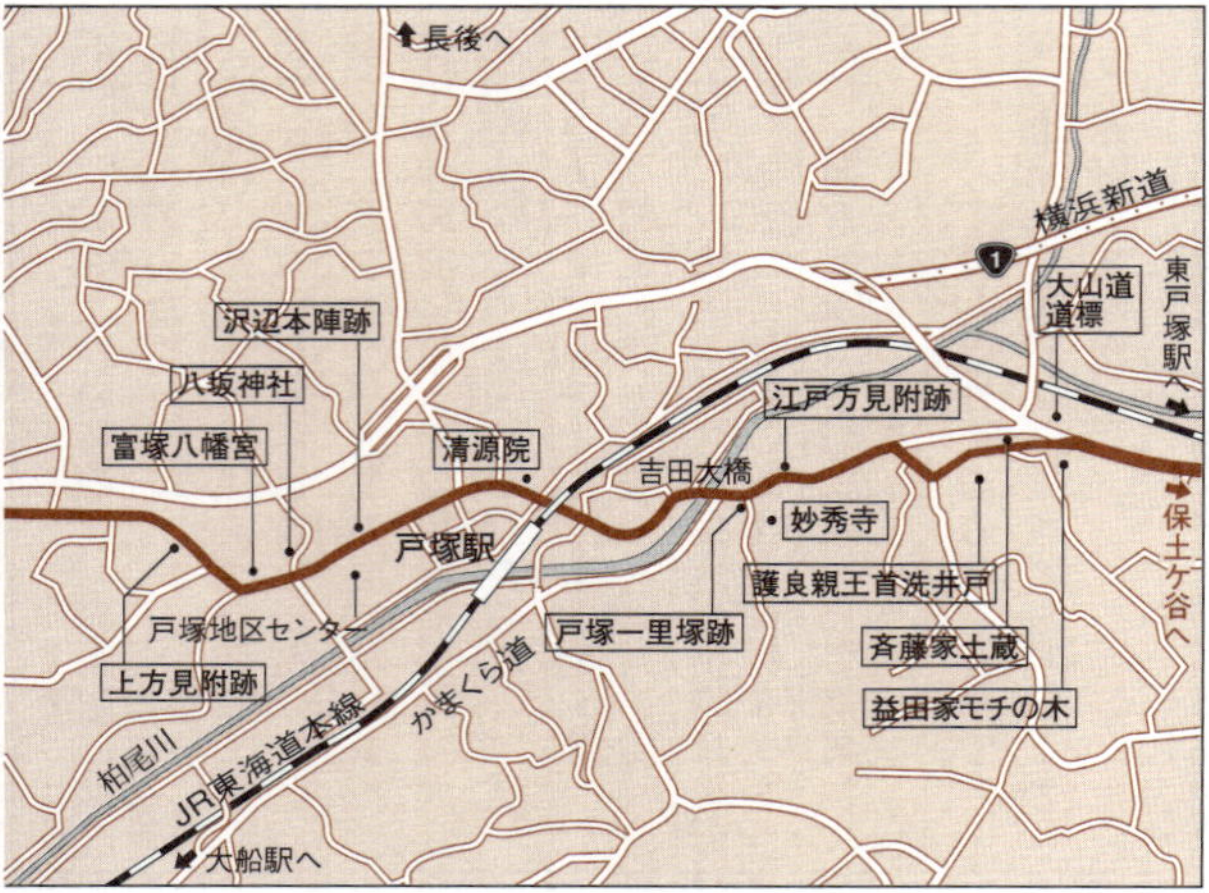

スーパーマーケットのダイエー前の交差点、ファミリーレストラン前に**江戸方見附跡**の石碑がたっている。

江戸方見附をすぎ、左側に入る小道をしばらく行くと**妙秀寺**《みょうしゅうじ》。境内には、広重《ひろしげ》の絵に描かれている「**左**《ひだ》**りかまくら道**《みち》」の道標が保存されている。延宝《えんぽう》二年（一六七四）の建《こん》立《りゅう》だが、上部は折れて継がれている。

国道にもどり、左手に**戸塚一里塚跡**パネルを見てやがて、**吉田**《よしだ》**大橋**《おおはし》にさしかかる。橋のたもと左脇に広重案内板。柏尾川にかかるこの橋の手前左が**かまくら道**、橋をわたると右側に**八王子**《はちおうじ》**道**《みち》と、ここは交通の要衝だった。

そのさき、JR戸塚駅北の踏切をわたってすぐの左手に**松本屋**《まつもとや》の醤油づくりの蔵。安政《あんせい》六年（一八五九）創業の醤油醸造兼旅館だが、現在は酒屋として駅前に移り、ここには醤油づくりの蔵だけが残っている。

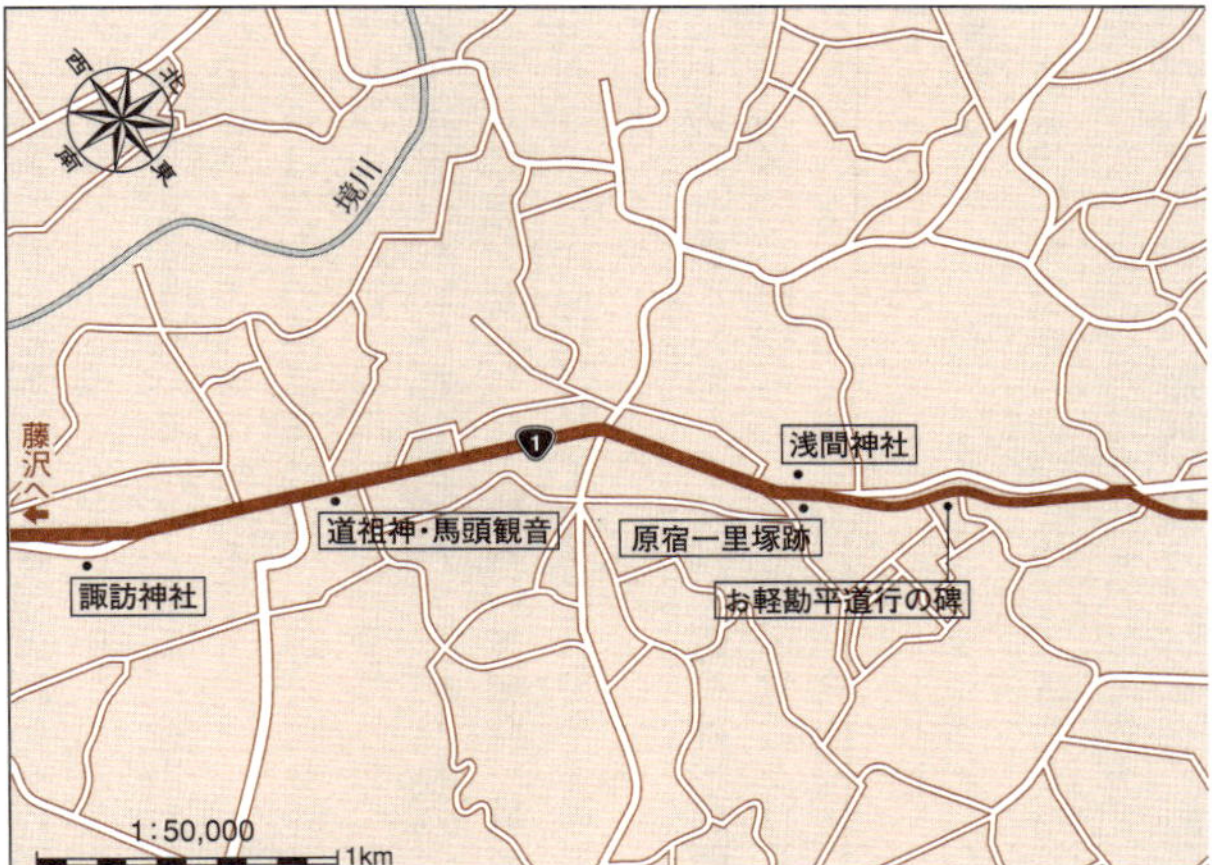

そのむかい、道が左にカーブする手前の右側に**清源院長林寺**《せいげんいんちょうりんじ》。徳川家康《とくがわいえやす》の愛妾《あいしょう》、お万《まん》の方《かた》ゆかりの寺。火葬跡の**供養碑**《くようひ》が、裏山の墓地内にある。**芭蕉**《ばしょう》**句碑**「世の人の見つけぬ花や軒の栗」や、めずらしい**心中句碑**「井《い》にうかぶ番《つがい》の果《は》てや秋の蝶《ちょう》」などがある。

　やがて本陣跡。戸塚宿には、**内田**《うちだ》**本陣**と**沢**《さわ》**辺**《べ》**本陣**の二軒の本陣があった。そのうち沢辺本陣は、消防署手前の石垣上に、明治天皇戸塚行在所《あんざいしょ》址と並んで石碑が残されている。

　さらに南に進むと、右側に**八坂神社**と**富塚**《とみづか》**八幡宮**。戸塚の名の起こりとなった社《やしろ》で、周囲が古墳。境内には**芭蕉句碑**がある。古くはこのあたりを**富塚郷**と呼んでいた。

　ここで道はゆるやかにカーブして、やがて宿の西はずれ、**上方見附跡**《かみがたみつけ》になる。広重の浮世絵で有名な左右一対になった石垣の見附が残っている。

　このあたりから坂道となる。**大坂**《おおさか》とも**戸塚の坂**とも呼ばれる急なのぼりである。のぼりきると、国道1号バイパスと合流。途中右手に**庚申塔**《こうしんとう》などの古碑群がある。

　旧道は左側の歩道を進み、やがて「**お軽勘**《かるかん》**平戸塚山中道行きの場**《ぺいとつかさんちゅうみちゆきのば》」の碑。歌舞伎の「仮名手本忠臣蔵《かなでほんちゅうしんぐら》」にちなんでたてられたもの。

　さらに進むと、やがて**原宿**《はらじゅく》**一里塚跡**。道の反対側には**浅間**《せんげん》**神社**があり、長い参道の奥に、古い社殿がある。

　そのさき影取町《かげとりちょう》あたりには、**道祖神**《どうそじん》や**馬頭**《ばとう》**観音**《かんのん》が多い。藤沢宿にいたる坂道はのんびりと歩きたい。

【ちょっと寄り道】

●**東福寺**《とうふくじ》

　JR東戸塚駅から旧道に出るとき立ち寄りたい。保土ケ谷の権太坂《ごんたざか》の投込塚《なげこみづか》で掘り出された人骨を納めた**無量光仏**《むりょうこうぶつ》の碑がある。源《みなもとの》頼朝《よりとも》ゆかりの**白旗《しらはた》神社**は東福寺のとなり。

●斉藤家《さいとうけ》土蔵《どぞう》

柏尾町「不動坂《ふどうざか》」交差点から国道1号の南側に入ると、旧東海道が旧来の道幅で残っている。しばらく戸塚駅方向に進むと、右手に赤レンガの建物が見える。明治一〇年（一八七七）頃、英国人ウイリアム・カーティスがこの付近に牧場をつくりハム製造をはじめた。そのときの使用人であった斉藤角次《さいとうかくじ》が、後の明治一四年（一八八一）、この地で日本人による初のハム製造を開始。「鎌倉ハム」の誕生地となった場所である。

●戸塚地区センター

ＪＲ戸塚駅から西口に出て徒歩六分。日曜日も利用でき、入口左に地域周辺の文化財の案内板、一階の図書館に、郷土史関係蔵書コーナーがある。＊０４５・８６２・９３１４／9時～21時（日曜・祝日は17時まで）／休館日　第4月曜、年末年始

【名物のうまいもの】

戸塚宿の名物といえる食べ物はないが、戸塚駅前の国道沿いの商店街には、歴史の古い和菓子屋、薬局、酒屋などがいまも軒を連ねている。藤沢方面にむかって右手にある**中屋《なかや》**（０４５・８８１・０６９３／日曜定休）は嘉永《かえい》二年（一八四九）創業で、現在の店主は五代目。そば饅頭《まんじゅう》、ゆず饅頭、茶饅頭が人気。

歌川広重「東海道五拾三次之内
戸塚元町別道」

江戸より 6 番目の宿

藤沢《ふじさわ》

【最寄り駅】▼JR藤沢駅。北口から戸塚《とつか》行きバスで約一〇分。あるいは徒歩でも約二〇分で、藤沢宿の東端、遊行寺《ゆぎょうじ》に。

【街道を歩く】

藤沢は、宿駅として栄えるとともに、江《え》ノ島《しま》、鎌倉《かまくら》、大山《おおやま》などへの参詣《さんけい》や観光の足場としてもにぎわい、また、遊行寺の門前町としても古い歴史をもつ町である。

戸塚方面からは、**鉄砲宿**《てっぽうじゅく》をぬけ、松並木の残る**道場坂**《どうじょうざか》をおりていくと、街道の右手に幅の広い石段がある。弥陀《みだ》の「四十八願《しじゅうはちがん》」になぞらえた四八段で、のぼったところに、高さ三一メートル、樹齢六六〇年の**大イチョウ**がたっている。ここが**遊行寺**。

そこから道場坂をおりて遊行寺橋をわたる

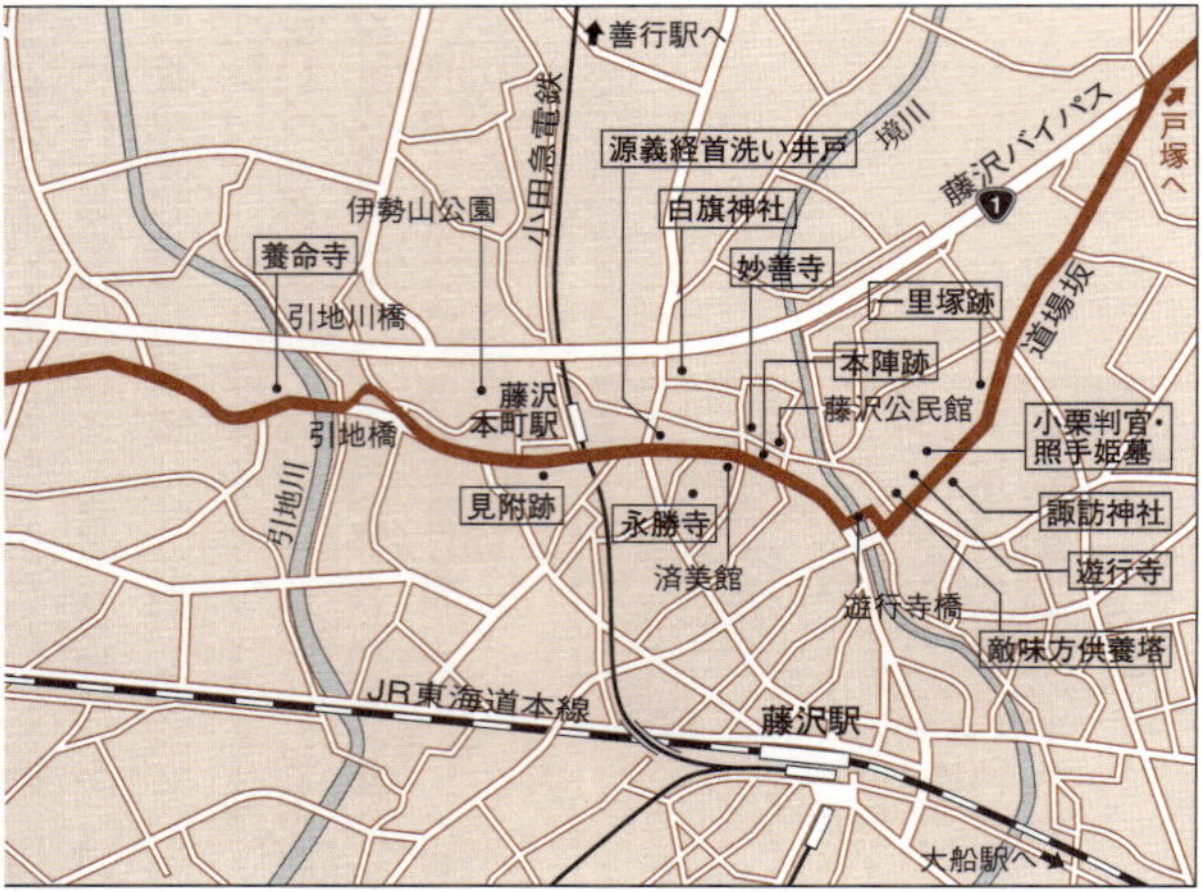

と、江ノ島への分かれ道がある。そのあたりからが、かつての藤沢宿にあたる。街道沿いには、いまも古い店構えの建物や明治期の土蔵が点在し、当時をしのばせる。

蒔田《まいた》本陣は、現在の本町郵便局のむかいにあったが、いまは跡地に標識がたっている。

左手消防署の前には坂戸町問屋場跡の標識。消防署から左に入った常光寺裏手に、弁慶塚が見られる。

宿内の仲之《なかの》町《まち》を左に折れると、街道の裏手に**永勝寺《えいしょうじ》**。門を入った左手に、宿場で働いた飯盛女《めしもりおんな》四十数人の墓が、肩を寄せあうようにならんでいる。旅籠屋《はたごや》の小松屋《こまつや》源蔵《げんぞう》がたてたもの。

さらに宿内を西に歩くと、右手に**源義経《みなもとのよしつね》**の**首洗《くびあら》い井戸《いど》**があり、そのさきの交差点を右に折れ、橋をわたると、義経をまつった**白旗《しらはた》神社**がある。もとは寒川比古命《さむかわひこのみこと》をまつってい

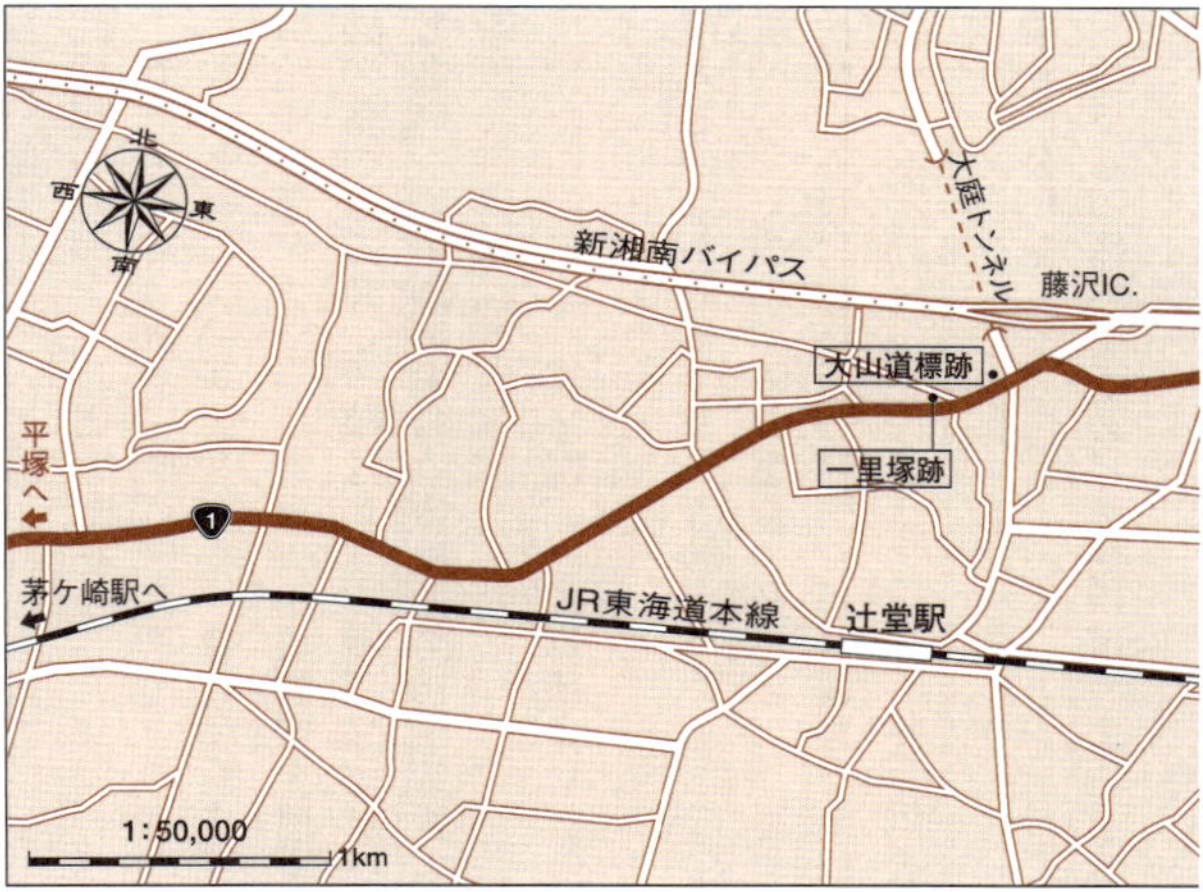

たが、文治《ぶんじ》五年（一一八九）奥州《おうしゅう》で敗死《はいし》した義経の首級《しゅきゅう》がこの地に葬《ほうむ》られたという伝説により、合祀《ごうし》するところとなった。七月一五日から二一日までがこの神社の祭りで、義経、弁慶《べんけい》、二基の神輿《みこし》が氏子《うじこ》町内をねり歩く。駐車場脇には**芭蕉句碑**がある。

宿内はさらに西へ歩くこと、およそ三〇〇メートル。**引地川《ひきじがわ》**をわたり、さらに行くと、やがて旧東海道は国道1号と合流。そこに**大山不動尊の大山道道標**と**大鳥居**が立つ。

ところどころに美しい松並木が残る道がつづき、東海道は茅ケ崎《ちがさき》駅の北へ、さらに相模川《さがみがわ》へとむかう。

【ちょっと寄り道】

●遊行寺

日本観光百選の一つに数えられている時宗《じしゅう》の総本山。正しくは**藤沢山無量光院清浄光寺《とうたくさんむりょうこういんしょうじょうこうじ》**。時宗は、鎌倉時代に「踊り念仏」で知られる一遍上人《いっぺんしょうにん》によって開かれた宗派で、その四代目の呑海上人《どんかいしょうにん》によって正中《しょうちゅう》二年（一三二五）に建立《こんりゅう》された。四八段の石段をのぼった広い境内には、本堂手前の**一遍上人像**。阿《あ》弥陀《みだ》如来像《にょらいぞう》をまつった本堂、**小栗判官《おぐりはんがん》・照手《てるて》姫《ひめ》の墓**のある**長生院《ちょうしょういん》**ほか、史跡、文化財が数多い。境内南の**遊行寺宝物館《ほうもつかん》**では国宝級の所蔵品が見られる。

また山内には、**真浄院《しんじょういん》**、**赤門真徳寺《あかもんしんとくじ》**などのほか、同内の墓地には国定忠治《くにさだちゅうじ》の子分**板割《いたわり》の浅太郎《あさたろう》の墓**もある。遊行寺の東門にあたる中《ちゅう》雀門《じゃくもん》のすぐ横にある石造りの**角塔婆《かくとうば》**は、室町初期の応永《おうえい》二三年（一四一六）に起きた上杉《うえすぎ》禅秀《ぜんしゅう》の乱の犠牲者をとむらった**敵味方供養塔《とう》**。

●藤沢公民館

休日も、休憩場所として利用可。＊0466・22・0019／9時〜22時／休館日　月曜（月一回）、年末年始近くには、藤沢御殿《ふじさわごてん》跡。江戸初期に、将軍家の宿舎としてたてられたもので、天和《てんな》二年（一六八二）頃に廃止された。街道筋の済美《さいび》館《かん》は、藤沢公民館分館（月曜休館）。

●**伊勢山公園**

旧東海道の藤沢宿のはずれ、伊勢山橋《いせやまばし》をわたって右手の山あいにある自然公園。この丘に伊《い》勢《せ》宮《ぐう》がまつられていた。桜の名所として、親しまれている。

【名物のうまいもの】

●**松露《しょうろ》ようかん**

湘南の松の松露を練りこんだようかん。嘉《か》永《えい》二年（一八四九）創業の和菓子屋**豊《と》島《しま》屋《や》**（本店0466・22・2046／火曜定休）謹製で、葉山御用邸にも届けられた名菓。

●**うなぎや**

白旗交差点から小田急・藤沢本町駅に入る途中にある創業一五〇年の老舗。＊0466・22・3133

【泊まってみたい宿】

藤沢駅前の各ホテルや、遊行寺周辺のひなびた旅館も良いが、ここは、さらに足を伸ばして江ノ島へ。古来、景勝の地として知られる島内に、古い旅館がある。なかでも**岩本楼《いわもとろう》本館《ほんかん》**（0466・26・4121）は、一七〇年の歴史をもつ日本旅館。

歌川広重「東海道五拾三次之内　藤沢遊行寺」

江戸より 7 番目の宿

平塚

ひらつか

【最寄り駅】▼JR平塚駅。北口から北進、約二〇〇メートルで平塚商店街に。左折し、約七〇〇メートルで、平塚見附《ひらつかみつけ》跡。

【街道を歩く】

藤沢からは、国道1号を西進。JR茅ケ崎《ちがさき》駅の北に、石垣に囲まれた**茅ケ崎一里塚**がある。しばらく行くと、右手に**第六天神社**《だいろくてんじんじゃ》。さらに行くと**鳥井戸橋**。このあたりが神奈川県内では唯一の「**左富士**《ひだりふじ》」の名所。東海道を京にのぼるとき、富士山はいつも右手に見える。左手に、富士山が見える場所はめずらしく、名所となっている。

右手に見える鳥居《とりい》が、**鶴嶺**《つるみね》**神社**への入口。参道両側におよそ一キロつづく松並木はむかしながらの景観。境内には、根回り八・五メートル、

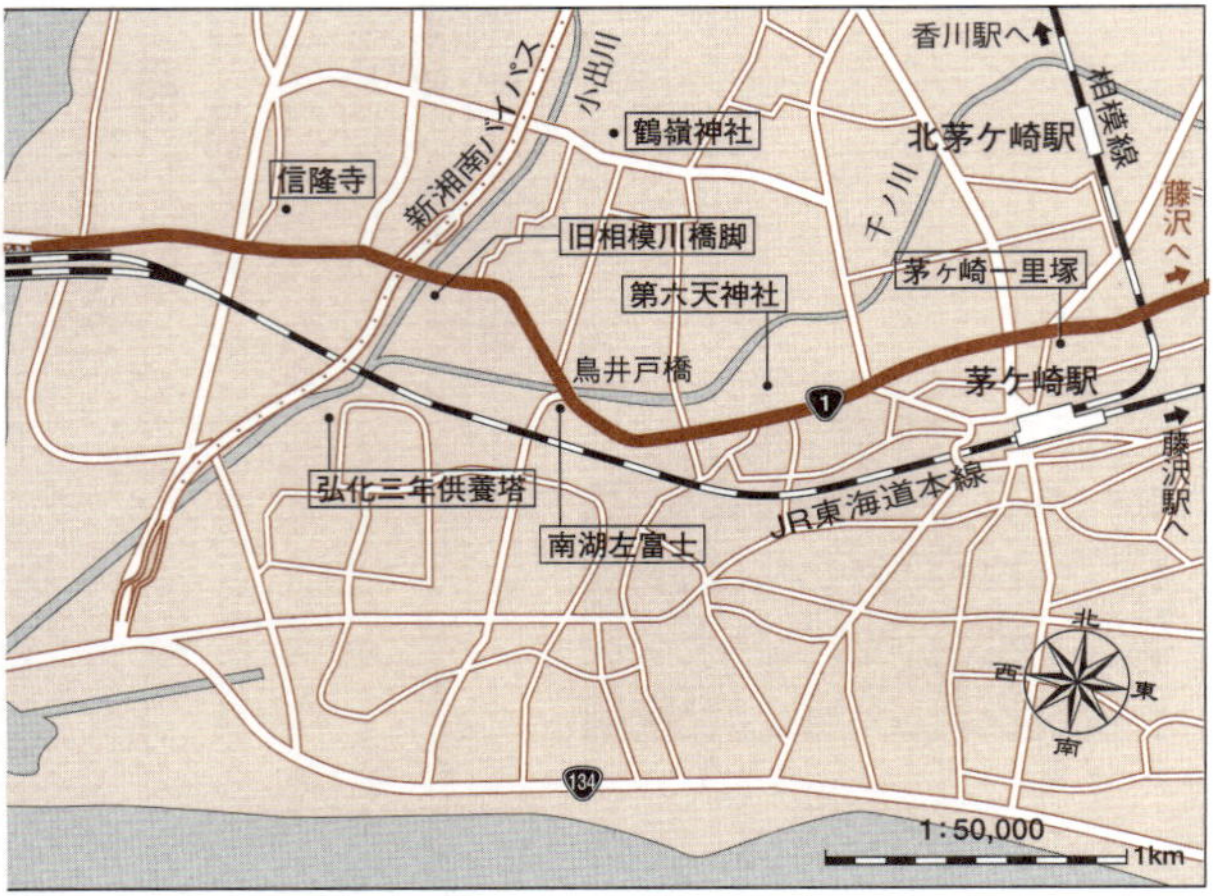

高さ二九㍍の大イチョウがある。前九年《ぜんくねん》の役《えき》（一〇五一～一〇六二）の戦勝祈願に源義《みなもとのよし》家《いえ》がみずから手植えしたと伝えられる。神社裏の**竜前院**《りゅうぜんいん》には**大庭景義**《おおばかげよし》**の墓**も残っている。

さらに西へ進み、**小出川**《こいでがわ》をわたると今宿《いまじゅく》。**信隆寺**《しんりゅうじ》を右に見て、東海道はやがて平塚宿にいたる。

現在の平塚市はＪＲ平塚駅から北へおよそ二〇〇㍍、旧東海道に出たあたりが中心街だが、かつての平塚宿はそこから街道沿いに西へ、およそ七〇〇㍍行ったところ、平塚市民センターのあたりに、江戸方面からの宿の入口があった。現在は、**平塚宿の江戸見附跡**の碑がたっている。

平塚宿はここから西へ、**上方**《かみがた》**見附**《みつけ》**跡**までのおよそ一・一㌔。道筋の右手北側には、**脇本陣跡**、**高札場**《こうさつば》**跡**、**本陣跡**、**宿西組問屋場**《しゅくにしぐみといやば》**跡**の順に小さな碑がたち、左手南側には**宿東**《しゅくひがし》**組**《ぐみ》

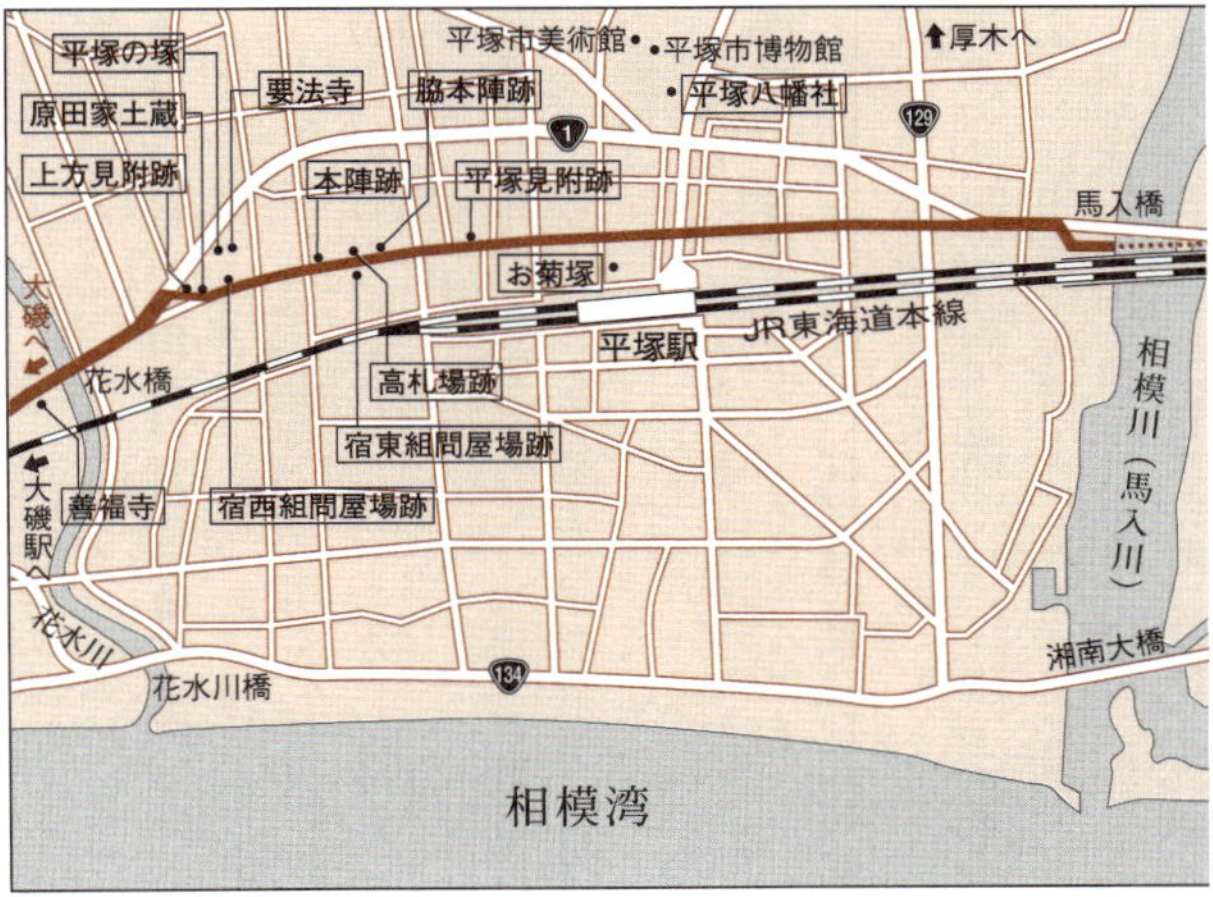

問屋場跡の碑が高札場跡とむかいあっていた。

本陣は、いまは神奈川銀行。よほど注意しないと見落としそうな小さな石碑を残すだけである。

また、旅籠《はたご》五四軒が軒をならべていたが、いまに残るところはすくなく、宿内西はずれの**原田家の石造り土蔵**などが、往時の名残。

西組問屋場の角を北に入ると、つきあたりに日蓮宗《にちれんしゅう》の**要法寺**《ようほうじ》。その西隣の**春日**《かすが》**神社**の右手に、石垣をめぐらした小さな塚がある。**平塚の塚**と呼ばれ、「平塚」の地名の起こりとなったところ。天安《てんあん》元年（八五七）桓武《かんむ》天皇の曾孫《そうそん》で坂東平氏《ばんどうへいし》の始祖といわれた真砂子《まさこ》が一族とともに東国へむかう途中、ここで没したため、遺骸を埋め、この塚を築いたという。呼び方もはじめは「ひらつか」ではなく「たいらつか」だった。

さらに、この平塚と春日神社のあいだの路地を北へ入ると、左手に小さな墓地があり、そばに「**義女松田**《ぎじょまつだ》**たつ女顕忠碑**《けんちゅうひ》」と彫った大きな石碑。「たつ女」とは、歌舞伎「鏡山《かがみやま》旧錦絵《こきょうのにしきえ》」の、中老尾上《ちゅうろうおのえ》に仕《つか》えたお初《はつ》のことで、局岩藤《つぼねいわふじ》に辱《はずかし》められて自害した尾上の仇《あだ》を討った。

さらに旧道に戻り進むと、国道1号と合流する交差点の小さな石垣上に**平塚宿京方見附の碑**が見られる。

花水川《はなみずがわ》にかかる**花水橋**をわたると、左手の横町奥に**善福寺**《ぜんぷくじ》がある。

すこし西へ進むと、右手の**高麗山**《こまやま》のふもとに見えるのが**高来**《たかく》**神社**。「高麗」も「高来」も六六八年（天智《てんじ》天皇の七年）に唐《とう》・新羅《しらぎ》連合軍により国を滅ぼされた朝鮮半島の高句麗《こうくり》に由来する。国を追われた高句麗の王族と従者の一部が渡来し、日本各地に居住。大磯には、王族の一人、若光《じゃっこう》に率いられた有力な集団が上陸して高麗山のふもとに住み、のち付近の開墾《かいこん》に尽力したという。

街道は、高来神社をすぎたあたりから左にカーブする国道1号と分かれ、**虎御前《とらごぜん》の化粧《けわい》井戸《いど》**の残る**化粧坂《けわいざか》**にかかる。虎御前はこの地の山下長者の娘で、遊女ながら詩歌《しいか》管弦《かんげん》に長《ちょう》じ、一七歳にしてこの坂で舞《まい》を演じ、頼朝《よりとも》にも認められたと伝えられる。街道沿いには手作りの一里塚跡、江戸見附などの案内板が見られる。

このあたりからJR東海道本線のガードをくぐり大磯へむかう一キロ近い道のりには、むかしながらの松並木が残っていて美しい。

なお平塚宿は、江戸のむかしから七夕《たなばた》祭りがさかんで、「**湘南《しょうなん》ひらつか七夕まつり**」は仙台、愛知県一宮とならぶ日本三大七夕祭りの一つ。毎年七月七日の前後五日間にわたり、旧東海道にあたる平塚商店街を舞台に行われる。市中を数千本におよぶ巨大な竹飾《たけかざ》りが覆い、連日各種パレードが催される。

【ちょっと寄り道】

●平塚市博物館

JR平塚駅北口の駅前大通りを北進して、徒歩一五分。**平塚八幡社《ひらつかはちまんしゃ》**を越え、平塚市役所のさらに北側、文化公園内にある。「相模川《さがみがわ》流域の自然と文化」をテーマとした二フロア分の常設展示とプラネタリウムがある。平塚宿の当時の町並を再現した模型、本陣絵図《えず》や古文書《こもんじょ》を展示。また、園内には、**中央図書館**、**青少年会館**、噴水のある中央広場、野外彫刻の設置された散策路などがある。＊0463・33・5111／9時〜17時／休館日 月曜、月末日、年末年始

●平塚市美術館

JR平塚駅北口から徒歩二〇分、文化公園

の北側の一角。「湘南の美術と光」をテーマに、平成三年（一九九一）三月にオープンした、まだ真新しいモダンな建物。平塚を中心に湘南地区ゆかりの芸術を展示する常設展のほか、国内外の作品を集めた企画展も開催。

＊0463・35・2111／9時30分～17時／休館日　月曜（祝日の場合は翌日）、年末年始

●お菊塚《きくづか》

　JR平塚駅北口を出てすぐ北西、紅谷町《べにやちょう》にある小さな公園の一角に、怪談「番町皿屋《ばんちょうさらや》敷《しき》」の主人公、お菊の墓標がある。お菊は、平塚宿役人、真壁源右衛門《まかべげんえもん》の娘で、江戸の旗《はた》本《もと》、青山主膳《あおやましゅぜん》方へ奉公中、家宝の皿を破損したかどで手打ちにされた。元文《げんぶん》五年（一七四〇）二月の出来事であった。

【名物のうまいもの】

●味付落花《あじつけらっか》生《せい》

　中国から落花生が渡来した明治当初から、平塚周辺はその最適の栽培地として、全国に知られていた。落花生を乾燥させたのち、塩、味噌、砂糖など、各老舗が独特の味付けをほどこした味付落花生は、茶請《ちゃう》けとして、平塚を代表する産物となっている。旧東海道沿いの平塚商店街にある老舗の**波多野屋《はたのや》**（0463・21・1091／水曜定休）、**富田豆店《とみたまめてん》**（0463・21・0871／水曜定休）で。波多野屋は、平塚駅ビル内にも売り場がある。

●たたみいわし

　生しらすをイグサのすだれに干す伝統的製法の平塚産たたみいわしも、明治以来の歴史をもつ。軽く火であぶり、醤油や卵黄をつけて食し、磯の香を楽しむ。平塚駅ビル、平塚商店街で。

◆問屋場（といやば）

宿の公用をおこなう事務所を「問屋場」と呼び、宿役人の長である「問屋」、助役の「年寄《としより》」、事務担当の「帳付《ちょうづけ》」などが詰めていた。「問屋」には、その宿の有力者が任じられることが多かった。

おもな仕事は、幕府の公用旅行者のために人足や馬、宿泊場所を手配したり、公用文書を運ぶ飛脚《ひきゃく》を管理したりだが、実際の業務は多岐におよんだ。

おまけに相手は「公務で旅するお役人」である。横柄《おうへい》な態度で無理難題をおしつけてくることも多かった。そのわりには、こうした宿役人の報酬はすくなかったという。

◆高札場（こうさつば）

幕府の発した法令などをしるした「高札」を掲示した場所。高札とは、「立札《たてふだ》」とも呼ばれ、木板に御法度《ごはっと》（禁則）や掟《おきて》などを墨書したもの。高札場は、宿場内のほか、街道の追分《おいわけ》や渡船場《とせんば》、関所《せきしょ》など、旅人の目につきやすい各所に置かれた。横浜市神奈川地区センターには、神奈川宿の高札場が、幅三《メー》ﾄﾙほどの実物大で復元されている。

なお、高札場だった場所は、「札の辻《ふだのつじ》」と呼ばれ、東京の品川、静岡市中心部（府中宿）、大津などには、現在でも、「札の辻」が交差点や町の名前として残っている。

江戸より **8** 番目の宿

大磯

おおいそ

【最寄り駅】▼JR大磯駅。南口に出て左手、観光案内所の前を南にくだると、約二〇〇メートルで旧東海道に出る。左折すると化粧坂《けわいざか》方面へ。右折すると小島本陣跡へ。

【街道を歩く】

大磯には平安時代末期から、相模国《さがみのくに》の国府《こくふ》が置かれていた。場所は、現在の大磯町国府本郷のあたりだったという。

江戸初期、幕府により東海道の宿駅《しゅくえき》制度が整備されると、それまで御嶽《みたけ》神社前の官道(古東海道)を通っていた人々も東海道を通るようになり、官道沿いの人家も次第に東海道沿いに移転。元和《げんな》六年(一六二〇)に**尾上本陣**の祖先・市右衛門《いちえもん》が大名宿をはじめてから、江戸より八番目の宿場町として本格的なにぎわいをみせた。

明治になると大磯には、伊藤博文《いとうひろぶみ》をはじめとする各界名士の邸宅、別荘がたちならび、その数は一五〇〇戸にもおよんだ。

平塚《ひらつか》方面からは、旧街道を西へ進み、松並木の残る**化粧坂**をくだり、一里塚の名残を見て進むと道はJR東海道本線と交差する。ここを横断してさらに数百メートル進んだ**日枝《ひえ》神社**のあたりがかつての大磯宿である。

すこし行くと、左手に入ったところに**延台《えんだい》寺《じ》**がある。そこから西へ一〇〇メートルほど行った右手には**地福寺《じふくじ》**があり、明治の文学者・**島崎《しまざき》藤村《とうそん》の墓**がある。

ふたたび東海道へ出て二〇〇メートル。左手の細い川の脇に、**鳴立沢《しぎたつさわ》**。寛文《かんぶん》四年(一六六四)に小田原《おだわら》の崇雪《そうせつ》が草庵《そうあん》「鳴立庵《しぎたつあん》」を結んだところで、西行法師《さいぎょうほうし》の詠歌《えいか》「心なき身にもあはれは知られけり鳴《しぎ》立つ沢の秋の夕暮」でもよく知られている。

沢の奥は小高い丘で、多くの墓石や歌碑がならんでいる。庵室《あんしつ》の高所には、西行の木像を安置した**円位堂**《えんいどう》がある。庵《いおり》を出たあたりが、かつての宿場の西はずれにあたる。

江戸時代の大磯宿は、本陣三軒、旅籠六六軒、宿内総戸数六七六軒。本陣は尾上、小島、石井の三つで、建坪はそれぞれ二三〇坪から二五〇坪。現在の南本町《みなみほんちょう》東側にあった**石井本陣**は比較的早く幕をおろしたが、南本町の地福寺入口付近にあった**尾上本陣**と、北本町のNTTビル西側付近の**小島本陣**は幕末までつづき、現在それぞれの跡地に記念碑がたっている。

鴫立庵を出て西に進むと、やがてみごとな松並木が枝を広げている。数百メートルさきのはずれに残るのが、伊藤博文の旧居で知られる**滄《そう》浪閣《ろうかく》**。現在は結婚式場と中華料理の店になっている。付近の**こゆるぎの浜**をのぞむ海岸地帯には、東側から**旧山内邸**《やまうち》、**旧徳川邸**《とくがわ》、**旧山《やま》県《がた》邸**、**旧沖《おき》邸**、**旧大隈《おおくま》邸**、**旧西園寺《さいおんじ》邸**、**旧池《いけ》田《だ》邸**など、明治の名士たちの邸宅や別荘がならんでいる。

吉田茂《よしだしげる》の旧邸は、さらに街道を西へ進むこと数百メートル。バス停「城山公園前」の付近にあって、裏庭に等身大の銅像がたっている。**身《み》代《がわり》地蔵《じぞう》**で知られる**西長院《せいちょういん》**は、国道から旧道が右に入るところの左側にある。

旧東海道はこのあたりから国道1号と分かれる。しっとりと落ち着いた町並を西に進むと、国府本郷の**一里塚跡**が見られる。**葛川《くずがわ》**にかかる**塩海橋《しおみばし》**をわたると二宮《にのみや》の町並に入る。

つぎの宿場、小田原まではさらに一〇キロ。街道は西湘バイパス沿いに、ほぼまっすぐにのびている。

【ちょっと寄り道】

●延台寺

日本三大仇討《あだうち》の一つと言われる曾我兄弟《そがきょうだい》の仇討伝説。大磯は、その兄である曾我十郎祐成《じゅうろうすけなり》と遊女虎御前《とらごぜん》の悲恋にまつわる伝説の地である。

鎌倉時代、舞の名手として広く天下に知られるようになった大磯の美女虎御前は、やがて曾我兄弟の兄、十郎祐成と恋仲になった。虎御前が兄弟をしのんで庵を結んだ跡といわれているのが、この延台寺。生前の十郎が、敵の刺客《しかく》に襲われたとき、敵の放った矢を受けて十郎の身がわりになったという**虎御石**《とらごいし》が、境内に安置されている。

●大磯町郷土資料館

JR大磯駅と二宮駅の中間、かつての小磯《こいそ》城《じょう》跡につくられた県立の**大磯城山公園**《おおいそしろやまこうえん》内にある。この地にあった旧三井邸城山荘を模《も》した

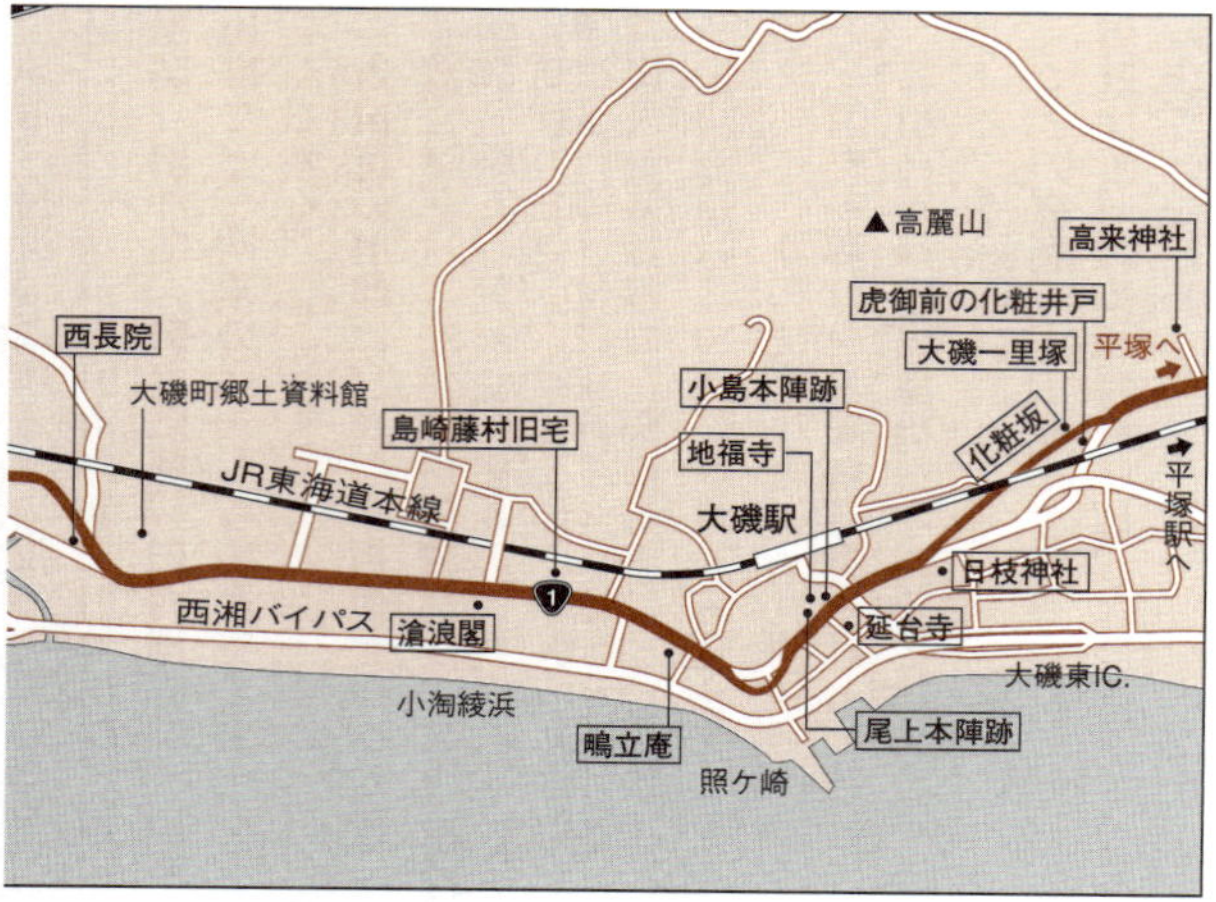

建築の町営資料館。「湘南の丘陵と海」をテーマに、地域の歴史、文化資料等を展示公開。＊0463・61・4700／9時〜16時30分／休館日　月曜、年末年始、毎月1日

【名物のうまいもの】

●鮮魚・干物

地元の大磯港にあがる相模湾の地魚《じざかな》は、街道沿いの**魚辰《うおたつ》本店**（0463・61・0042）で味わえる。みやげものなら、やはり街道筋の老舗、**岩源《いわげん》干魚店**（0463・61・0766）のみりん干しや、**井上蒲鉾店《いのうえかまぼこてん》**（0463・61・0131）のかまぼこがおすすめ。

●手づくりこんにゃく

種芋の植え付けから収穫、製品化まで一貫して手づくりのこんにゃくは、神奈川県の地域特産物。城山公園前の「城山直売所」で、毎週土曜日曜の九時から一五時に、地元の野菜、くだものとともに販売。

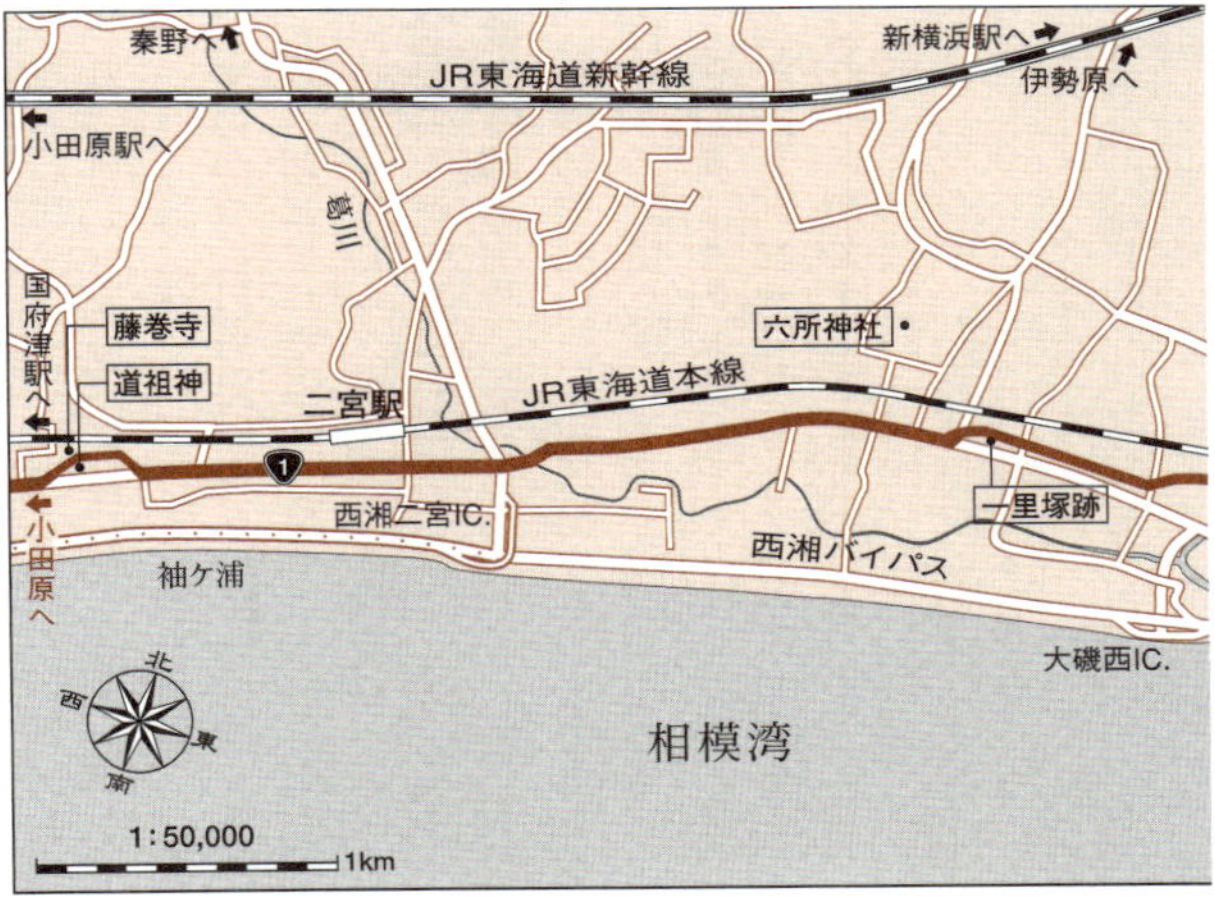

●大玉柿《おおたまがき》

こんにゃくとともに神奈川県地域特産物に指定されている大玉柿は、一個三五〇グラムという大きさ。毎年秋の収穫前には、全国から予約が殺到する人気。季節には「城山直売所」の店頭にもならぶ。

●食事処

平塚宿から大磯にむかって歩くと、化粧坂に入ってすぐ右手、店先に水車や石灯籠が配されたそば屋が**車屋《くるまや》**（０４６３・６１・０９４９／11時〜22時30分　水曜定休）。開店して三〇年になるが、「大磯のそば屋としては新参者《しんざんもの》」と店主。趣《おもむき》ある店構えの店内は、化粧坂の散策客でにぎわう。大根おろし、えのき、そばの実がのった冷たい「化粧《けわい》そば」がさわやかな味。

鳴立庵のすこしさきの街道右手、松並木のそばにあるのが**松濤庵**（０４６３・６１・４７４０／11時〜20時30分　木曜定休）。人気メニューは「街道そば」。

街道筋の松並木に囲まれた洋館、**滄浪閣**（０４６３・６１・１１１１）は、初代総理大臣、伊藤博文のかつての居宅《きょたく》。現在は中華レストランとして運営されている。裏手に広がる相模湾の眺望を楽しみながらの中華料理も一興。

【泊まってみたい宿】

●大内館《おおうちかん》（０４６３・６１・００３３）

大磯の中心街、旧街道沿いに明治中頃より開業する老舗旅館。木造で趣ある建物は、つい最近までそのままに営業していたが、平成八年（一九九六）八月七日から和風鉄筋造りになって新築オープンしている。

宿場と街道よもやま知識

◆旅籠屋（はたごや）と木賃宿（きちんやど）

本陣、脇本陣が、公家、大名、旗本など公人の宿であるのに対して、一般の旅人や、公用でない武士が利用した、食事付きの宿泊施設が、旅籠屋である。「一泊二食付き」で料金が設定されており、現在の旅館のスタイルは、これを踏《とう》襲《しゅう》していることになる。

旅籠の数は宿場によってさまざまだった。東海道では、宮、桑名、岡崎などの宿が、きわめて旅籠の多いことで知られ、なかでも宮宿は、二五〇軒近くの旅籠でたいへんなにぎわいぶりだった。

当時、旅籠として創業し、現在も旅館として営業をつづけている老舗も、多くはないが残っている。なかでも赤坂宿の大橋屋《おおはしや》旅館は、もと旅籠「伊《い》右ヱ《え》門《もん》鯉《こい》屋《や》」。いまも往時のおもかげを色濃く残したたたずまいで、旅の客をむかえている。

泊まり客に食事を出すというのが、旅籠屋の特徴だが、これに対して、食事なしの宿が木賃宿である。旅人が米や干《ほし》飯《いい》、大根漬けなどを自分で持ち込み、これらを炊く湯代、薪《まき》代として宿代を支払った。

江戸初期には、庶民の旅の宿としてこちらが一般的だったが、享保《きょうほう》（一七二〇年頃）以後は、旅籠が主流となっていった。木賃宿の宿泊料は、旅籠の三分の一から一〇分の一と安価であった。

江戸より9番目の宿

小田原《おだわら》

【最寄り駅】▼JRまたは小田急・小田原駅。東口に出て正面の通りを南進。徒歩一五分で本町《ほんちょう》交差点。このあたりが小田原宿の中心。

【街道を歩く】

小田原宿は、日本橋を出立《しゅったつ》した旅人の多くが二泊めの宿として利用した。

大磯《おおいそ》方面からは、**押切坂《おしきりざか》一里塚**の地点から旧道に入り、**押切坂**をくだりきったところで、国道1号にふたたび合流。**押切橋**をわたる。そこから、およそ一・二キロさきを北へ三〇〇メートルほど行った山の中腹の**近戸《ちかど》神社**からは相模湾《さがみわん》をのぞむことができる。

国道1号にもどり、約一キロほど進むとJR国府津《こうづ》駅。さらに約二〇〇メートルほど行った南側に**勧堂《すすめどう》**。はすむかいには**眞楽寺《しんらくじ》**。どちらも親《しん》鸞《らん》の旧跡として知られている。小八幡地内に入り左手歩道に**一里塚跡**の案内板が見られる。そこからおよそ二キロほど進んだ右側に、日蓮の旧跡**法船寺《ほうせんじ》**がある。

やがて、国道1号は、**酒匂《さかわ》川《がわ》**をわたる。いまは**酒匂橋**を利用するが、江戸時代の渡し場は、東岸の酒匂側が、現在の橋のたもとあたり。西岸の小田原側は、橋のたもとより一〇〇メートルほど北側だったという。橋をわたり右手旧道に入り、いったん国道1号を横切る。街道から少し入ったところには**新田《にった》義貞公首塚《よしさだこうくびつか》**がある。その先、旧街道は国道1号に合流。約一キロほど進んだところに**江戸《えど》口見附跡《ぐちみつけあと》並びに一里塚跡**がある。

国道1号は、そのまま**小田原城《おだわらじょう》**にむかってのびているが、旧街道は新宿《しんしゅく》の交差点を左に曲がる。**蹴上《けあ》げ坂《ざか》**を一〇〇メートルほどのぼったところを右へ。多くのかまぼこ屋がたちならぶ静かな通りに出る。

しばらく進むと、**青物町**《あおものちょう》交差点に達する。このあたりから西の欄干橋町《らんかんばしちょう》までの地域が、宿の中心地。最盛期には約一〇〇軒の旅籠があったという。

ほどなく左側に、**清水金左衛門**《しみずきんざえもん》**本陣跡**がある。国道1号に合流し、一〇〇《メートル》ほど進んだ左側にある映画館のあたりが**片岡**《かたおか》**本陣跡**。すこし行ったタイル屋からラーメンのハーフ軒までの角地が**久保田**《くぼた》**本陣跡**。さらに進むと右側に、古くからの薬として有名な「**ういろう**」を売る薬局がある。近年、八棟造の特異な建物が再建された。むかいの駐車場のあたりが**清水彦十郎**《しみずひこじゅうろう》**本陣跡**である。

街道はさらに西へ。東海道本線と箱根登山鉄道をくぐると、右に**光円寺**《こうえんじ》、左に小田原城主大久保一族の墓所である**大久寺**《だいきゅうじ》。すぐに**上**《かみ》**方口**《がたぐち》**見附跡**《みつけあと》。東海道新幹線の手前で、街道は

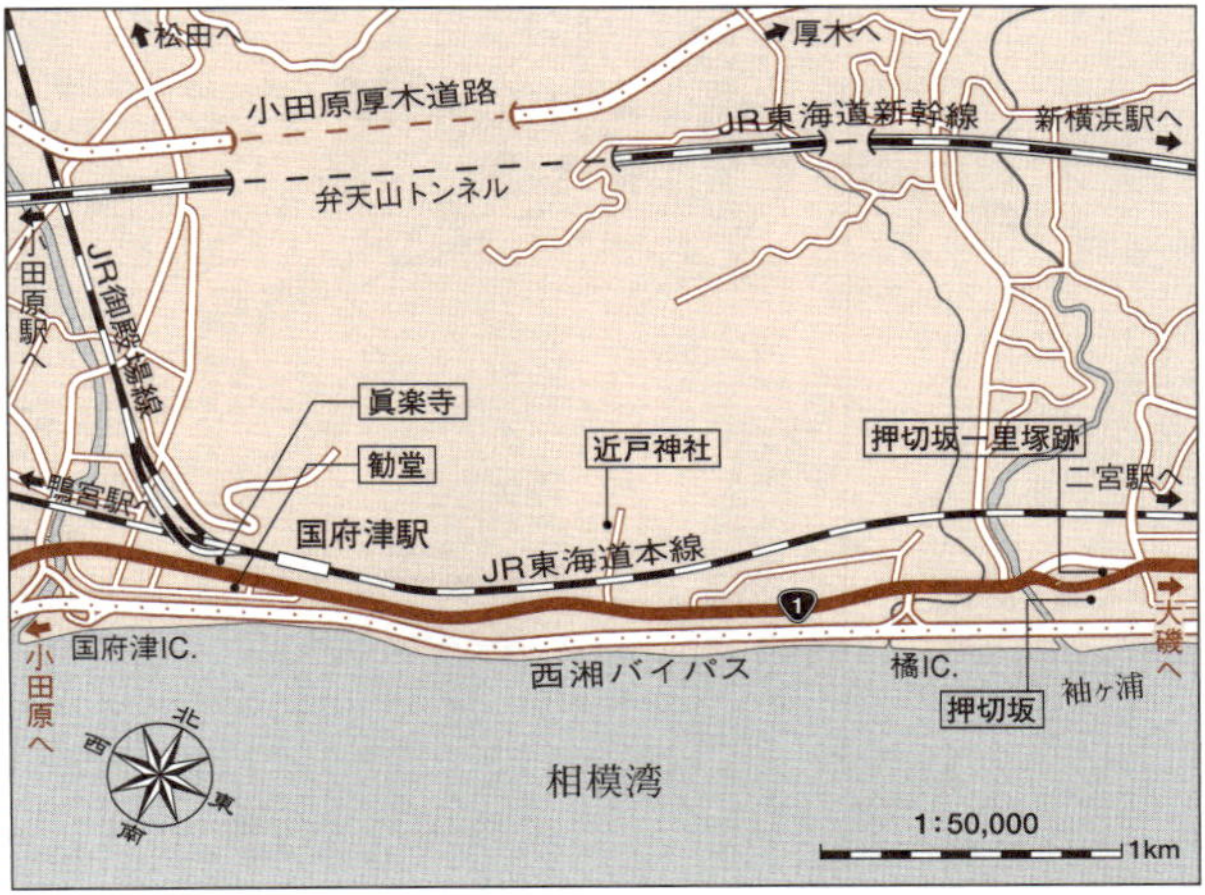

右にそれ、しばらく進むと右手に**延命子育地蔵尊**。**十王堂**には巨大な生木の大黒天が祀られている。その先を箱根登山鉄道と併行して進み、風祭《かざまつり》駅入口付近右手に**一里塚跡**の案内板。さらに進むと右手に**紹太寺**への入口を見ながら箱根へとむかう。

【ちょっと寄り道】

●**小田原市郷土文化館**

小田原に関する郷土資料を多数収蔵展示。
＊0465・23・1377／9時～17時／休館日　年末年始

●**松永記念館**

小田原市郷土文化館の分館。「電力の鬼」こと松永安左衛門《まつながやすざえもん》の屋敷跡で、市に寄贈されたもの。＊0465・22・3635／9時～17時／休館日　年末年始

●**小田原城跡**

室町時代、大森《おおもり》氏によって築かれた山城が前身。北条《ほうじょう》氏の時代に外郭などが整備され、

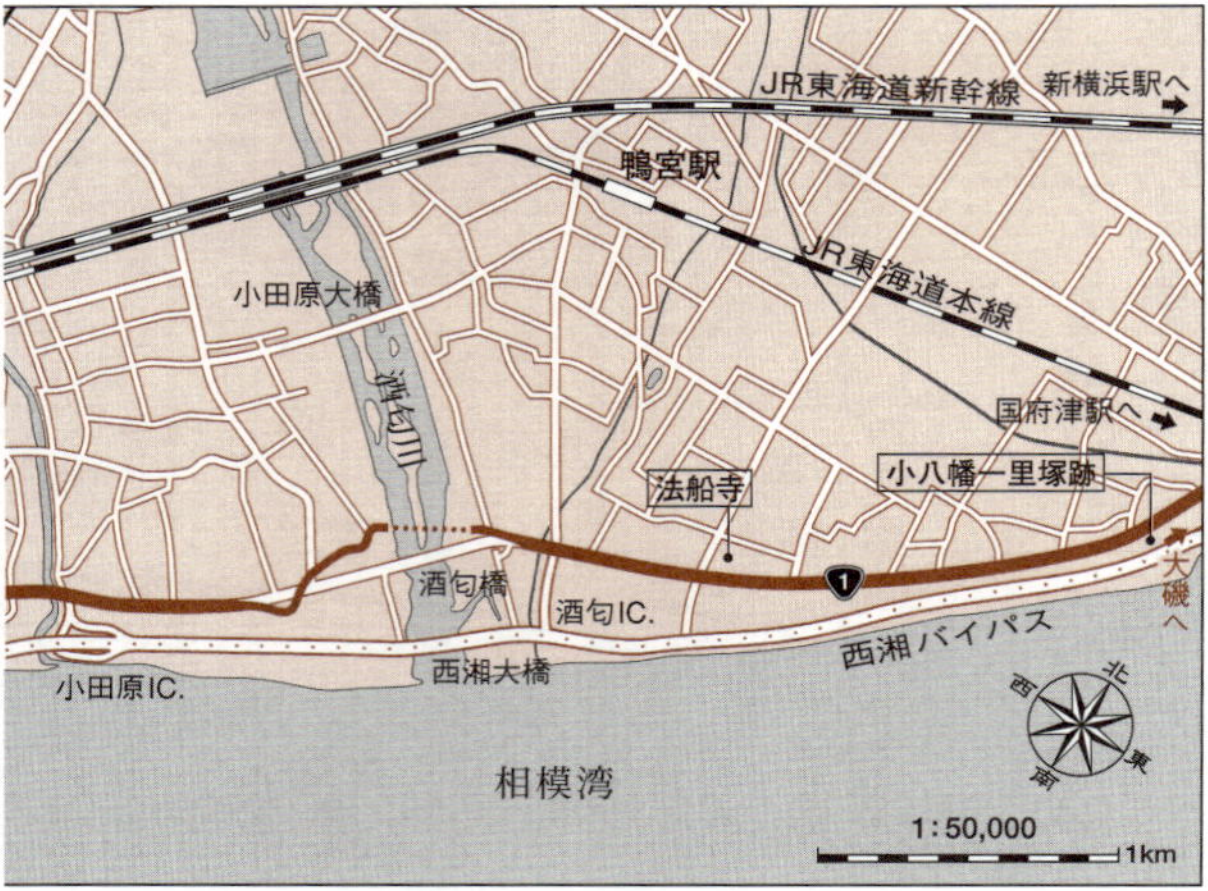

江戸時代は稲葉氏、大久保氏の居城であった。昭和三五年（一九六〇）になって鉄筋コンクリートに再建され、城を囲むように公園が整備されている。＊0465・23・1373／9時～16時30分（閉城17時）／休館日　年末年始

●報徳博物館

江戸時代の農政家、二宮尊徳《にのみやそんとく》に関する資料を多数収蔵展示。＊0465・23・1151／9時～16時30分／休館日　水曜、年末年始、祝日（または振替休日）の翌日

●小田原文学館

箱根口交差点を南へ約三〇〇《メートル》入ったところ。明治以降の小田原とゆかりのある文学者に関する資料を展示。＊0465・22・9881

【名物のうまいもの】

●かまぼこ

蒸しかまぼこは、江戸後期、小田原の地で考案され、その後、関東式の板かまぼことして全国にその名を広めた。かつては相模湾《さがみわん》で

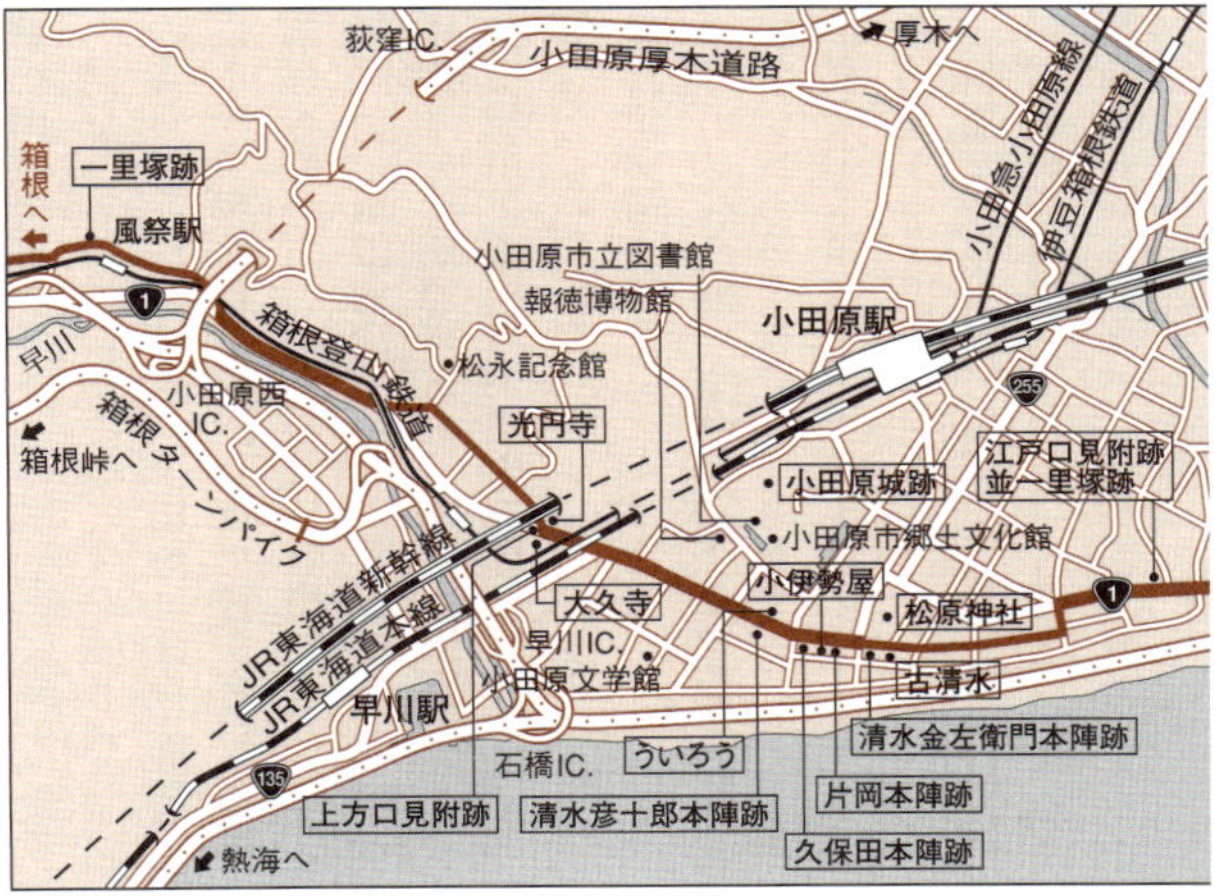

とれるオキギス、現在ではグチが主原料。海岸通りには小田原かまぼこの老舗がずらり。創業一〇〇年を超える店も少なくない。**山一**《やまいち》**蒲鉾店**《かまぼこてん》、**籠清**《かごせい》、**杉兼**《すぎかね》**かまぼこ店**、**かまぼこのいせかね**、**山上**《やまがみ》**蒲鉾店**、**小田原丸**《まる》**うかまぼこ店**がそれぞれの技術とこだわりを競っている。老舗の**鈴廣**《すずひろ》は、このさき風祭に店がある。

●梅干《うめぼし》

小田原城主だった北条早雲《ほうじょうそううん》は、梅干の薬効《やっこう》と日持《ひも》ちのよさに目をつけ、兵士の食用に生産を奨励《しょうれい》。小田原名産として旅人のみやげになった。江戸時代からの店として知られる**みのや吉兵衛**（0465・23・6633）や明治四年（一八七一）創業の**ちん里**《り》**う本店**（0465・22・4951）は小田原駅前にある。街道沿いなら浜町の**田中屋**《たなかや》**本店**（0465・22・5545）がある。

【気のきいたおみやげ】

●小田原提灯《おだわらぢょうちん》

童謡「おさるのかごや」でも唄われた小田原提灯は、江戸時代、小田原に住む甚左衛門により考案された。折りたたむことができ、雨にも強いことから旅人に愛用された。提灯専門店の**飯沼商店**（0465・23・2625）では、手作りの小田原提灯のほか、小田原や近隣の祭で使用する提灯、旗やのれんなども扱う。

【泊まってみたい宿】

●小伊勢屋（0465・22・5106）

現在の主人が一九代目の老舗旅館。宿泊のほか、食事処としても利用できる。小田原駅から海岸方面へ。徒歩約一五分。

●古清水（0465・24・0336）

旅籠だった当時は「小清水」と表記したが、昭和初期から現在の「古清水」に。小田原駅から海岸方面へ。徒歩約一五分。

江戸より 10 番目の宿

箱根《はこね》

【最寄り駅】▼箱根登山《はこねとざん》鉄道・箱根湯本《はこねゆもと》駅。国道1号を小田原《おだわら》方面に約三〇〇《メートル》もどると三枚橋《さんまいばし》交差点。ここから旧東海道に入る。三枚橋から畑宿《はたじゅく》をへて、芦《あし》ノ湖《こ》畔の箱根宿までのぼっていく道のりは徒歩でおよそ四時間。

なお、旧街道を通る箱根登山バスの便もある。

【街道を歩く】

「箱根山中に宿場がなくては、江戸への参勤《さんきん》が難儀《なんぎ》だ」という西国大名《さいごくだいみょう》の要請によって、元和《げんな》四年（一六一八）、あらたに設置された宿場が箱根宿である。小田原宿と三島宿《みしましゅく》から五〇軒ずつ取り立ててつくった宿場で、それぞれ小田原町、三島町と呼ばれ、その名はいまも箱根町の正式な字名《あざめい》として残っている。

宿泊施設は本陣六、脇本陣一、旅籠《はたご》三六（宿村大概帳）で、本陣の数は街道で最多だった。

「箱根宿を訪ねてみたい」と思う人は、手前の小田原宿から歩くと、往時の旅気分が楽しめる。小田原宿の高札場《こうさつば》跡が、箱根八里の起点だからである。

「そんなには歩けない」という人も箱根湯本の**三枚橋**からは歩きたい。江戸時代、ここは**七湯《ななゆ》道《みち》**と呼ばれた温泉場への道と東海道の分岐点で、旅人はここでひと休みし、わらじのひもを結び直して山路にむかった。ここをスタート地点に、芦ノ湖畔の箱根宿をへて箱根峠までののぼり坂を**箱根東坂《ひがしざか》**、峠から三島宿にいたるくだり坂を**箱根西坂《にしざか》**と呼んだ。

〔箱根東坂〕湯本から畑宿まで

早川にかかる三枚橋をわたって、旧街道に入ると、一〇分ほどで、右手に小田原北条《ほうじょう》五代の菩提寺《ぼだいじ》**早雲寺**《そううんじ》の山門が見える。
　そこから、五〇〇《メートル》ほど進むと、左手に鎌倉時代からの古刹《こさつ》、**正眼寺**《しょうげんじ》。寺からすこしあがると、道がカギの手に曲がる。ここからが**旧湯本茶屋村**《ゆもとちゃやむら》で、村境には**男女双体の道祖**《どうそ》**神**《じん》、そのさき右側石垣に囲まれた**旧箱根街道一里塚跡の碑**がたっている。
　碑をすぎてまもなく、ななめ右にくだっていく道がある。この道が、西に行くとき、箱根で最初に出会う**石畳の道**《いしだたみ》である。石畳は東坂だけでも七ヵ所に残っている。よく保存されているのは、これからさき、**畑宿**の**大沢坂**《おおさわざか》と**西海子坂**《さいかちざか》、それに**白水坂**《しろみずざか》で、そこには当時の排水路もよく残っている。
　観音坂《かんのんざか》、**葛原坂**《くずはらざか》をすぎると**旧須雲川村**《すくもがわむら》。右手、湯坂山《ゆさかやま》の中腹に**初花の滝**《はつはな》が見える。浄瑠《じょうる》璃《り》「箱根霊験躄《れいげんいざりの》仇討」で、初花が足の不自由な夫を助けて、父の仇討《あだう》ちをとげたという

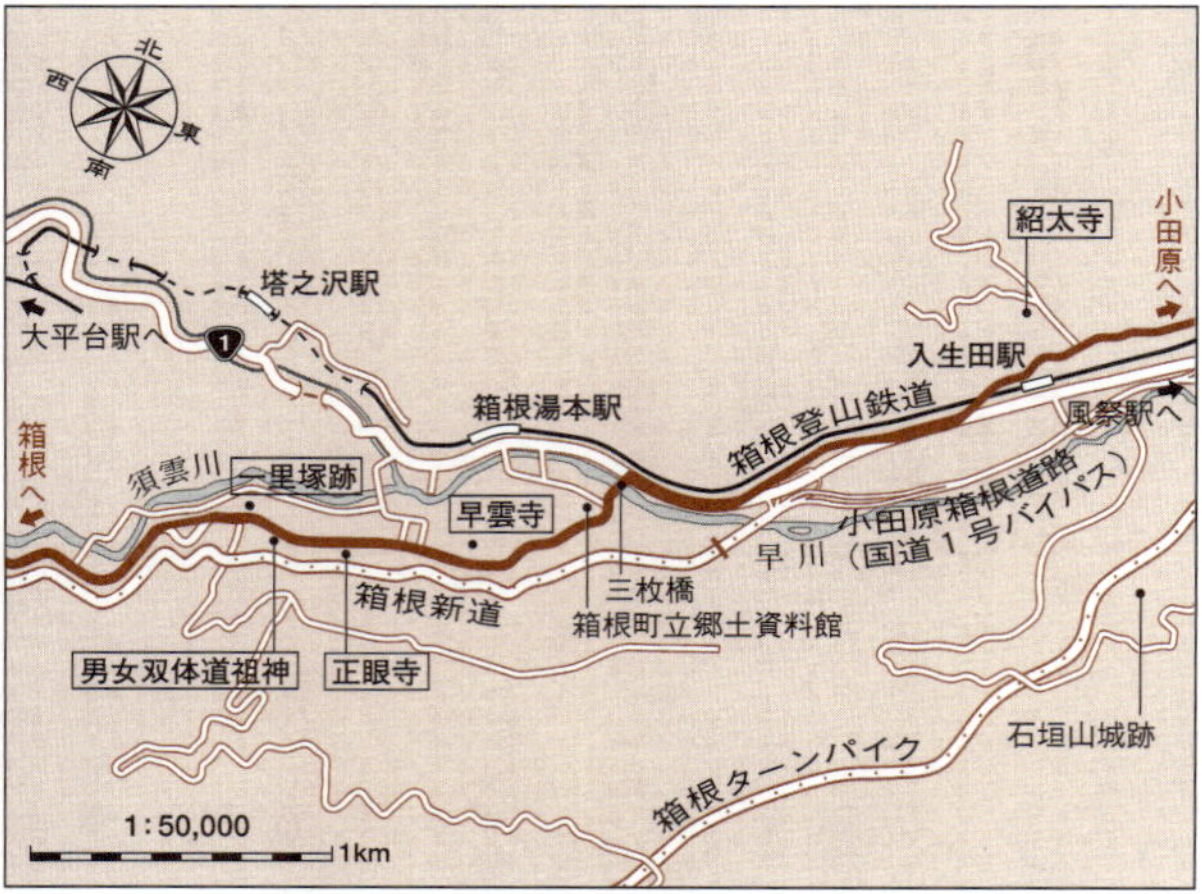

伝承の地。村の**鎖雲寺**《さうんじ》には二人の墓がある。

須雲川橋をわたると**女転**《おんなころば》**し坂**《ざか》。寛永《かんえい》年間（一六二四〜一六四四）に女性の旅人が落馬して死んだので、その名がついた。左に入る須雲川自然探勝歩道がある。

割石坂《わりいしざか》は、曾我《そが》兄弟が仇討ちにむかう途中、ここで刀の切れ味をためし、みごとに大石を割ったと伝えられるところ。

県道からななめ左下に箱根旧街道石碑をくだっていくと**大沢坂**。大沢川に木橋がかかっている。この坂は石畳の苔が美しい。大沢坂をのぼりきると、ほどなく畑宿にはいる。

〔箱根東坂〕畑宿から箱根宿まで

「**寄木細工**《よせぎざいく》**の里**」として知られる**畑宿**は、江戸時代は**間**《あい》**の宿**として栄えたところ。立場《たてば》の**茗荷**《みょうが》**屋**は、裏の庭園の美しさで知られた。

村はずれに、江戸から二三番目の**一里塚**がある。一里塚が道の両側に残っているのは、戸塚の**品濃坂**についで二つめ。平成一一年に修復・復元された塚の脇に、文人・**芹沢光治**《せりざわこうじ》**良**《ろう》**の歌碑**「箱根路や往時《おうじ》をもとめ登りしに未来の展《ひら》けてたのしかりけり」がある。

ここから**西海子**《さいかち》**坂**《ざか》、**樫木**《かしのき》**坂**《ざか》、**猿滑**《さるすべ》**り坂**《ざか》と、東海道きっての急坂がつづき、世にいう箱根の雲助《くもすけ》たちの活躍の場だった。いまは急坂の箇所はすべて崩れてしまい、県道脇の歩道の急な階段に往時をしのぶしかないが、西海子坂ののぼり口には、よい石畳が残っている。

急坂をのぼりきり、やや平坦な**笈**《おい》**ノ平**《たいら》に着くと、むかしの旅人は甘酒にほっとひと息ついた。いまも名物の**甘酒茶屋**がある。赤穂浪《あこうろう》士《し》の神崎与五《かんざきよご》郎《ろう》が馬喰《ばくろう》の丑五《うしご》郎《ろう》に言いがかりをつけられたが、仇討ちを前にじっとこらえ、ここで詫《わ》び証文《しょうもん》を書いたといわれる。茶屋の手前には**箱根旧街道資料館**がある。

お玉坂は、元禄《げんろく》一五年（一七〇二）、伊豆大瀬村の農家の娘たまが関所破りをし、獄門にかけられたところで、近くの**お玉ケ池**は、たまの首を洗ったので、その名がついたといわれている。

白水坂、**天ケ《てんが》石坂《いしざか》**をのぼりきると、道はくだり坂になる。途中に「箱根八里は馬でも越すが、越すに越されぬ大井川」の**箱根馬子《まご》唄《うた》**の**歌碑**がたつ。この坂が**権現坂《ごんげんざか》**で、むかしはこの坂から**箱根神社**（**箱根権現**）への道が通じていた。芦ノ湖が見え、街道でも有数の景観。

やがて右手に**ケンペル・バーニー碑**。大正から昭和にかけて箱根に別荘をもった英人貿易商、バーニーが自然を愛した記念碑。

杉並木をぬけると、ようやく湖畔。町指定史跡の**賽《さい》の河原**がある。いまは五四基の石《せき》仏《ぶつ》、石塔《せきとう》しかないが、江戸時代は、一三〇基もの石仏、石塔が汀《みぎわ》にたちならび、旅人の信

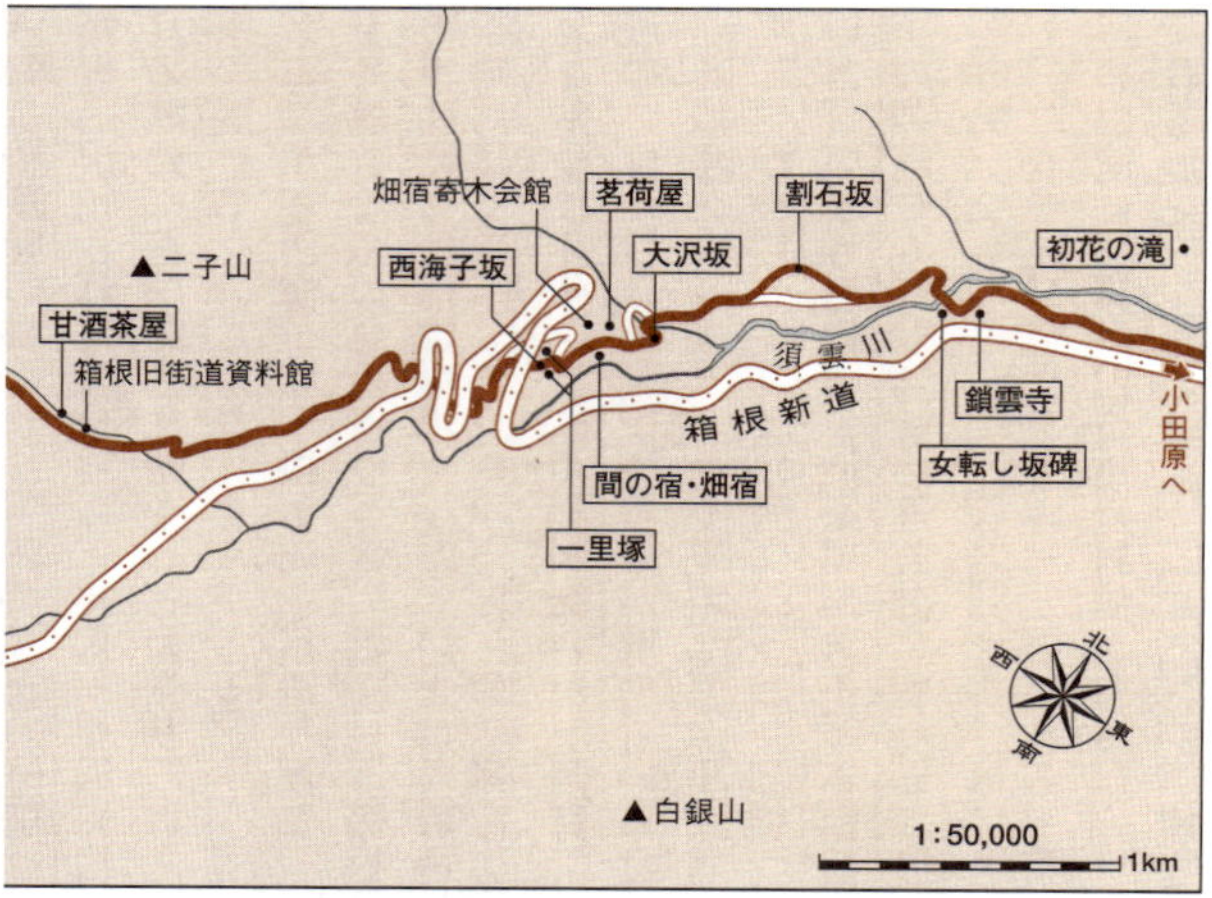

仰を集めていた。このあたり、芦ノ湖に浮かぶ「**逆《さか》さ富士**」が美しい。

杉並木は権現坂から芦ノ湖畔、さらに箱根宿のさきの**向坂**《むこうざか》にかけて、樹齢およそ三五〇年の杉が、いまも四一五本残り、平均三〇メートルの高さでそびえたっている。杉並木の入口手前には**一里塚跡**がある。

恩賜《おんし》**箱根公園**からが箱根宿である。丘の上には在りし日の**函根**《はこね》**離宮**《りきゅう》の洋館が展望館として再建されている。

江戸時代の東海道は、いまは公園の駐車場となっているところを通っていて、その頃は道の両側に十数軒の茶屋がならんでいた。旅人はここで関所の通行の仕方を教わった。その駐車場の片隅に**箱根八里の歌碑**があり、そのさきに**箱根関所資料館**がある。

箱根関所は、平成一六年四月、旧**本御**《ほんご》**番所**《ばんしょ》跡にあらたに再建され、当時の関所の調べぶ

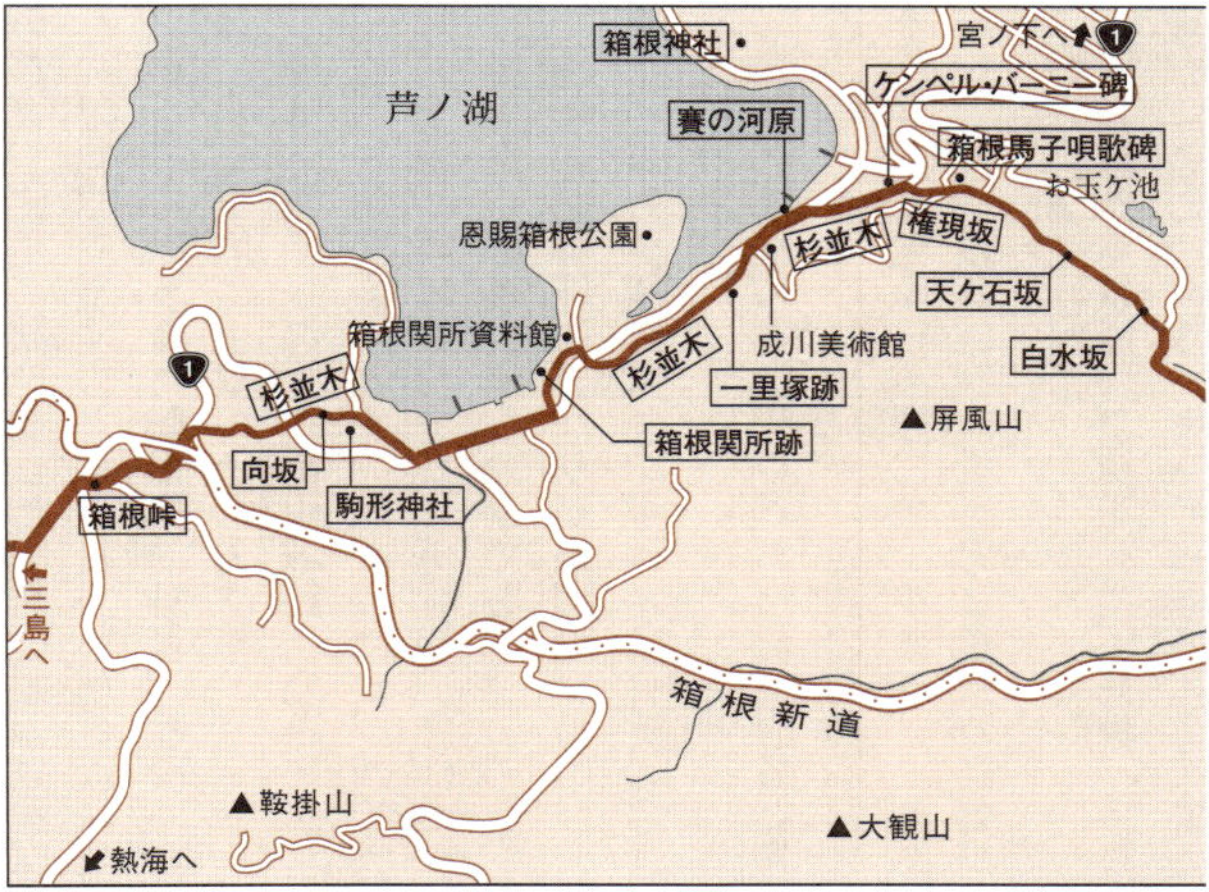

りが再現されている。

そのさき、芦川《あしかわ》町までが箱根宿。宿のはずれ、**向坂**ののぼり口には、杉並木の下に芦川町の念仏堂から移した石仏、石塔がならんでおり、江戸の旅の情緒をしのばせてくれる。

〔箱根西坂〕三島宿へ

向坂をのぼりきると**箱根峠**。相模と伊豆の国境である。茨ケ平と呼ばれる国道1号の「カントリー入口」の右手、**甲石坂**《かぶといしざか》からくだりの西坂となる。やがて**接待茶屋**《せったいぢやや》**跡**。左側に**山中新田**《やまなかしんでん》**一里塚**、**徳川有徳公**《とくがわゆうとくこう》**遺跡碑**。右側には大きな**甲石**《かぶといし》。秀吉が小田原攻めのとき、休息して兜《かぶと》を置いた石といわれ、接待茶屋北側の旧道にあったものをここに移した。

石原坂《いしわらざか》（**石荒坂**）をくだり、途中右側に**念**《ねん》**仏石**《ぶついし》と行き倒れの人の**供養塔**。**大枯木坂**《おおかれきざか》にいたる。**小枯木坂**《こかれきざか》をへて、そのさきに**雲助徳利**《くもすけとっくり》**の墓**。盃と徳利が浮き彫りにされためずらしい墓で、終生、酒を愛した雲助の頭《かしら》の死をいたんで仲間や土地の人々によってたてられたという。そのさきに**駒形諏訪**《こまがたすわ》**神社**。社殿の背後、本丸東側の土塁の上に**矢立杉**《やたてすぎ》。

街道北側の丘の上に**山中城**《やまなかじょう》**跡**。北条氏が小田原城を防衛するための城だったが、豊臣秀吉《とよとみひでよし》の大軍に攻められ半日で落城し、今は城址に塀や土塁の跡が残るのみである。

駒形諏訪神社のとなりが**宗閑寺**《そうかんじ》。山中城合戦で倒れた両軍の武将の墓がある。そのさきに**芝切**《しばきり》**地蔵堂**。

国道バイパスを横断し、ふたたび旧道に入る。そのさき、富士《ふじ》見平《みだいら》に**芭蕉**《ばしょう》**の句碑**「霧しぐれ富士を見ぬ日ぞ面白《おもしろ》き」がある。このあたり、天気の良い日は駿河湾と富士の雄姿が見られ、絶景。

上長坂《かみながさか》から**笹原**《ささはら》**一里塚**をへて**下長坂**《しもながさか》。下長坂は「こわめし坂」とも呼ばれる。このあたりの坂があまりにも長く、しかも急なので背負っていたお米が、汗と熱でこわめしになったとのいわれから。

　このさき、しばらくは旧国道1号を進む。右手に**松雲寺《しょううんじ》**、**明治天皇史跡の碑**がたつ。**小《こ》時雨坂《しぐれざか》**、**大時雨坂《おおしぐれざか》**をへて、**臼転坂《うすころばしざか》**をくだると、ほどなく国道バイパスと合流。その合流地点に**箱根路の石碑**がある。さらに進むと、**錦田《にしきだ》一里塚**。両側とも保存されている。**初音《はつね》ケ原《がはら》の松並木**を通り**愛宕坂《あたござか》**、**今井坂《いまいざか》**をくだると三島宿へと入る。

【ちょっと寄り道】

●箱根町立郷土資料館

　三枚橋をわたってすぐ右手、箱根町役場とむかいあう建物。箱根山にまつわる郷土資料を多数展示。常設展示では、江戸時代に箱根を通っていた三つの道（箱根八里、湯治《とうじ》の道、生活の道）をテーマに当時の箱根が紹介されている。＊0460・5・7601／9時～16時30分／休館日　水曜、最終月曜、年末年始

●早雲寺

　小田原の戦国大名、北条早雲《ほうじょうそううん》の遺命により、大永《だいえい》元年（一五二一）、二代氏綱《うじつな》が建立《こんりゅう》した小田原北条五代の菩提寺。境内には**北条五代の墓**、早雲の子・北条幻庵《げんあん》作と伝えられる**枯山水《かれさんすい》の庭園**、芭蕉が敬慕《けいぼ》した**連歌師《れんがし》・伊《い》庭《ば》宗祇《そうぎ》の墓**と、その代表句「世にふるも（碑は世にふるハ）さらに時雨の宿りかな」を刻んだ句碑、宗祇を慕ってここで剃髪《ていはつ》した江戸の俳人・**稲津祇空《いなづぎくう》の墓**、江戸時代の医師、**曲《ま》直瀬《なせ》道三《どうさん》の五輪塔**、**隠れキリシタンの墓**、文豪・徳冨蘆花《とくとみろか》が「古《ふ》りし鐘楼《しょうろう》」と讃えた**鐘楼**、その隣にこの地で秀吉に惨刑に処された茶人・**山上宗二《やまのうえそうじ》の供養塔**など、見どころが豊富。

●正眼寺

仇討ちで知られる曾我十郎《そがじゅうろう》、五郎《ごろう》ゆかりの寺。裏手の**曾我堂**には、曾我兄弟が地蔵に化けたと伝えられる**木造地蔵菩薩立像**《もくぞうじぞうぼさつりゅうぞう》**二体**がまつられている。地蔵信仰の霊場でもあり、高さ二・五《メートル》もの大きな**石の地蔵尊**もある。江戸時代に旅人の信仰を集めた放光《ほうこう》地蔵菩薩が幕末の戊辰《ぼしん》戦争で焼けてしまったため、村人が小田原の紹太寺《しょうたいじ》からもらいうけたもの。**芭蕉句碑**「山路《やまじ》きてなにやらゆかしすみれ草《ぐさ》」は、同じ戦乱で焼けて文字は定かでない。

●箱根旧街道資料館

　畑宿から芦ノ湖畔にいたるほぼ中間地点で、甘酒茶屋と隣りあう資料館。甘酒茶屋の再現模型《もけい》、旅人の携帯品などの民俗資料を展示。入口脇は、無料休憩所として利用できる。＊0460・3・6871／9時～17時／休館日　年末（12月29日～31日）

●元箱根石仏群

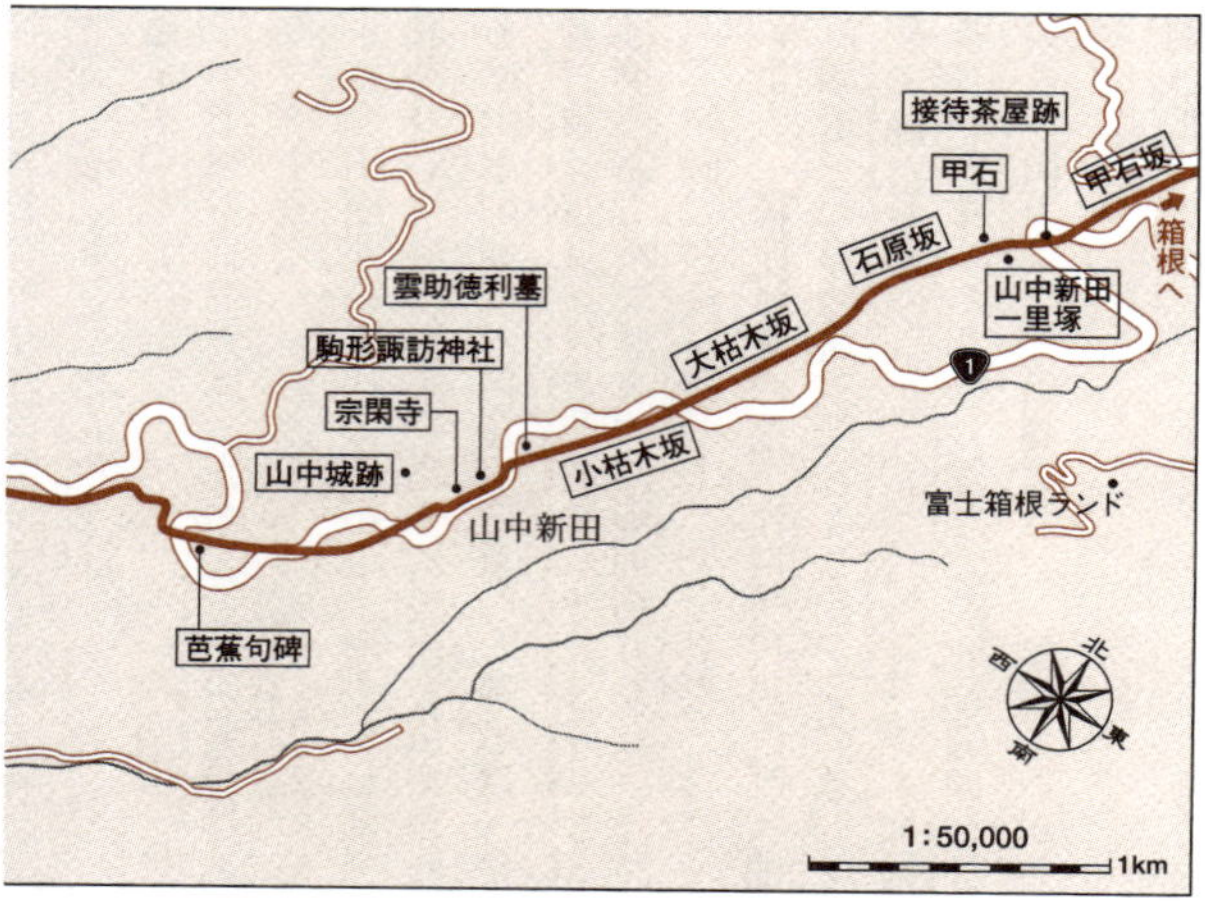

鎌倉古道と国道1号線が合流する精進池あたりは東海道の最高地点で、しばしば深い霧が立ちこめる難所であった。この周辺には今も多くの石仏や石塔が残っている。六道地蔵《りくどうじぞう》磨崖仏《まがいぶつ》をはじめ曾我兄弟と虎御前《とらごぜん》の墓、多田《ただ》満仲《みちなか》の墓、二十五菩薩磨崖仏などが点在し、地蔵信仰の霊場として参拝者の絶えなかったというかつてのおもかげを残す。JR小田原駅、小田急箱根湯本駅から、伊豆箱根バス、箱根登山バス（箱根町、元箱根行）で「六道地蔵」下車すぐ。

●**芦ノ湖**

箱根のほぼ中央に弓形に横たわる芦ノ湖は、箱根観光のシンボル的存在。標高七三二メートル、周囲一七キロ、最深四二メートルのカルデラ湖。南岸の杉並木からながめる「逆さ富士」が美しい。

●**箱根神社**

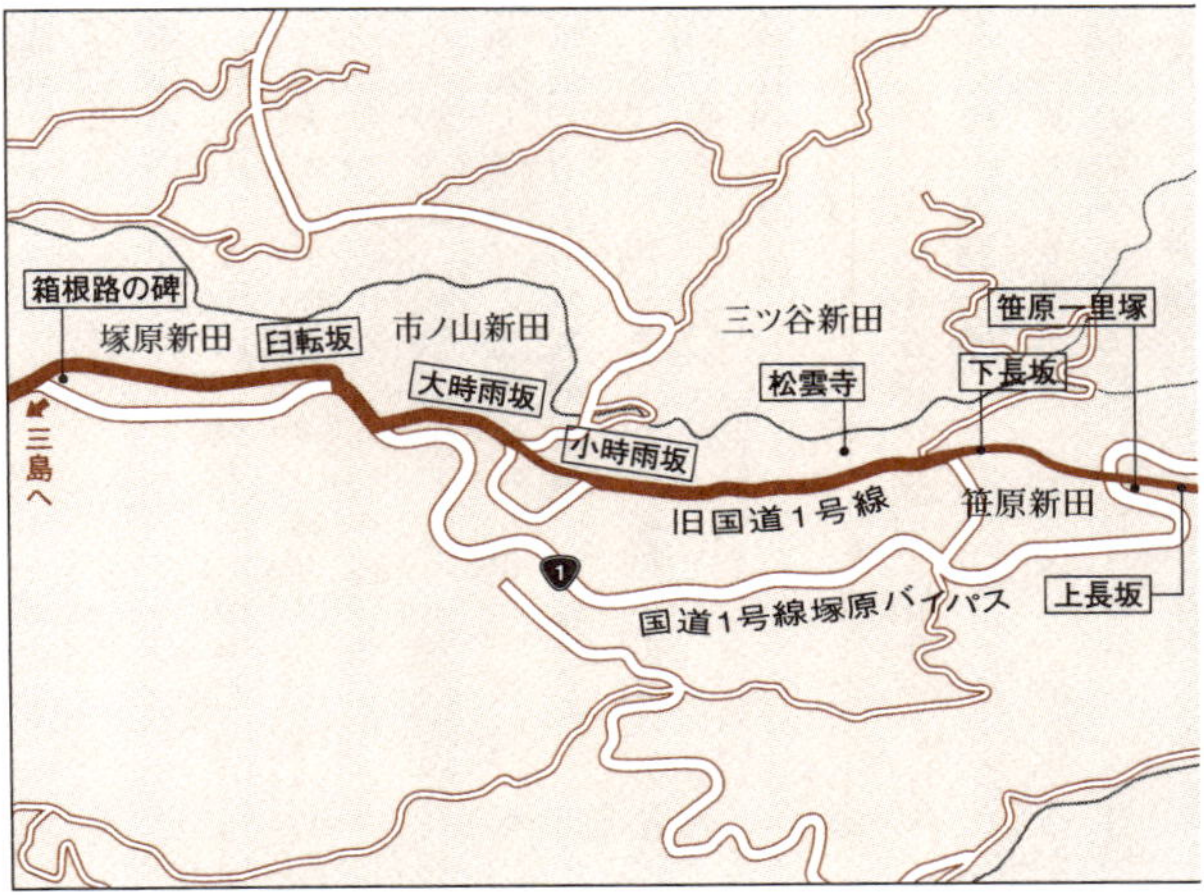

賽の河原から、箱根関所と反対の方向に湖岸をめぐること約二〇分。奈良時代中期の高僧・万巻《まんがん》（満願）上人の創建。かつては**箱根権現**と呼ばれ、源《みなもとの》頼朝《よりとも》の旗上げを助けた神社として武家政権の崇敬を集めた。曾我兄弟が仇討ちに用いたとされる赤木柄の短刀や平安初期のカヤ材の一木造り・万巻上人像など、重要文化財を多数所蔵した**宝物殿**《ほうもつでん》がある。＊宝物殿　0460・3・7123／9時〜16時／無休

●**成川**《なるかわ》**美術館**

東山魁夷《ひがしやまかいい》や山本丘人《やまもときゅうじん》、平山郁夫《ひらやまいくお》ら、現代日本画家の作品約五〇〇点を収蔵。芦ノ湖をのぞむ丘の上にあり、眺望もすばらしい。＊0460・3・6828／9時〜17時／無休

●**箱根関所資料館**

再建された本御番所の手前にある。関所手形や関所日記、関所破りの記録などの古文書《こもんじょ》や武具などを展示。＊0460・3・6635／9時〜16時30分／無休

【名物のうまいもの】

●**湯本の温泉みやげ**

箱根宿の玄関口、湯本は、箱根七湯《ななゆ》でもっとも歴史の古い湯治場《とうじば》。**温泉まんじゅう**は、百年余の伝統をもつ**丸嶋**《まるしま》**本店**（0460・5・5031）が人気。箱根湯本駅前で「元祖箱根温泉まんじゅう」の看板をかかげる。また、老舗《しにせ》旅館御用達《ごようたし》のお茶請《ちゃう》けが、**ちもと**（0460・5・5632）の**湯もち**。湯本駅前の商店街を塔之《とうの》沢《さわ》方面に約三〇〇メートル。

●**甘酒と力餅**《ちからもち》

かつては箱根八里に一三軒あったといわれる甘酒茶屋。現在は、畑宿と箱根宿の中間あたりに、**甘酒茶屋**（0460・3・6418）がただ一軒残る。杉皮葺《すぎかわぶ》きの建物で、土間に椅子がわりの切り株。こうじの甘さをいかした**甘酒**と杵《きね》つきの**力餅**で、旅気分が味わえる。

●食事処

芦ノ湖畔には、湖魚料理の店が軒をならべる。とくに、わかさぎが名物。旬は冬だが、冷凍保存したものを、箱根ホテル脇の**本陣**（０４６０・３・６１４４）でいつでも食べられる。

【気のきいたみやげもの】

●寄木細工

間の宿・畑宿は、箱根の伝統工芸として知られる寄木細工の発祥地。種類のちがう木材を組み合わせ、さまざまな模様を織り込んだたんすや小箱、盆など風情のある工芸品の実演販売が、周辺各店でおこなわれている。なかでも**畑宿寄木会館**（０４６０・５・８１７０）がおすすめ。

【泊まってみたい宿】

●富士屋《ふじや》ホテル（０４６０・２・２２１１）

宮ノ下の富士屋ホテルは、明治一一年（一八七八）開業の老舗リゾート。外国人専用に設計されたホテルで、日本建築をとり入れた建物が美しい。メインダイニングでの、食事のみの利用もおすすめ。

●箱根ホテル（０４６０・３・６３１１）

芦ノ湖畔にあり、前身は江戸時代の旅籠「はふや」。明治になるといち早く外国人客用に西洋料理をはじめたことで知られる。大正より富士屋ホテルの経営下で、クラシカルなホテルとして親しまれてきたが、平成四年（一九九二）にモダンなリゾートホテルに再改装された。変わらぬロケーションの良さが魅力。

江戸より 11 番目の宿

三島《みしま》

【最寄り駅】▼ＪＲ三島駅。南口の左手から南にむかう道を南進、やがて右手に楽寿園《らくじゅえん》を見ながら、さらに行くと、本町《ほんちょう》交差点に出る。このあたりが、かつての三島宿の中心。

【街道を歩く】

箱根《はこね》から三島へ、**初音《はつね》ケ《が》原《はら》**の松並木を通り、**愛宕坂《あたござか》**、**今井坂《いまいざか》**をくだり、やがて新町橋《しんまちばし》にいたる。ここが**東見附《ひがしみつけ》跡**で、これより三島の宿へと入る。

歩を進めると、やがて右側に鳥居が見えてくる。ここが**三島大社《みしまたいしゃ》**。伊豆国一《いずのくにいち》の宮《みや》として広く信仰を集める神社で、広重《ひろしげ》の浮世絵で知られるとともに、源　頼朝《みなもとのよりとも》が源氏《げんじ》の再興を祈願し、成就したことでも有名。境内には、**宝《ほう》物館《もつかん》**、樹齢一二〇〇年の**キンモクセイ**など、

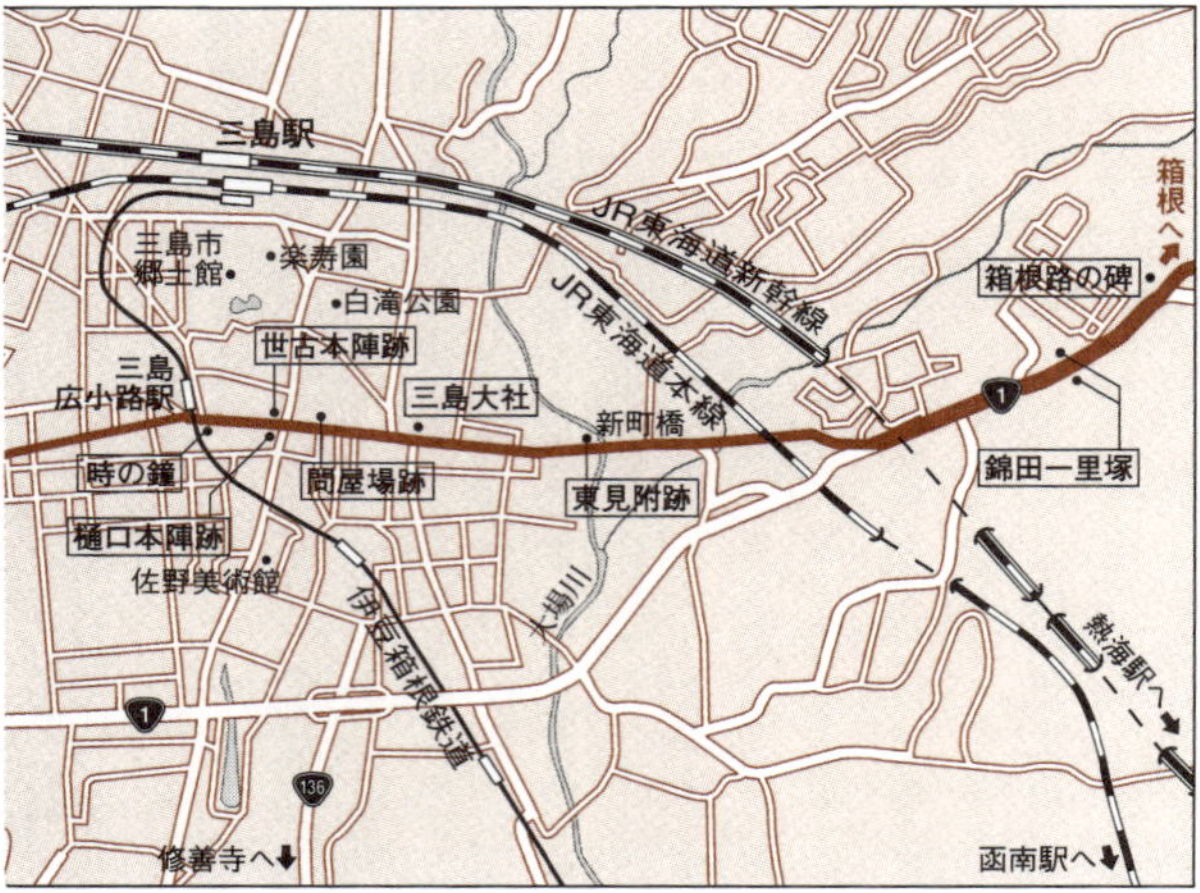

見どころが多い。

　西に進むと、右に中央町郵便局。その右脇の小路を入ったところに、**問屋場《といやば》跡**の碑がある。問屋場は、東海道を公用で通る役人などに人馬を調達していた施設。現在の市役所中央町別館の場所にあった。

　ほどなく本町交差点。そのさき、右側に**世《せ》古《こ》本陣跡**。そばの於喜奈亭《おきなてい》の玄関脇に石碑がある。世古本陣のかつての門は、現在、長《ちょう》円寺《えんじ》の山門に使われている。世古本陣のむかい、お茶の山田園の前に、**樋口《ひぐち》本陣跡**の碑がある。

　西に歩を進めると、**源兵衛川《げんべえがわ》**。わたってすぐの左側に、**三石《みついし》神社**。境内に、**時《とき》の鐘《かね》**。江戸時代、宿場の人々に、明け六つ、暮れ六つの時を知らせた。現在の鐘は戦後の鋳造《ちゅうぞう》。

　ふたたび旧道を進むと、左に**秋葉《あきば》神社**。ここが**西見附《にしみつけ》跡**。現在の広小路《ひろこうじ》にあった西見附

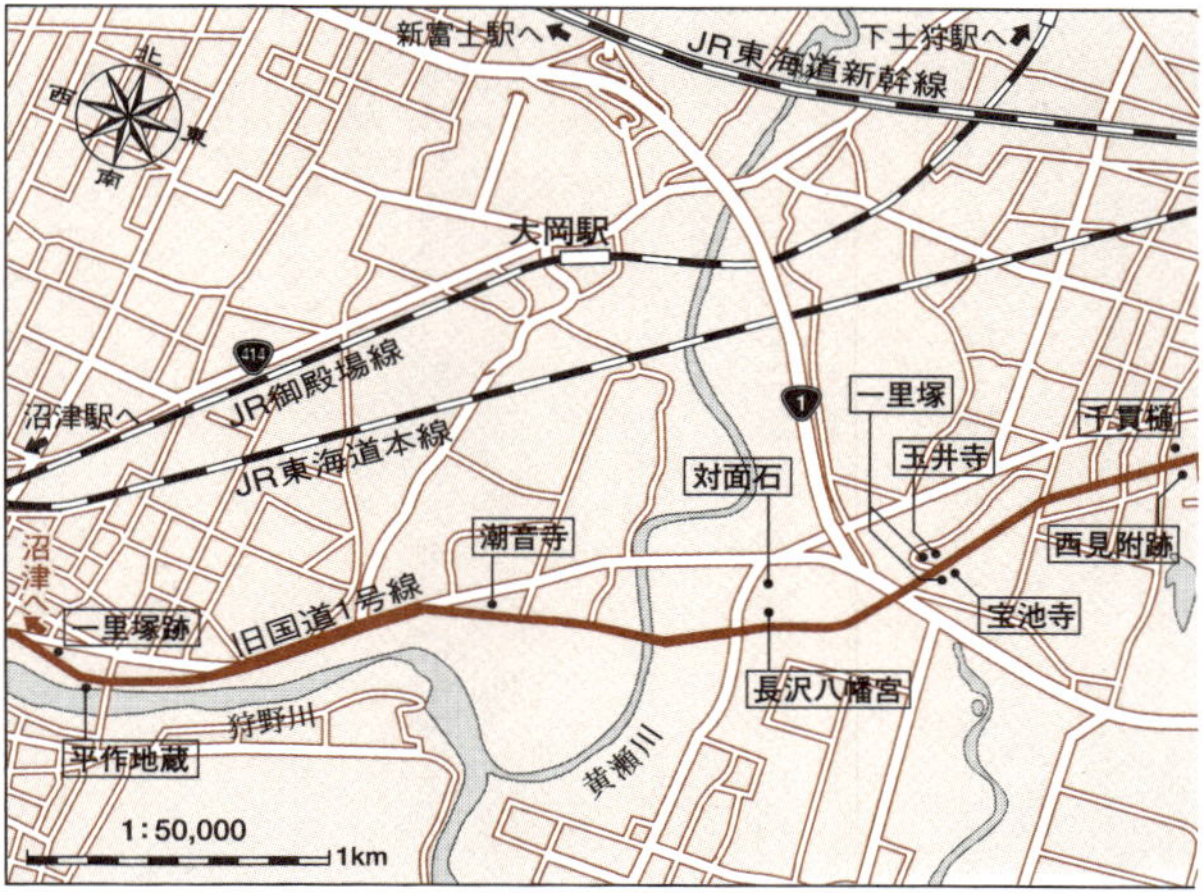

が、正徳年間《しょうとくねんかん》（一七一一〜一七一六）にこの地に移された。

そのさき、右側に、道と並行して走る水路が、家々のあいだに見える。これが千貫樋《せんがんどい》。創設は天文《てんぶん》二四年（一五五五）。小浜池《こはまいけ》の水を、樋《とい》を通して駿河《するが》の国に引いたもの。もとは木製だったが、関東大震災（一九二三）で崩れ、現在の鉄筋コンクリート製となった。

しばらく行くと、一里塚が両側にある。左の宝池寺《ほうちじ》のものは復元されたものだが、右の玉井寺《ぎょくせいじ》側は原形をとどめている。

旧道を進み、国道と交差してまもなく右側の林の中に長沢八幡宮《ながさわはちまんぐう》。境内左奥の対面石《たいめんいし》は、治承《じしょう》四年（一一八〇）、源頼朝が、その挙兵を知って奥州から駆けつけた弟義経《よしつね》と、座して対面した二つの石と伝えられる。

黄瀬川《きせがわ》をわたると、やがて右側に潮音寺《ちょうおんじ》。曾我《そが》兄弟の討ち入りの夜、工藤祐経《くどうすけつね》と床《とこ》をともにしていた白拍子《しらびょうし》・亀鶴《かめつる》ゆかりの寺で、亀鶴観音が本尊《ほんぞん》。

やがて片側二車線の広い道幅となり、東海道は沼津《ぬまづ》の宿へとむかう。

【ちょっと寄り道】

●楽寿園

本町交差点と三島駅との中間に位置する旧小松宮別邸《こまつのみやべってい》の名園。総面積約二万坪。回遊式の庭園と、富士の雪どけの湧水《ゆうすい》で有名。富士溶岩上に形成された自然林（国指定天然記念物）や小浜池がある。

小松宮造営の楽寿館は、高床式数寄屋造。明治期の大家の作になる装飾絵画が数多く残る。

園内に三島市郷土館があり、そこで三島の歴史を知ることもできる。＊0559・75・2570／9時〜17時（11月〜3月は16時30分まで）／休館日　月曜（祝日の場合は翌日）

●農兵節《のうへいぶし》の記念碑

楽寿園むかいの**白滝《しらたき》公園**内。農兵節は、もとは、幕末に農民で組織された農兵隊の歌。明治になって、三島の花柳界で替え歌になった。碑に記された「富士の白雪《しらゆき》朝日に溶《とけ》る、三島女郎《じょろう》の化粧水《けしょうみず》」がその歌詞。

●蓮馨寺《れんしょうじ》

時の鐘のむかい。街道から右に入ったところ。**日限地蔵尊《ひぎりじぞうそん》**、**芭蕉老翁《ばしょうろうおう》墓**と**句碑**「いざともに穂《ほ》麦喰《むぎくら》はん草枕《くさまくら》」などがある。

●伊豆国分寺跡

蓮馨寺のさき、踏切をわたった右側。

【名物のうまいもの】

●うなぎ

街道近くなら、本町交差点を北に入った**本町うなよし**（０５５９・７５・０４９９）、そのさき、楽寿園前の**水泉園《すいせんえん》**（０５５９・７５・０２６８）、時の鐘近くの**桜家《さくらや》**（０５５９・７５・４５２０）。足をのばして、**緑町《みどりまち》のうなよし本店**（０５５９・７５・３３４０）も評判の味。

●本陣料理

三島駅近くの**割烹《かっぽう》やっこ**（０５５９・７２・４１１５）で味わえる。要予約。

●わさび漬け

カメヤ、**大丸山葵漬《だいまるわさびづけ》製造**、**山本食品**がつくる「金印《きんじるし》」の銘柄が美味。

歌川広重「東海道五拾三次之内
三島朝霧」

江戸より 12 番目の宿

沼津

ぬまづ

【最寄り駅】▼JR沼津駅。南口から大通りを南進、旧国道1号との交差点をすぎて、左に**御成橋**《おなりばし》が見えたら右折し、一つめの角を左折する。この**上本町**《かみほんちょう》、**下本町**《しもほんちょう》あたりが、かつての宿場町。

【街道を歩く】沼津は、天正《てんしょう》一〇年（一五八二）に武田氏が**三枚橋城**《さんまいばしじょう》を築いてから城下町となり、幕末にいたるまで五万石の城下町として栄えるとともに、宿駅《しゅくえき》としても繁栄した。

しかし、大正二年（一九一三）の大火や戦災、また戦後の防火帯設置にともなう道路拡《かく》幅《ふく》や区画整理のため、宿駅のおもかげはほとんど失われてしまった。**沼津城**も明治初年に廃城となり、本丸跡は、**中央公園**として残る

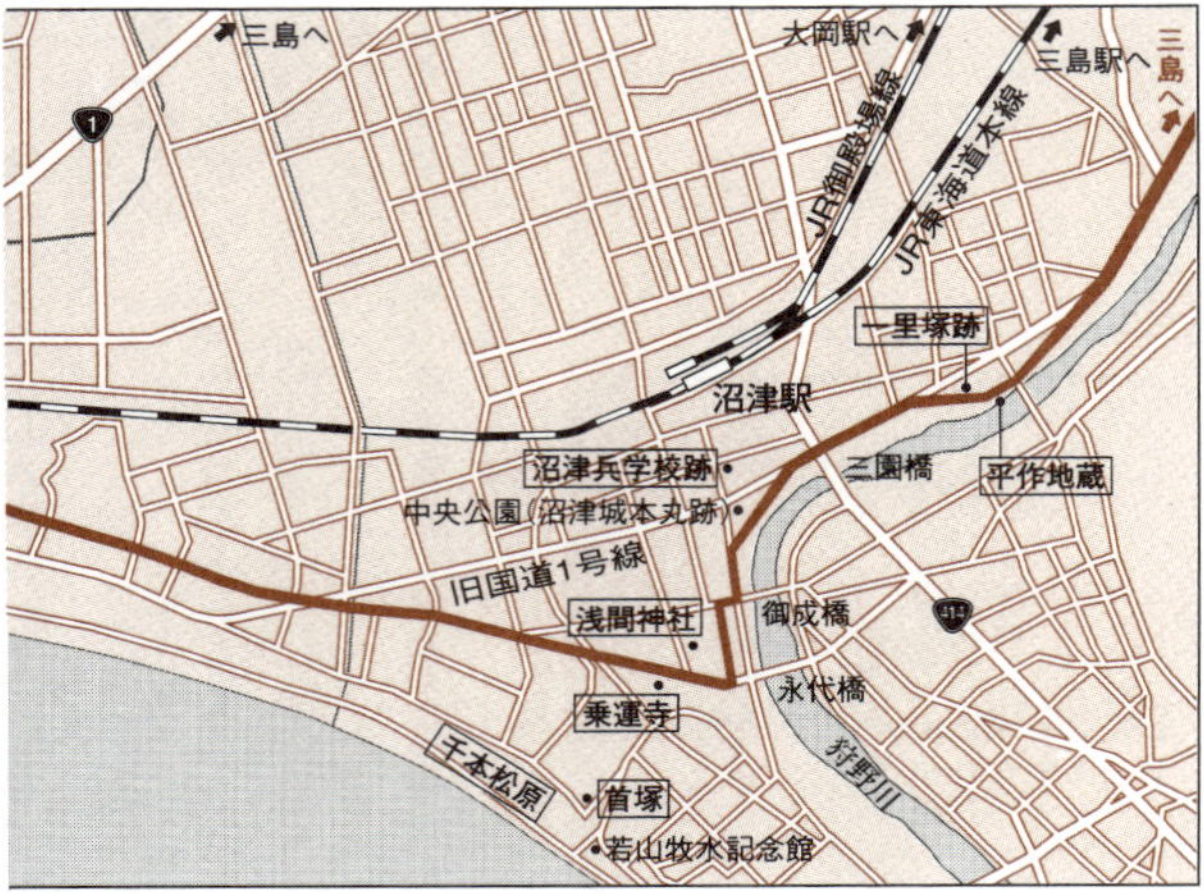

のみ。城址近くの**川廓《かわくるわ》町《ちょう》**などに残されていた石畳もいまは舗装されてなくなった。

　かつての東海道は、現在のJR東海道本線よりおよそ一キロ南側、町を貫流する**狩野川《かのがわ》**沿いに通っていた。

　三島宿から行くと、**潮音寺《ちょうおんじ》**をすぎて、さらに西進。ほどなく東海道は、旧国道1号に合流。下石田《しもいしだ》陸橋をくぐってすぐ、二ツ谷《ふたや》バス停のところを左に入る。狩野川の土手に寄り添うような細い道で、黒瀬橋《くろせばし》近くの土手下、道の左側に、**平作地蔵の祠《ほこら》**がある。浄瑠璃「伊賀越道中双六《いがごえどうちゅうすごろく》」に出てくる平作ゆかりの地蔵尊。

　そこから数十メートル行くと、右側に**一里塚跡**。小公園として整備され、**玉砥石《たまといし》**（一二〇〇～一三〇〇年前に、玉類を磨くのに用いられた砥石）が保存されている。

　道はふたたび旧国道1号に合流、大手町陸

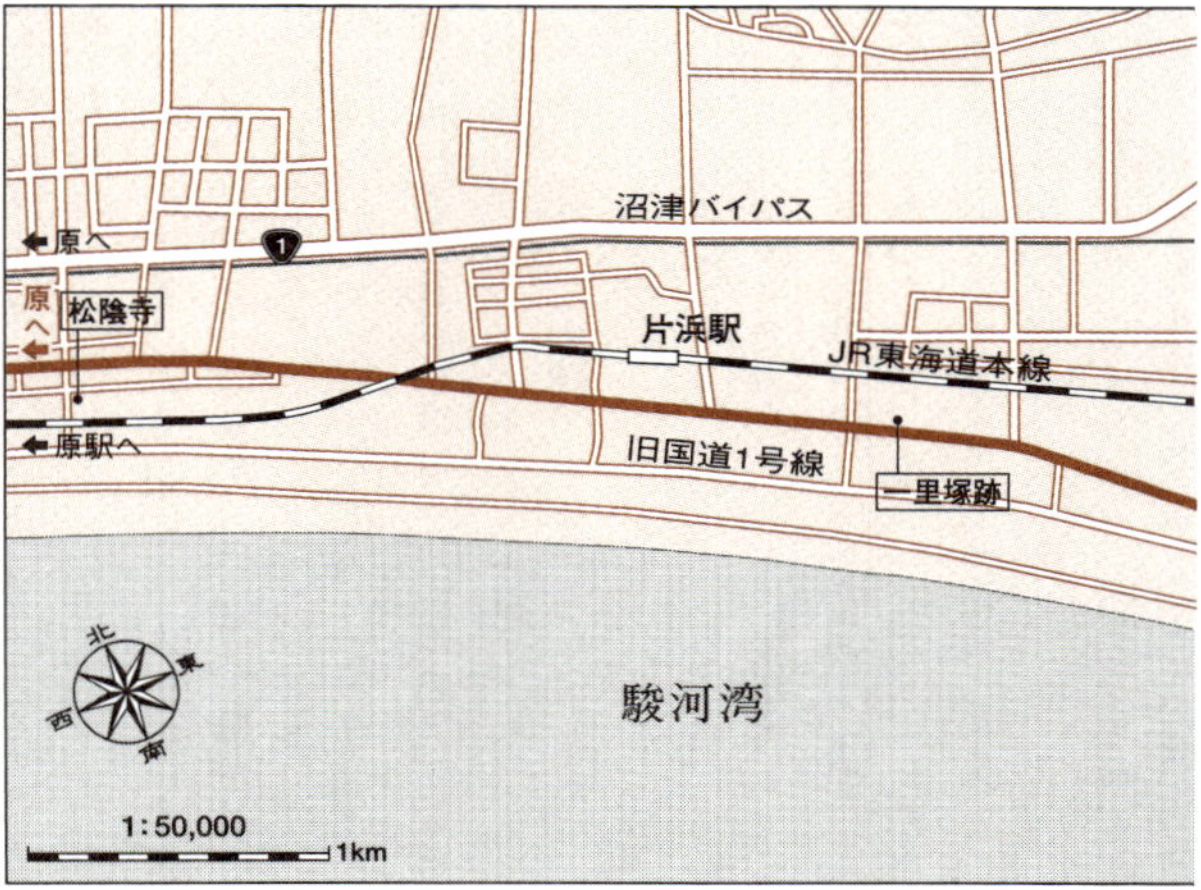

橋をすぎてすぐ左にそれ、ほどなく沼津駅から南にむかう大通りに出る。

御成橋が左に見えたら右折。一つめの角を左折した上本町、下本町のあたりがかつての宿場街。『沼津宿絵図』には「旅籠屋《はたごや》七拾八軒」「茶屋《ちゃや》拾三軒」とあり、当時は、そうとうのにぎわいだった。

南進して、御成橋の南にかかる**永代橋《えいたいばし》**が左に見えたら、右折し、東海道は西にむかう。

およそ一〇分で右手に**浅間《せんげん》神社**。東海道はそのまま西につづくが、そこを左に折れると、**千本浜道《せんぼんはまみち》**。右手すぐに**乗運寺**がある。京都の智恩院《ちおんいん》の末寺《まつじ》で、天正八年（一五八〇）の開基《かいき》。境内に歌人・**若山牧水《わかやまぼくすい》の墓**がある。牧水は、宮崎県の生まれながら、若くして漂《ひょう》泊《はく》の旅をかさねたのち、大正九年（一九二〇）、沼津に居《きょ》を構え、昭和三年（一九二八）この地に没した。

【ちょっと寄り道】

●千本公園

千本松原《せんぼんまつばら》で知られる公園。千本浜道のさきにある。脇道にそれ松林に入ると、駿河《するが》湾のほのかな潮の香りがただよい、松の木に紗《しゃ》がかかったような光景に出会うこともある。園内には、**若山牧水の歌碑**「幾山河越《いくやまかわこ》えさりゆかば寂《さび》しさのはてなむ国ぞけふも旅ゆく」や文学者・**井上靖《いのうえやすし》の碑**がある。

また、千本公園からすこし北に入った市道の一角に**首塚《くびづか》**がある。明治三五年（一九〇二）の大暴風雨で数多くの人骨が露出した。一五八〇年頃の後北条《ごほうじょう》・武田の戦いで戦死した武士たちのもので、市道の網元が、その首を集め、碑をたて霊をとむらったもの。

●若山牧水記念館

千本公園内。牧水ゆかりの資料を展示。

＊055・962・0424／9時〜17時／休館日　月曜（祝日の

場合は翌日）、年末年始

●**沼津兵学校跡**《へいがっこうあと》

沼津駅の南すぐ、**城岡**《しろおか》**神社**の境内。

●**御用邸**《ごようてい》**記念公園**

沼津駅からバスで約一五分、「御用邸記念公園」バス停下車。昭和四五年（一九七〇）開設。もとは、明治二六年（一八九三）、当時は皇太子だった大正天皇のご静養のために造営された御用邸。本邸内には、**歴史民俗資料館**（055・932・6266）がある。＊055・931・0005／9時～16時30分／休園日　年末年始

【名物のうまいもの】

●ひもの

沼津といえば魚のひものが有名。特にアジのひものは国内生産の四五％を占める。

味にこだわるなら、駅前の西武百貨店ななめむかいの**小田原屋**（0559・62・0977）。旬のものを中心に一年を通して三〇種以上のひものを置いている。

クルマ利用の場合は、沼津インターチェンジから沼津市内にむかう「**グルメ街道**」に軒をならべる海産物店で購入するのも便利。

●すし

沼津港魚市場（0559・62・3700）付近に、すし店が多く集まっている。手頃な値段で、海の幸が満喫できる。

歌川広重「東海道五十三次　沼津」

江戸より 13 番目の宿

原 はら

【最寄り駅】▼JR原駅。北へ約一〇〇〇メートルで、旧東海道に出る。かつての宿場は、ここをはさんだ東西およそ四〇〇〇メートル。むかしは「浮島《うきしま》ケ《が》原《はら》」と呼ばれる沼沢《しょうたく》地帯だった。

【街道を歩く】

沼津《ぬまづ》の宿から西にのびる街道は、現在の県道163号。富士山《ふじさん》を右に、**千本松原**《せんぼんまつばら》を左にして、JR東海道本線と並進。およそ六キロで原の宿にいたる。

宿内の街道はあまり拡幅《かくふく》されておらず、旧街道らしいたたずまいも残るが、家屋の増改築が進み、宿場としてのおもかげは失われている。かつては旅籠《はたご》二五軒がならんでいたが、うち九軒が天保《てんぽう》九年（一八三八）の大火で焼失したまま再建されなかった。

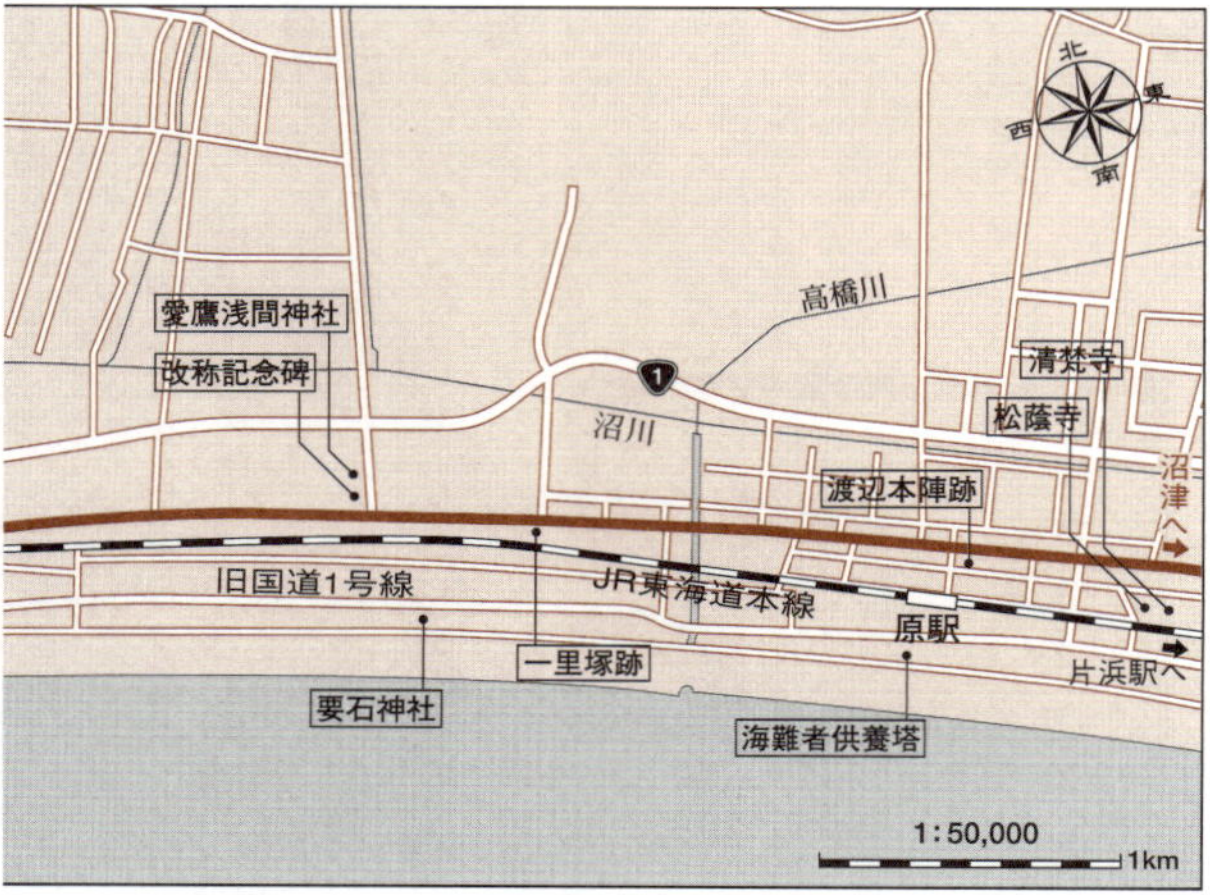

本陣は、歴代、渡辺氏が当主としてその職をつとめていたため、「**渡辺本陣**」と呼ばれ、宿内のほぼ中央に位置していた。現在の渡辺家屋敷内には、かつてのおもかげはまったくない。本陣の玄関は**松蔭寺**《しょういんじ》に移築されたが、昭和六三年頃解体された。

宿内東部の街道北側には高田氏の脇本陣があったが、これも天保の大火で焼失し、以後、再建されなかった。

宿をすぎ、西へむかうと、道幅は少し広くなる。かつては両側に美しい松並木があったが、ほとんどが枯れてしまったため、そのぶんだけ道幅が広くなったのだという。街道左手には、**一里塚跡**があったことを示す標柱がある。

街道は吉原方面へ。**愛鷹浅間**《あしたかせんげん》**神社**をすぎると、松林のさきに、やがて**田子**《たご》**の浦**《うら》が見えてくる。このあたりから北へ見上げる富士は、

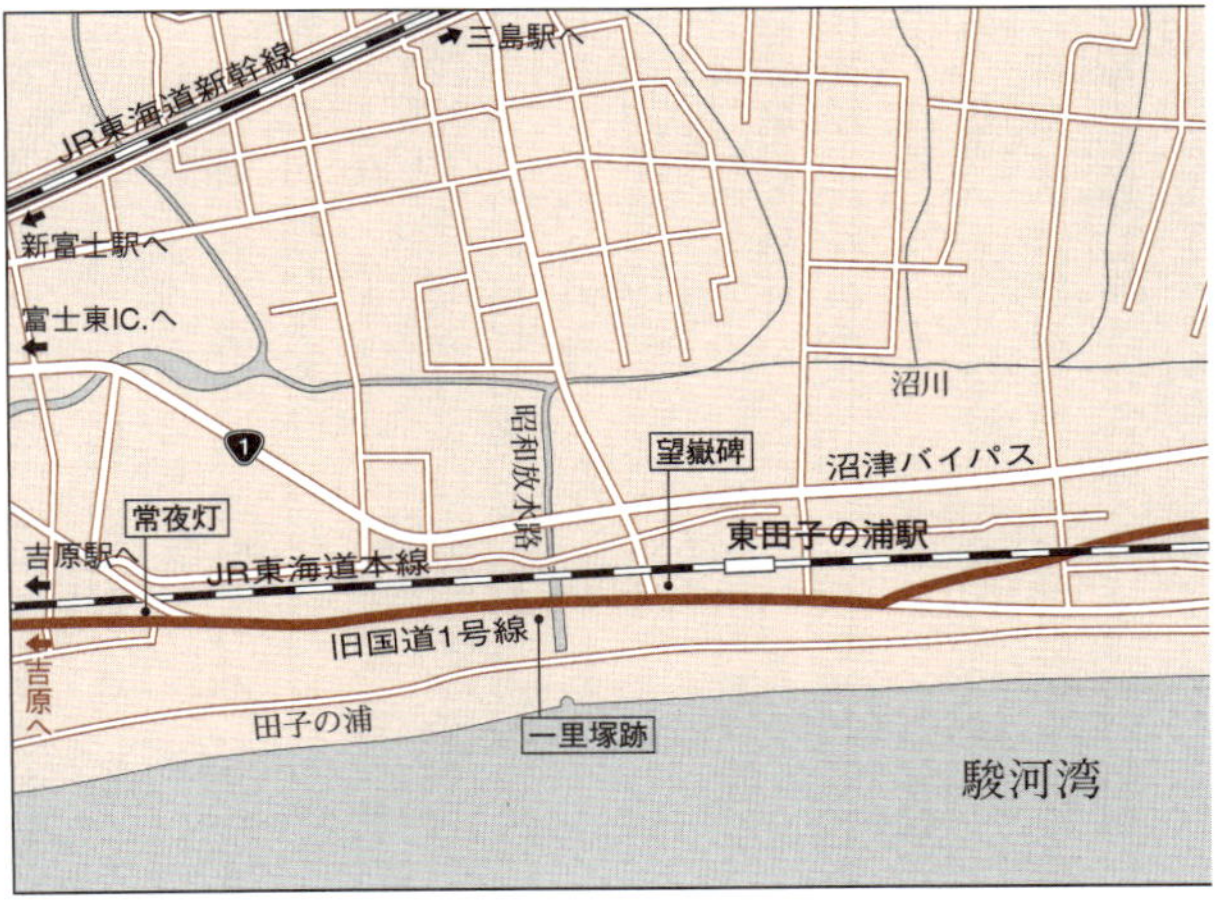

四季を通じて美しい。

【ちょっと寄り道】

●松蔭寺

白隠禅師《はくいんぜんじ》ゆかりの寺。沼津から街道を原に入る手前、左奥に山門が見える。白隠禅師（一六八五〜一七六八）は、この地に生まれ、一五歳にして松蔭寺で得度《とくど》。諸国を修行して知識を積み、京都妙心寺《みょうしんじ》の第一座となったがまもなく帰郷。享保《きょうほう》二年（一七一七）に松蔭寺の住持《じゅうじ》となった。臨済宗《りんざいしゅう》の名僧としてその名は天下に知られ、参勤交代《さんきんこうたい》などでこの地を通る際に、白隠禅師を訪ねる大名も多かった。特に備前《びぜん》岡山の池田氏との関係は密接で、池田氏が白隠禅師の求めに応じて、備前焼の擂鉢《すりばち》を贈った話は有名。

山門左手に残る**擂鉢松**は、台風で裂けた松の雨除《あまよ》けのために、池田氏から贈られた擂鉢をのせたのが、そのまま育ったもの。樹齢はおよそ四〇〇年と推定され、白隠がのせたときも樹齢およそ二〇〇年だったから、かなり高い場所にのせたことになる。

その備前焼の擂鉢は、昭和六〇年（一九八五）、白隠禅師生誕三〇〇年祭の折に、下におろされ、いまは京焼《きょうやき》の鉢がのせられている。寺の蔵に保管されている備前焼の擂鉢は、一二月の第二日曜に開かれる座禅会の際に蔵から出されることがある。

境内本堂左手奥には、白隠禅師の墓も残っている。

●愛鷹浅間神社

宿場の西端から西へ、歩くことおよそ一五分。街道右手にある。神社の前に、**改称記念碑**。初代鈴木《すずき》助兵衛《すけべえ》は遠州《えんしゅう》浪人で、駿河《するが》・阿《あ》部《べ》郡上土《あげつち》の開拓に尽力。二代助兵衛も、**浮島ケ原**の開墾《かいこん》に多大な貢献をした。碑の名称の「改称記念」は、明治四一年（一九〇八）に地名の改称を申し出て、従来の「助兵衛新田」を「桃里《ももざと》」と改めたことに由来する。

●要石《かなめいし》神社

ＪＲ原駅あたりを街道から南に折れ、ＪＲ東海道本線をわたると、旧国道1号に出る。そこから西にむかうと、道路の左に「**要石神社**」の石碑がある。建物はなく、鳥居と敷石を残すのみ。境内敷地に露出している大きな安山岩《あんざんがん》が「**要石**」。江戸初期・寛永のはじめごろ、一本松新田を開拓した大橋五郎左衛門が祠《まつ》ったもので、『名所図絵《めいしょずえ》』によれば、高潮が打ち上げるときも、この石よりさきの陸地までくることなく、地震のときもこの石が被害をすくなくおさえたという。

また古くからの言い伝えでは、この要石は地上に露出している部分はわずかだが、地中に隠れた部分は膨大で、ここから北へ三町(約三三〇メートル)離れた井戸にまで広がっているといわれる。

【名物のうまいもの】

●白隠正宗《はくいんまさむね》

明治前期創業の**高嶋酒造**が、明治一七年(一八八四)に製造。龍澤寺で修行した山岡《やまおか》鉄舟《てっしゅう》が禅師にちなみ、命名した。本醸造と純米の二種がある。

歌川広重「東海道五拾三次之内　原朝ノ冨士」

江戸より 14 番目の宿

吉原

よしわら

【最寄り駅】▼JR吉原駅。北口を出て右。すぐに、北西へとむかう東海道に出る。▼岳《がく》南《なん》鉄道・吉原本町《よしわらほんちょう》駅。駅を出たところがかつての新吉原宿。

【街道を歩く】

万葉《まんよう》の歌人、山部赤人《やまべのあかひと》の歌「田子《たご》の浦《うら》ゆうち出《い》でて見れば真白《ましろ》にぞ富士《ふじ》の高嶺《たかね》に雪は降りける」に詠《よ》まれた**田子の浦**は、JR吉原駅のすぐ南に開けている。名勝のおもかげは薄れ、現在は国際港として外国船の出入りも多く、富士市の産業を支えている。

原宿方面からは県道163号を西へ進む。柏原にいたる道の北側は、むかしの**浮島《うきしま》ケ《が》原《はら》**。柏原には立場《たてば》があり、**浮島沼《うきしまぬま》**でとれるうなぎが名物だった。そのさき**立円寺《りゅうえんじ》**の境内に

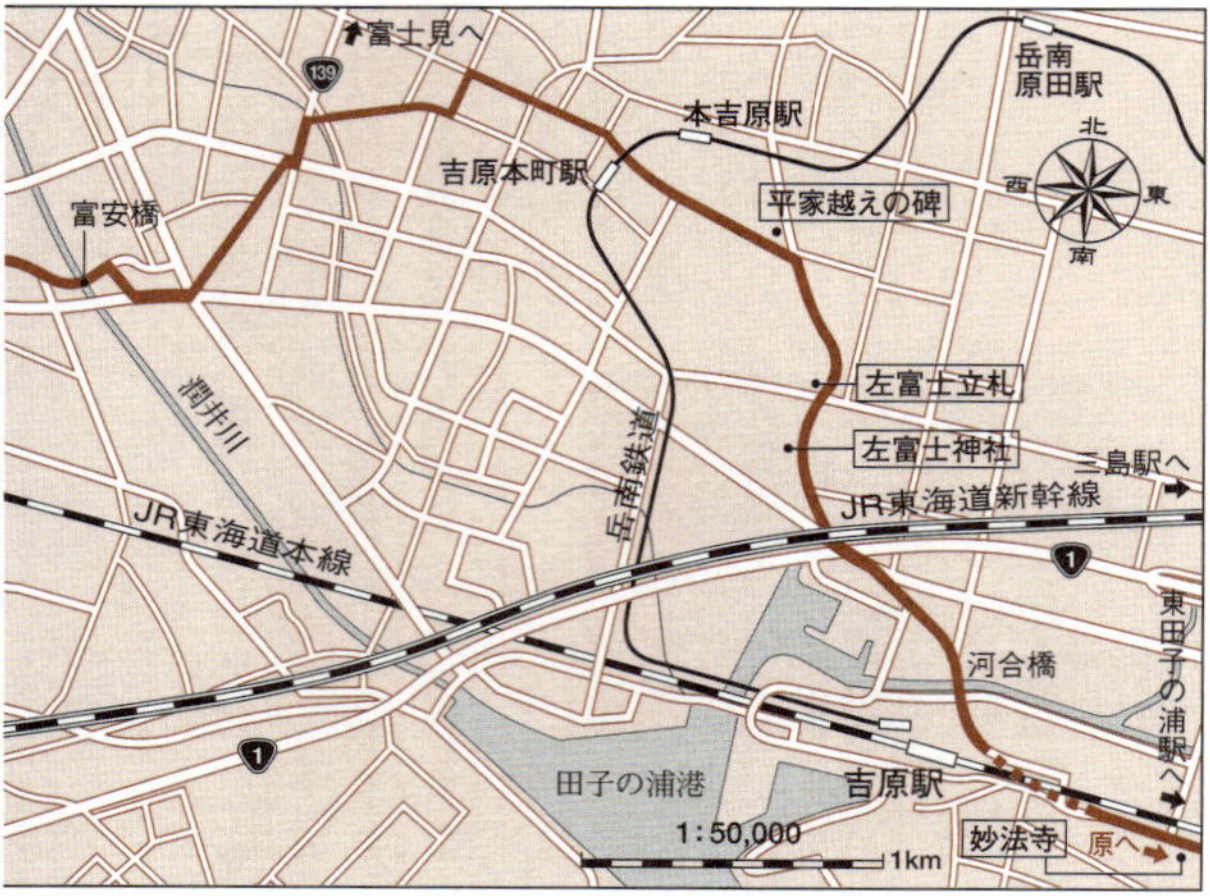

あるのが**望嶽碑**《ぼうがくひ》。文化《ぶんか》五年（一八〇八）尾張《おわり》藩の侍医《じい》、柴田景浩《しばたかげひろ》は江戸にくだる途中、しばらく立円寺に滞在し、富士を賞して碑をたてた。碑の裏側に建碑にいたるまでの経緯がくわしく記《しる》されている。そのさき、昭和放水路をわたった左手に**一里塚跡**がある。

さらに行くと、大野新田《おおのしんでん》の街道北側、**庚申**《こうしん》**堂**《どう》西横に**秋葉山常夜灯**《あきばさんじょうやとう》や**石仏像**《せきぶつぞう》がある。そのさきの南側、小高い丘の上に**妙法寺**《みょうほうじ》がある。

このあたりは、「元吉原宿」と呼ばれ、古くはここが吉原宿だったが、風波が強く津波などの被害にあい、**中吉原宿**、そして**新吉原宿**へと、宿は移転した。

東海道本線を横ぎり、沼川《ぬまかわ》にかかる**河合橋**《かわいばし》をわたると、ほどなく新幹線のガードが見えてくる。その下で二つに分かれた道の右側が東海道。このあたり横断歩道がないので、すこし手前から道の右側を歩くのがいい。

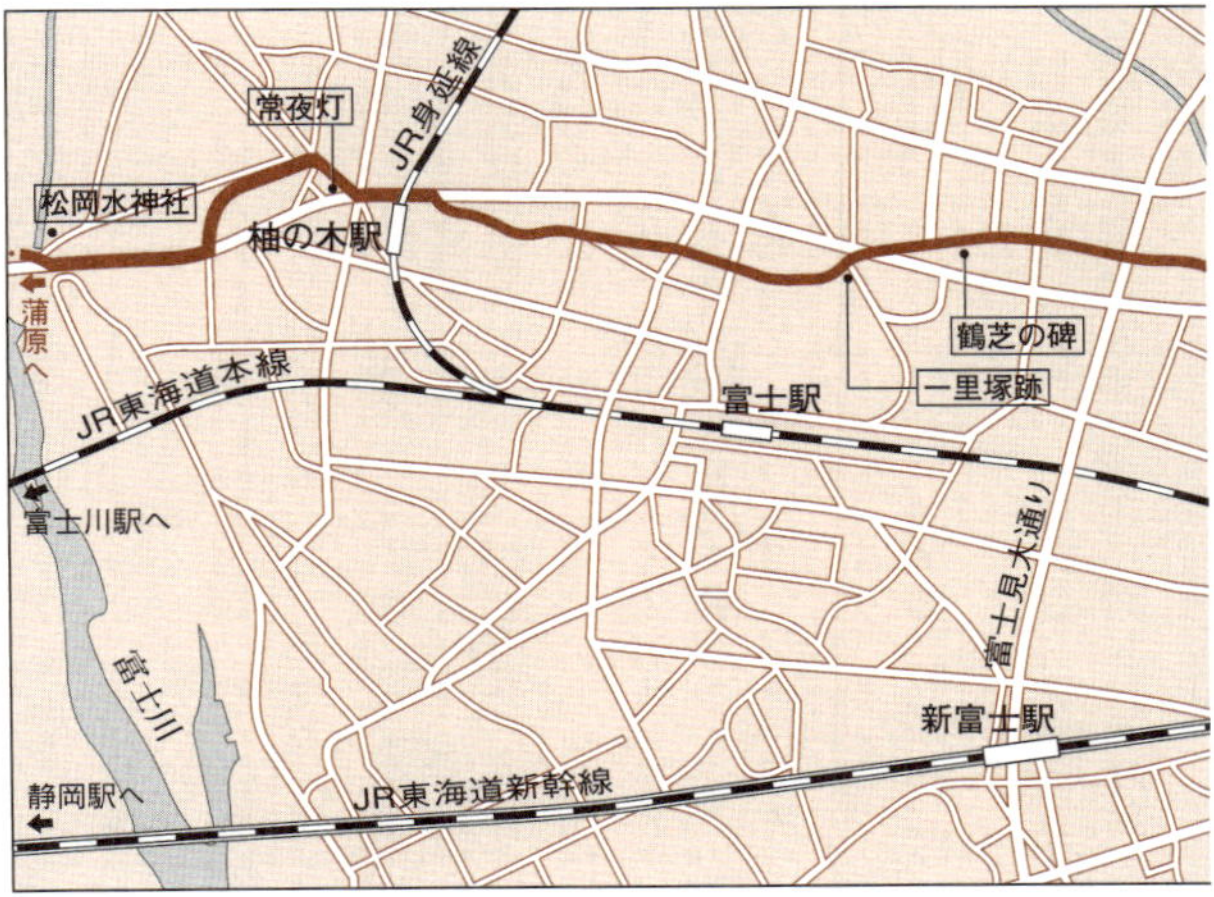

ガードをくぐり、道はしだいに北へと曲がり、製紙工場群をぬける。やがて左手に**左富士**《ひだりふじ》**神社**。そのさきの十字路を越すと、工場のわきに一本の大きな松の木があり、**左富士**の**立札**がある。

　東海道を東から西へ行くときは、富士山はいつも右手に見えるが、ここは左手に見えるので、この呼び名がある。広重《ひろしげ》の描く「吉原左富士」は有名。

　街道をそのまま歩いていくと、左へカーブするところに和田川が流れ、橋のたもとに**平家越**《へいけご》**えの碑**。治承《じしょう》四年（一一八〇）、源平《げんぺい》の戦いで、平家の軍勢が陣取ったのがそのあたりだといわれる。源氏の迂回《うかい》作戦で飛び立った水鳥の羽音に驚き、平家の軍勢が戦わずして退却した。この富士川合戦の地は現在の富士川河原ではなく、和田川沿いの沼地一帯だったという。もっともいまは沼の名残もほとんど見られず、水鳥もいない。

　新吉原宿はこの和田川にかかる新橋をわたったあたりから。天和《てんな》二年（一六八二）にこの地に移された宿内には、本陣二軒、脇本陣三軒、旅籠《はたご》六〇軒、戸数六五三軒に及んだというが、現在、街道沿いは、繁華な商店街として繁盛している。

　街道はバスターミナル「吉原中央」手前の銀行の角を左折。かつての宿内にある商店街をぬけ、南へ。**潤井川**《うるいがわ》にかかる**富安橋**《とみやすばし》をわたると、まもなく左手に**鶴芝**《つるしば》**の碑**がある。このあたりにはかつて「鶴の茶屋」があり、多くの旅人が休憩をとった。ここから眺める冬の富士山は、中腹に一羽の鶴が舞っているように見えたという。

　国道1号線をわたり、そのさきを右へカーブするあたり、左手花壇の一角に**一里塚跡**の石碑がある。

ＪＲ身延《みのぶ》線を横ぎり、しばらく行くと、右ななめに入っていく道があり、そこに**秋葉山常夜灯**と「左東海道」の**道標《どうひょう》**がある。

広い道路から右へ、ぐるりと迂回するように細い道を行き、ふたたび、もとの道にもどる。そのさきは街道一の急流といわれる富士《ふじ》川《かわ》。川の手前に**松岡水神社《すいじんじゃ》**と**渡《と》船場《せんば》跡**。東岸には三つの渡船場が置かれ、川瀬の状況で使い分けられた。西岸の渡船場跡には交通安全の常夜灯が置かれた。

富士川には現在、もちろん渡しはなく、**富士川橋**を歩いてわたる。わたったそのさきが**間《あい》の宿《しゅく》**、**岩淵《いわぶち》**である。

【ちょっと寄り道】

●**妙法寺**

日蓮《にちれん》宗の古刹《こさつ》。「毘沙門《びしゃもん》さま」の呼び名で知られる。ここにまつられた毘沙門天はインド生まれの福の神で、旧暦正月八日の縁日はダルマ市でたいへんなにぎわいとなる。境内の一五〇メートルにもおよぶ洞窟には、七福神《しちふくじん》がまつられている。

【名物のうまいもの】

●**清酒・左富士**

左富士神社むかいの酒店で販売。みやげには、小ぶりの陶器に入った原酒、**東海道五十三次**もよい。

【泊まってみたい宿】

●**鯛屋《たいや》旅館**（0545・52・0012）

天和二年（一六八二）の創業。吉原本町の商店街にあり、バスターミナル「吉原中央」の手前。ウメと高麗ニンジンのエキスを含んだ温泉がある。

江戸より 15 番目の宿

蒲原

かんばら

【最寄り駅】▼JR新蒲原駅。北に一〇〇メートルほどで、かつての本陣のあたりに出る。

【街道を歩く】

蒲原は、富士川《ふじがわ》河口から駿河《するが》湾にかけて開けた東西およそ六キロの細長い町。かつての宿内は、本陣跡を中心に、むかしながらのおもかげを色濃く残している。

吉原からは、富士川橋をわたり、**間《あい》の宿《しゅく》・岩淵《いわぶち》**へ。**小休《こやすみ》本陣**だった**常盤《ときわ》家住宅主屋**を過ぎて河岸段丘《かがんだんきゅう》の上の旧道をたどると、エノキの大木の**岩淵一里塚**がある。

小池のさきの峠道、**新坂《しんざか》**をくだり、つきあたりを右折すると、左手に赤い祠《ほこら》と鳥居のある**一里塚跡**。そのさきが蒲原宿の**東木戸《ひがしきど》**だ。そのむかしは七難坂《しちなんざか》を通っていたが、富士川

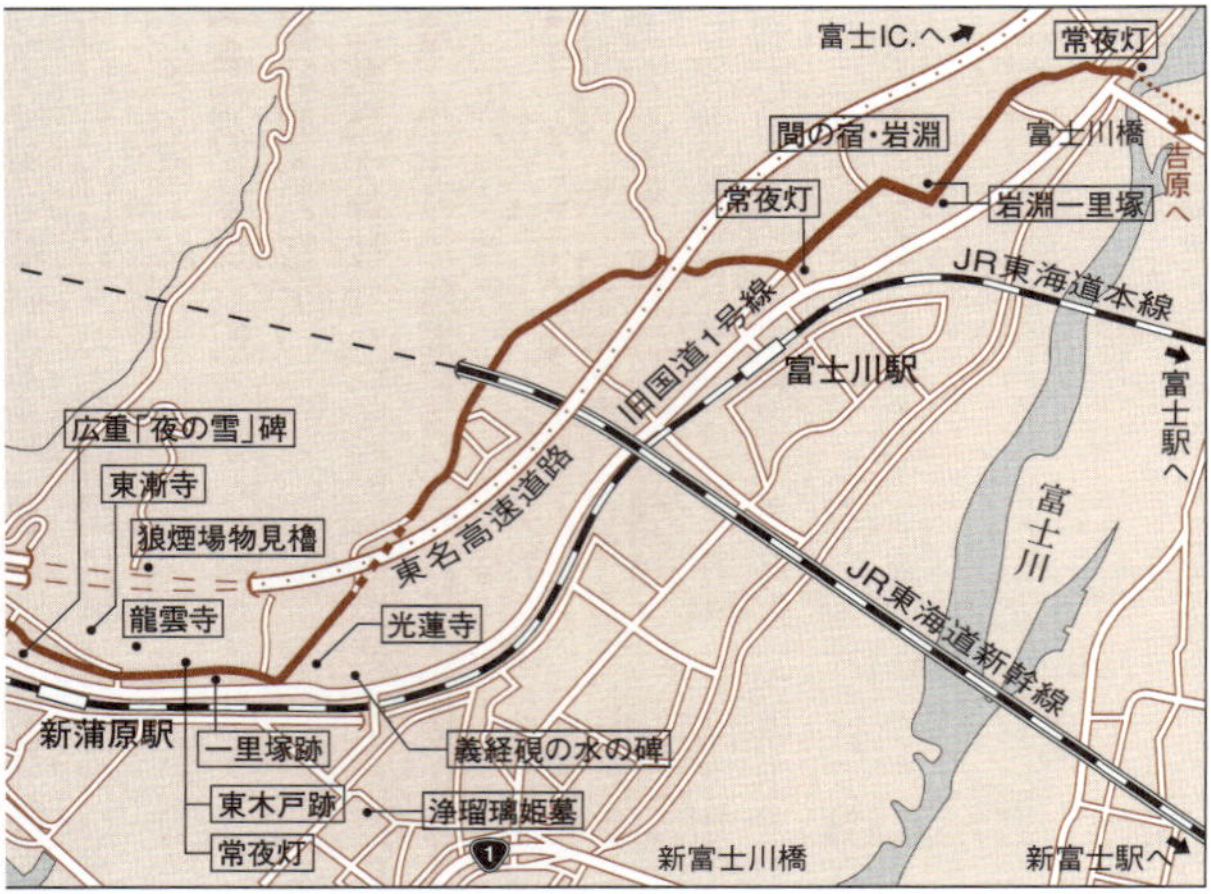

のたびかさなる氾濫《はんらん》で道が流され、天保《てんぽう》一四年（一八四三）に、この新坂が開削された。

蒲原宿の東端から西に、諏訪町《すわちょう》、八幡町《はちまんちょう》、天王町《てんのうちょう》とそれぞれ氏神《うじがみ》にちなんだ町名がつづき、そのさきに本陣のあった本町《ほんちょう》、柵《しがらみ》、**西木《にしき》戸《ど》**の西町へと、約一キロにわたって、宿内戸数四八八軒（うち旅籠《はたご》四五軒。一八四〇年調べ）の宿場の家並がつづいていた。

宿内のほぼ中央に**本陣跡**。本陣をとりしきった旧平岡家の邸内には、大名が籠《かご》をおろしたといわれる**お籠石《かごいし》**が残っている。

本陣前の鈴木家は、安政《あんせい》年間（一八五四〜一八六〇）にたてられた旅籠「**和泉屋《いずみや》**」の構造をそのまま維持している。

本陣跡のすこし手前を、南に入ると、昭和三五年（一九六〇）に建立《こんりゅう》された**蒲原宿の石碑**。広重《ひろしげ》「夜の雪」の版画が銅版レリーフとなって石碑にはめこまれている。

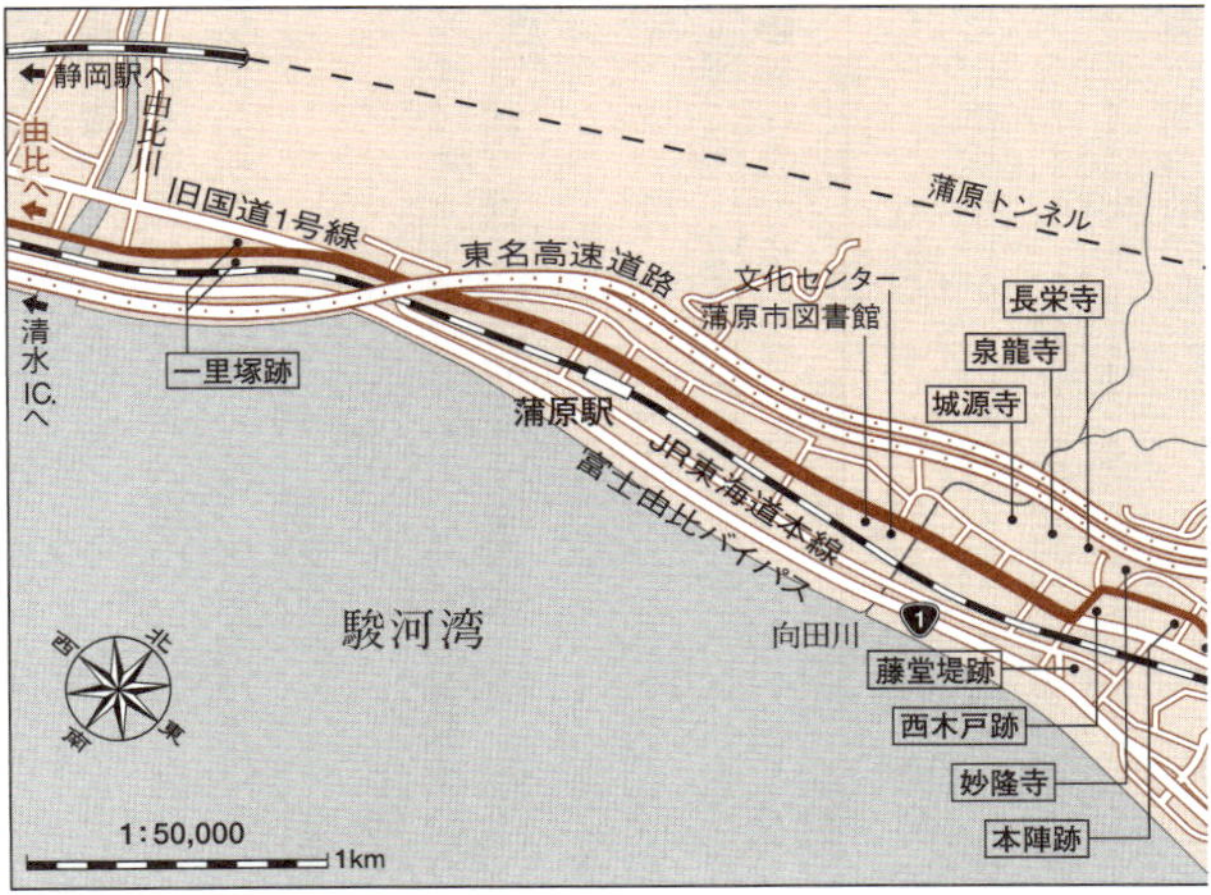

街道は、宿場の西はずれで南に折れ、**西木戸跡**のところで、旧国道1号と出会う。その南側の家並のうしろには、徳川幕府が藤堂《とうどう》家に築かせたという**藤堂堤**《とうどうづつみ》の松並木が戦中まであったが、いまは失われてしまった。

しばらく西進し、**向田川**《むかいだがわ》をわたると、ここで蒲原宿は終わり、由比《ゆい》宿へのおよそ三キロの道のりがつづく。

なお、江戸期の里謡《りよう》に「蒲原に過ぎたるものが三つある。出入《でい》り、疫病《やくびょう》、寺が八カ所」とあるが、この八カ所の寺とは、**光蓮寺**《こうれんじ》、**龍雲寺**《りゅううんじ》、**東漸寺**《とうぜんじ》、**妙隆寺**《みょうりゅうじ》、**長栄寺**《ちょうえいじ》、**泉龍寺**《せんりゅうじ》、**城源寺**《じょうげんじ》、光蓮寺に併合《へいごう》された**海前寺**《かいせんじ》のことで、現在も清楚なたたずまいを保っている。

また、宿の東の入口は、「**枡形**《ますがた》」に曲がりくねった通路になっている。むかし城中で、敵やくせ者が侵入するのを防ぐために用いられた構造で、宿の入口に応用されたもの。

【ちょっと寄り道】

●御殿山《ごてんやま》**の桜、狼煙場**《のろしば》

天王神社のわきから御殿山へ通じる道は、桜の名所として知られる。御殿山から「さくらつり橋」をわたって、さらに行くと、**狼煙場**。西方の北条新三郎《ほうじょうしんざぶろう》伝説で知られる蒲原城と対をなす砦《とりで》跡といわれ、その**物見櫓**《ものみやぐら》あたりからは、東に箱根《はこね》連峰《れんぽう》、北に富士山《ふじさん》、西に日本平《ほんだいら》、南に駿河《するが》湾《わん》、そして蒲原から由比にかけての、海にむかって落ち込む急斜面と美しい海岸線を遠望できる。

●義経硯《よしつねすずり》**の水**《みず》**の碑**

新坂をくだって左折、国道を富士川方面にもどった道の左側にある。源義経《みなもとのよしつね》が奥州《おうしゅう》へくだる途中、矢矧《やはぎ》の長者の娘、浄瑠璃《じょうるり》姫《ひめ》と契《ちぎ》りをかわした。姫に手紙を書くための硯の水に、ここの清水《しみず》を使ったと伝えられる。

●浄瑠璃姫の墓

蒲原中学校前、松が林立する一角に、浄瑠璃姫の墓がある。浄瑠璃姫は義経を恋い慕い、追いかけたが、この地で力尽きてしまう。この地はもと**吹上《ふきあ》げ六本松《ろっぽんまつ》**と呼ばれ、蒲原城攻めの武田信玄の本陣となったところともいわれている。戦後の区画整理で、近くにあった浄瑠璃姫の墓といっしょになった。

●大正時代のめずらしい洋館

旧東海道蒲原郵便局の西に、大正時代の洋館、旧五十嵐歯科医院の建物がある。外観は洋風なのに内部は町家造りがめずらしい擬《ぎ》洋風の建築。町が修復して平成一四年から一般に公開され、国の登録有形文化財に指定されている。＊10時～16時（12月～2月は15時まで）／休館日　月曜・火曜、8月8日～16日、年末年始

【名物のうまいもの】

●いるかのすまし

イルカのひれや皮の部分をゆで、その脂身を加工したもの。「蒲原ガム」とも呼ばれるように、ガムのような嚙みごたえがある。イルカを食べる習慣はめずらしいが、蒲原では、もっぱら子どものおやつとして、日常的な食べ物だった。いまでは製造するところもすくなくなったが、文化センターのさきの**秋田屋**（0543・88・2575）などで手に入る。

●けずり節

蒲原は、前浜での漁業がかつてさかんだった関係で、けずり節が特産品。加工業者は二〇軒以上あるが、街道に面した**長野商店**（0543・88・2052）、**西尾商店**（0543・88・2341）などで手に入る。

●海の幸

駿河湾特産のさくらえびやしらすなどが、**よし川**（0543・85・2524）で食べられる。すしなら、**やましち**（0543・88・2339）が地元の食通に評判。

江戸より16番目の宿 由比《ゆい》

【最寄り駅】▼JR由比駅。宿場の中心までは、駅をおりて東へ、徒歩約二五分。

【街道を歩く】蒲原《かんばら》方面からは、県道396号を西へ進み、東名高速道路をくぐりぬけると、道が二手に分かれる。右手が県道396号。旧東海道は、左手に進む。

神沢川《かんざわがわ》をわたったあたりから道幅が狭くなり、静かなたたずまいの街道がのびている。ここが由比宿。まるで時代の流れから取り残されたかのように静かで、往年の宿場のおもかげを残している。

神沢川から西へ歩くと、すぐに、**一里塚跡**の標識がある。

そのさきの右手に**お七里《しちり》役所之《やくしょの》跡《あと》**。「お七

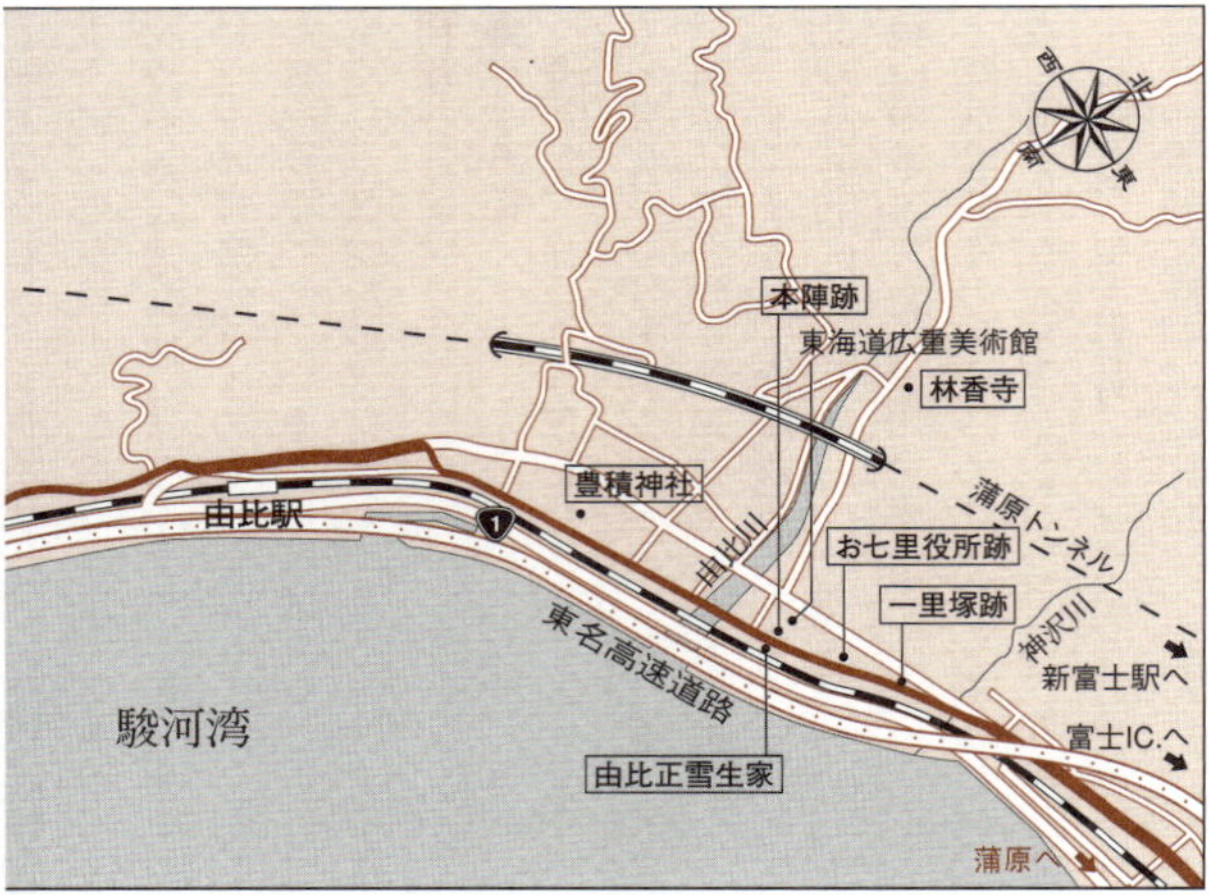

里役所」とは、家康《いえやす》の第十子・頼宣《よりのぶ》が駿府《すんぷ》から紀州《きしゅう》和歌山に国替《くにが》えになったのち、紀州家が幕府の動向をいち早くキャッチするため、七里ごとの宿場に設けた連絡所のこと。静岡県内では沼津《ぬまづ》、由比、丸子《まりこ》、金谷《かなや》、見付《みつけ》、新居《あらい》に設けられ、健脚《けんきゃく》で腕と弁舌《べんぜつ》にすぐれた「お七里衆《しちりしゅう》」が数人ずつ配されていた。

由比本陣は、そこから二〇〇メートルほど西にあった。かつては一三〇〇坪におよぶ広い敷地で、当時の建物はなくなったが、**由比本陣公園**として復元、整備され、跡地には**東海道広《ひろ》重《しげ》美術館**が開設された。併設の東海道由比宿交流館では、観光情報や由比宿にまつわる情報を発信、展示している。

かつて由比宿は、由比氏経営の本陣を中心に、旅籠《はたご》三二軒、宿内総戸数一六〇軒、宿内人別七三〇人を擁した。小さな宿駅ながら、江戸初期に倒幕を企てたとされる由井正雪《ゆいしょうせつ》

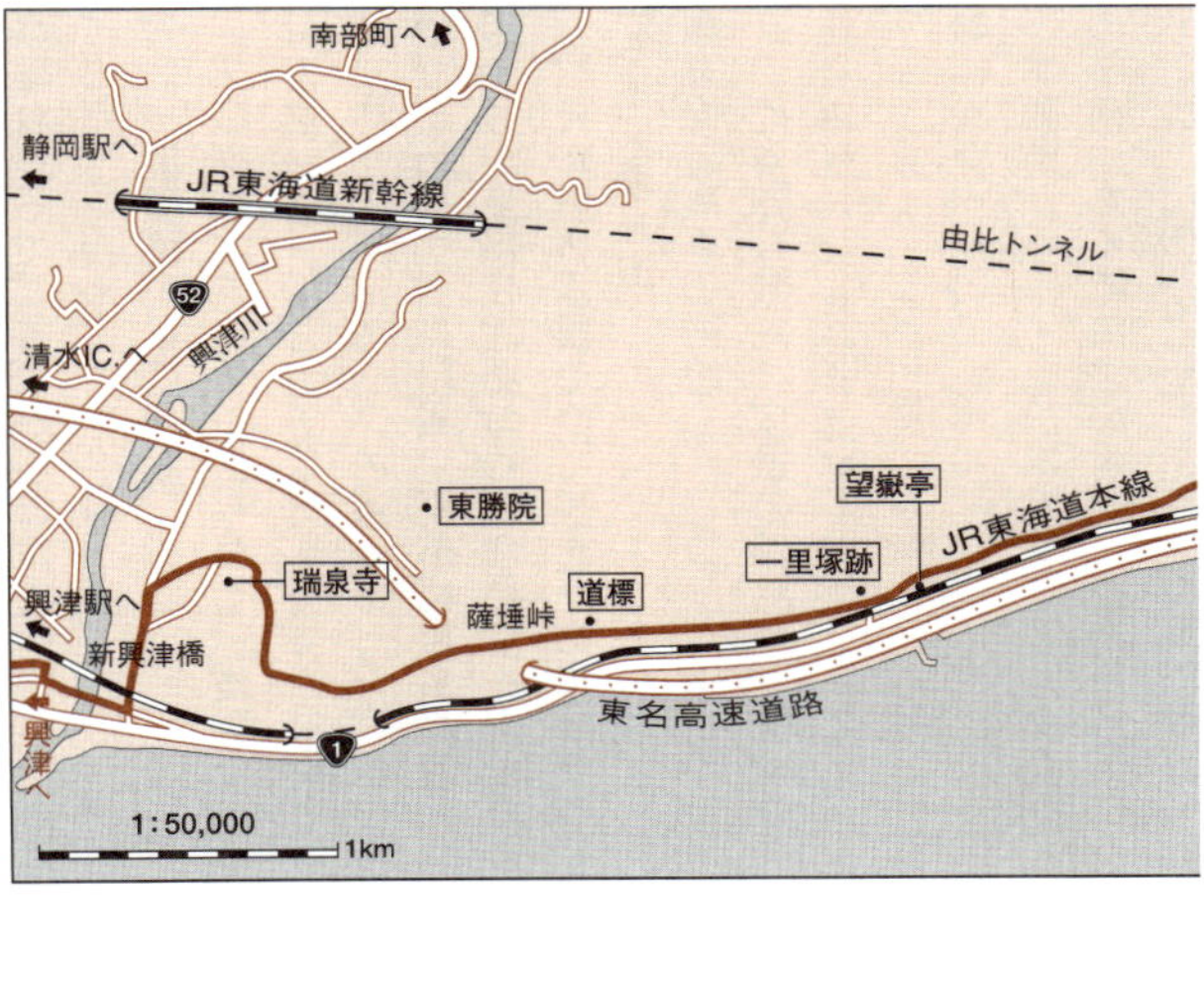

（一六〇五～一六五一）でよく知られている。

由井正雪の生家は、本陣表門と道をはさんでむかいにある。いまも「**正雪紺屋《しょうせつこうや》**」ののれんがかかり、右側は蔀戸《しとみど》のある部屋、左側には格子《こうし》がはめ込まれている。奥庭には正雪の霊をまつる祠堂《しどう》があり、家人に手厚くまつられている。正雪は、代々ここで紺屋を営んだ家の生まれで、江戸へ出て軍学者となった。

宿場の西はずれの由比川をわたって、西へ行くと北田《きただ》で、もと舟ケ島《ふねがしま》といった。さらに和瀬川《わせがわ》をわたると町屋原《まちやはら》で、右手に**豊積《とよつみ》神社**。木花開耶姫《このはなさくやひめ》をまつった延喜式内社《えんぎしきないしゃ》で、正月三日間の奇祭、**お太鼓《たいこ》祭り**が有名である。

このあと街道は、今宿《いまじゅく》から右へ曲がり、さらに左に曲がって、寺尾《てらお》、倉沢《くらさわ》にいたるが、静かでひなびた家並がつづいている。

二キロも行くと左手に「**望嶽亭《ぼうがくてい》**」と呼ばれた茶屋《ちゃや》跡がある。望嶽亭は往時、茶屋「藤屋《ふじや》」の離れ座敷で、ここからの富士山の眺望がみごとだったため、この名がつけられた。その先に**一里塚跡**が見られる。

望嶽亭をすぎると、まもなく、難所で知られた**薩埵峠《さったとうげ》**にさしかかる。薩埵峠はもと上道、中道、下道の三つの道があった。峠からのながめはまさに絶景。眼下に東名高速と国道1号が交差し、海のむこうに富士山をのぞむ。その壮大な美しさに足を止めるはず。

【ちょっと寄り道】

●東海道広重《ひろしげ》美術館

由比本陣公園内。広重の作品や、当時の町並を再現したミニチュアを展示。＊0543・75・4454／9～17時／休館日 月曜日、休日の翌日、年末年始

●林香寺

本陣跡から一・二キロほど北上した小高い丘の一角にある臨済宗《りんざいしゅう》の古刹《こさつ》。慶長《けいちょう》一四年（一六〇九）、鷹《たか》狩《が》りにおとずれた家康が、ここ

で水を所望《しょもう》したところ、住職の天倫和尚《てんりんおしょう》が水にサンショウの葉を入れて差し出した。家康はその香りを気に入り、その後は毎年、駿府《すんぷ》に納めるよう指示。かわりに一三石余の知行《ちぎょう》をくだしたという。

【名物のうまいもの】

●さくらえび

奥駿河《するが》湾に面した由比では、むかしから、さくらえび漁がさかんで、現在もいちばんの名物。由比本陣公園の裏手、県道396号に面した**ゆい桜えび館**（0543・75・2448）では、さくらえびの生態や漁のようすを写真パネルやビデオで紹介。また、館内の**桜えび茶屋**（月曜定休）では、さくらえびのかき揚げそば、かき揚げ定食が人気メニュー。

●たまご餅

江戸のむかしから、東海道を行き来する旅人のあいだで名物だった餅。「東海道中膝栗《とうかいどうちゅうひざくり》毛《げ》」にも、これをあきなう茶屋が登場する。現在は由比川をわたった北田の**春埜**《はるの》（0543・75・2310）がその製法を受け継いでいる。

【泊まってみたい宿】

●**西山旅館**（0543・75・3055）

豊積神社の参道をのぼり県道へ出て清水方面へ、街道から歩いて数分。食事には、さくらえび料理やアジのたたきがつく。

歌川広重「東海道五拾三次之内
由井薩埵峠」

江戸より **17** 番目の宿

興津

おきつ

【最寄り駅】▼JR興津駅から、南へ約一〇〇《メートル》歩けば、東海道に出る。かつての宿場は、その西、約五〇〇《メートル》のあたり。

【街道を歩く】

由比からは、**薩埵《さった》峠《とうげ》**の中道を左に折れ、みかん畑の中の細い道を西にくだり、興津川をわたればまもなく興津宿に入る。

途中、街道は、崖崩れ防止のためにコンクリートでブロックされ、急な斜面に石段がつづいているが、あちこちにたつ松の木などに、往時のおもかげはいくらか残っている。

JR東海道本線の踏切をわたり、旧国道1号に出て**興津川橋**をわたる。旧東海道は、最初の角を右に入ってから民家の裏をぬけている。昭和三〇年（一九五五）頃までは松並木も残っていたが、整備事業が進んだため、いまはない。

家並をぬけて、ふたたび旧国道1号に出て西進する。興津郵便局の一〇〇《メートル》ほどさき、右側に、**宗像《むなかた》神社**の鳥居《とりい》が見える。クロマツやクスノキがこんもりとしげるこの社《やしろ》は、沖に漁に出た人たちから「母なる森」として親しまれていた。まわりにいまほど建物のなかったむかし、高い木々が生い茂るこの森は、漁師にとって、かっこうの目印であった。

やがて信号のある歩道をわたると、先に、**髭《ひげ》題目の碑**と**常夜灯《じょうやとう》**がたっている。ならんで、**身延山《みのぶさん》道の道標《どうひょう》**。日蓮宗《にちれんしゅう》の総本山身延山への街道は、現在は、国道52号として興津郵便局の前が起点となっているが、むかしは、ここが起点だった。

さらに進むと、右手民家の前に**一里塚跡**があり、そのさきを右折するとJR興津駅だ。

興津宿にはかって、本陣二軒、脇本陣二軒、旅籠三四軒、宿内総家数三一六軒が、現在の国道1号沿いにたちならんでいたのだが、むかしのおもかげはまったくといっていいほど残っていない。わずかに勝沢氏宅の前に**東本陣跡碑**が、山梨自転車店の前に**西本陣跡碑**がたっているだけだ。また**脇本陣**は、水《みな》口《くちや》屋とNTT交換局の地点にあったという。

水口屋は、昭和天皇も泊まられた老舗の名旅館だったが、昭和六〇年（一九八五）に廃業。現在は、企業の研修センターになっている。当主の望月半十郎から寄贈された水口屋の資料は、平成一一年三月に開館した「水口屋ギャラリー」で公開されている（0543・69・6093／10時〜16時／休館日　月曜、年末年始）。

街道をさらに西へ進むと、右手には石段のさきに清見寺《せいけんじ》が、左手に西園寺《さいおんじ》公望《きんもち》の別荘、**坐漁荘**《ざぎょそう》の跡地が**西園寺公園**として保存されて

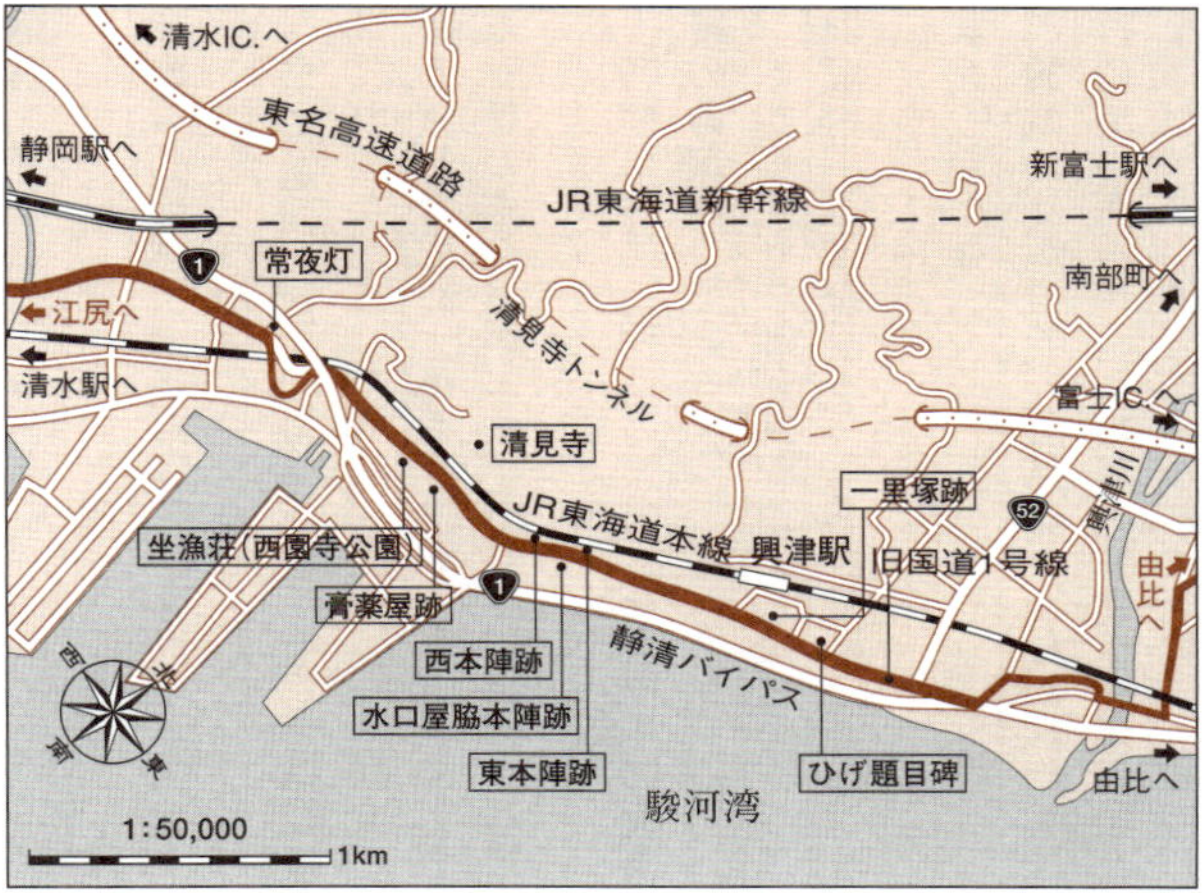

いる。建物は先年、明治村に移されたが、〝二代目〟坐漁荘が忠実に復元され、平成一六年四月から一般公開されている。

宿はずれの**波《は》多《た》打川《うちがわ》**をわたると、すぐ左に折れる道が旧東海道。しばらく旧国道1号と分かれて横砂《よこすな》地区をぬける。

JR東海道本線の踏切をわたり、ふたたび旧国道1号と合流して左折。**庵《い》原川《はらがわ》**へむかうが、川の手前に、往時からの名残の松が一本、緑の枝を広げている。この庵原川をわたれば江尻宿である。

【ちょっと寄り道】

●**清見寺**

西本陣跡地からすこし西へ進み、右手の石段をのぼると「東海名区」という額を掲げた山門が見える。ここが、奈良時代に創建された**清見寺**である。境内には本堂、仏殿、鐘《しょう》楼《ろう》、**芭蕉《ばしょう》句碑**、それに裏山一帯にならぶ**五百《ごひゃく》羅《ら》漢《かん》**など、見どころが多い。

この寺は、徳川家康《とくがわいえやす》とのゆかりも深い。家康が「竹千代《たけちよ》」と名乗った少年時代に人質として駿府《すんぷ》の今川家にいたころ、しばしばここへ来て勉強したという。前庭にある**臥龍梅《がりゅうばい》**は、家康が接木《つぎき》したもの。庭園には、駿府城より移した**虎石《とらいし》**、**亀石《かめいし》**、**牛石《うしいし》**、家康手植えのカシワの木などがある。

また、この寺を訪れた歌人、文人も多く、山門横には明治初期の文豪・**高山樗牛《たかやまちょぎゅう》の仮寓《かぐう》跡の碑**がたっている。

ほかに兼好法師《けんこうほうし》、武田信玄《たけだしんげん》、豊臣秀吉《とよとみひでよし》、島《しま》崎藤村《ざきとうそん》、与謝野晶子《よさのあきこ》らも訪れて歌を詠《よ》んだと伝えられている。

●**清見《きよみ》潟《がた》公園**

興津にはかつて、清見潟とうたわれた美しい砂浜の海岸があったが、いまは興津埠頭《ふとう》となった。左手に清見潟公園。一角に、明治の元勲《げんくん》の一人、**井上馨《いのうえかおる》の銅像**がたっている。

【名物のうまいもの】

●興津鯛

アマダイの開き。むかしは祝いごとなどの席に出された。JR興津駅前の**魚吉《うおきち》**（0543・69・1036）に注文すれば手に入る。ただし、漁でアマダイがあがったときのみ。

●アジの押し寿司

大和《やまと》旅館（0543・69・0041）は、駿河湾内でとれる新鮮なアジを使っているので、青魚独特のくさみもない。宿泊も可。

●さくらえび丼

ごはんのうえに、さくらえびのたまごとじをのせた、さくらえび丼は、駿河湾で広く食される料理。JR興津駅前にある**みくら**（0543・69・0242）で、三月から一〇月までの期間、食べることができる。ほかに、釜あげしらす、アジのひもの、まぐろステーキ、緑茶ジュースなど、静岡県の特産物を使ったメニューが豊富。

●宮様《みやさま》まんじゅう

興津に静養に訪れた皇族に出すのにつくられた。当時の清見寺の古川大航《ふるかわたいこう》老師が考案した。JR興津駅から清水方面へ徒歩五分の**宮様まんじゅう本舗潮屋**（0543・69・0348）で購入できる。

【泊まってみたい宿】

●岡屋《おかや》旅館（0543・69・0018）

JR興津駅から東海道へ出て西に行くと公民館と警察があり、そのむかい。

江戸より 18 番目の宿

江尻 えじり

【最寄り駅】▼JR清水駅。駅を出て左手すぐにはじまる商店街は「駅前銀座」、そこをすぎて右折してはじまる「清水銀座」がかつての宿場の中心。

【街道を歩く】江尻の宿は、現在の静岡市清水区辻《つじ》のあたりから、JR清水駅前の清水銀座をぬけ、**巴川**《ともえがわ》にかかる**稚児橋**《ちごばし》をわたって入江町《いりえちょう》にいたる界隈だった。

往時は本陣二軒、脇本陣三軒、旅籠《はたご》五〇軒、宿内総戸数一三四〇軒、宿内人別六四九八人と伝えられ、駿河《するが》では府中《ふちゅう》につぐ大きな宿駅《しゅくえき》だったが、今日では「江尻」の名は地名として残るのみで、むしろ清水港や清水の次郎長《じろちょう》で知られる町になっている。

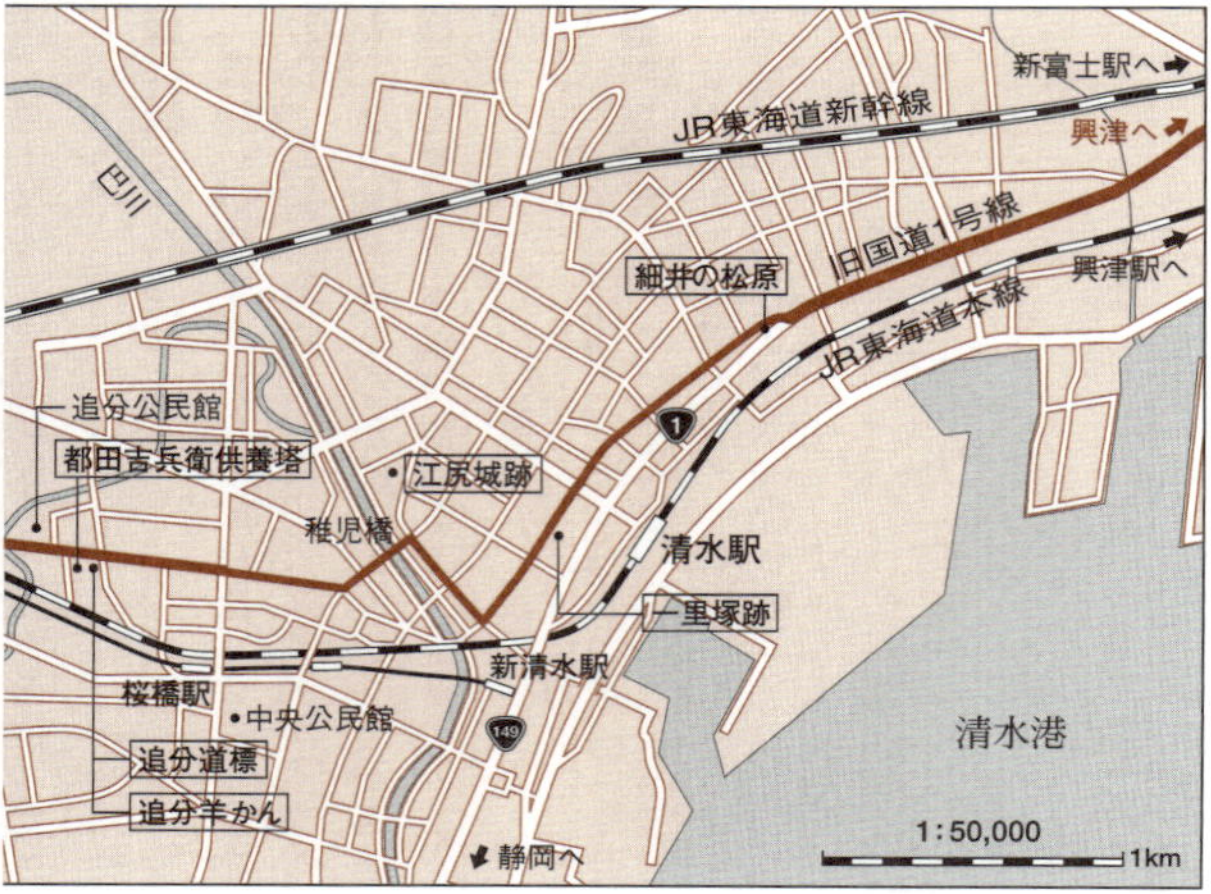

興津《おきつ》方面から江尻宿をぬける旧東海道は、旧国道1号とほぼかさなっている。清水辻三丁目あたり、街道が国道から右手旧道に入る分かれ道に**細井の松原**がある。江戸初期に徳川秀忠の命で植えられた松も、中期には一〇〇〇本ほどあったが、第二次世界大戦で伐採され、今はわずか一本のみ。松原とは名ばかりとなってしまった。宿駅の東端にあたる辻町一丁目から二丁目は、比較的静かな町並だが、志茂町《しもちょう》、仲町《なかちょう》、魚町《うおまち》など、往時の中心地である「宿三町《しゅくさんちょう》」は、かつてずらりと軒をならべていた旅籠がいまでは商店にかわり、**清水銀座**としてにぎわっている。本陣、脇本陣、旅籠はすべて焼失。再建して営業しているのは、大《おお》ひさし屋の一軒だけだ。

　清水銀座をぬけて西に進み、巴川にかかる**稚児《ちご》橋**に出る。この橋は江戸初期、家康の命《めい》によりかけられた。地元の老夫婦を選んで、

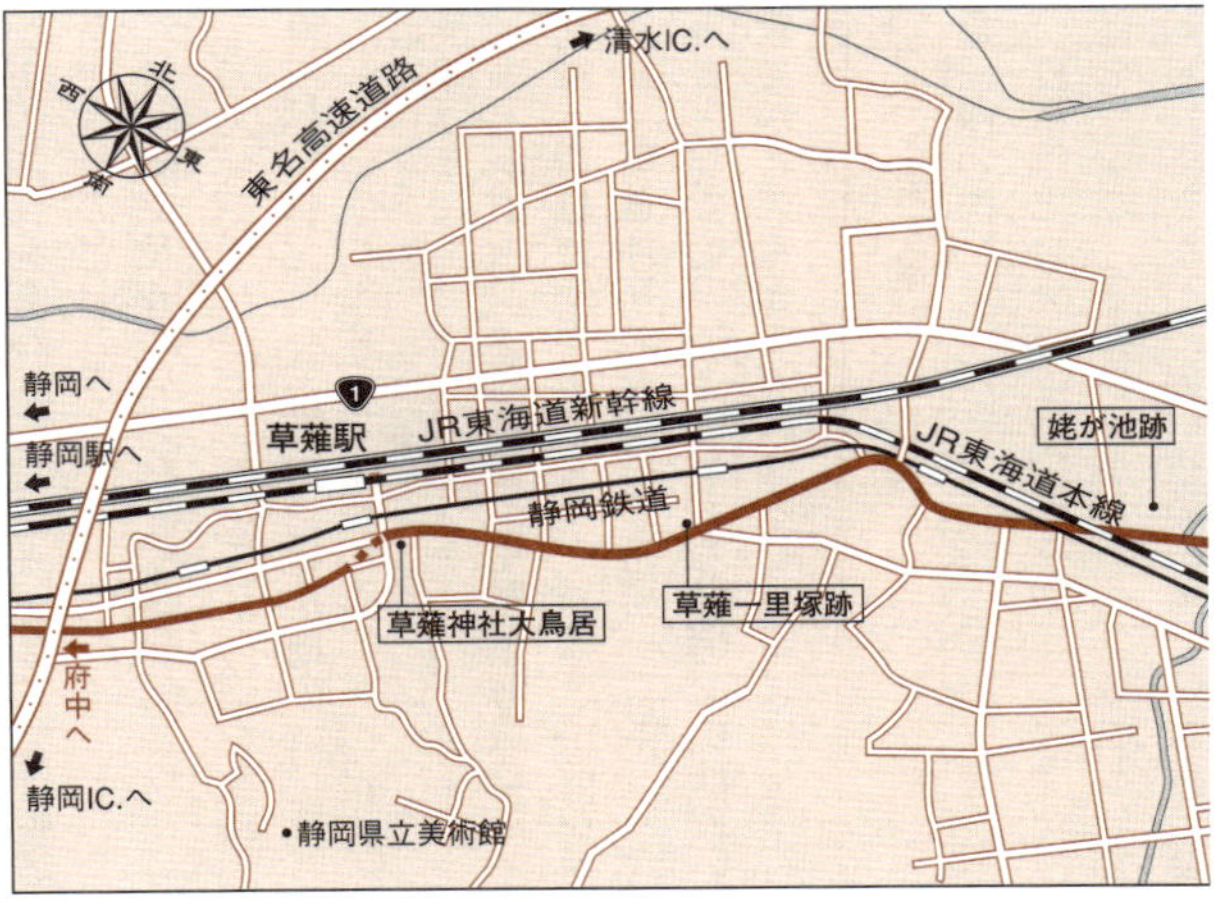

「わたりぞめ」をしようとしたとき、川の中から河童《かっぱ》頭の稚児があらわれ、橋をわたって府中方面に消えたことから、この名がついたと伝えられ、四隅には河童の像がある。

　橋のたもとから右手に見える森が**江尻城跡**。その本丸跡は、現在、江尻小学校となり、往時のおもかげはない。

　稚児橋をわたり旧街道をしばらく西へ行くと、**久能山**《くのうざん》にむかう「是《これ》より志三《しみ》づ道《みち》」の**追**《おい》**分道標**《わけどうひょう》があり、その角に有名な**追分羊羹**《おいわけようかん》の老舗がある。格子戸《こうしど》に赤のれん、しっとりとした古い店構え。往時の商家さながら広い座敷の台上に、竹の皮に包んだ羊羹がならぶ。

　店を出てさらに西へ行くと、左手に**都田吉**《みやこだきち》**兵衛**《べえ》**の供養塔**《くようとう》。吉兵衛は、俗に「都鳥《みやこどり》」と呼ばれ、清水の次郎長の子分・森の石松を殺した男で、仇《かたき》として清水一家に討たれた。吉兵衛の菩提《ぼだい》をとむらう人がほとんどいなかったため、これをあわれんだ里人《さとびと》がここに供養塔をたてたのだという。

　街道は**大沢川**《おおさわがわ》にかかる**金谷橋**《かなやばし》をわたって、しばらく行き、フジ工器の手前の道を右に入り五〇メートルほど行くと右手に**姥**《うば》**が池**《いけ》の跡。さらにJR東海道本線の線路を横ぎり、上原《うえはら》、草《くさ》薙《なぎ》にかかる。上原二丁目あたり、街道右手ショッピングセンター前に「**史跡東海道草薙一里塚**」の標柱がある。また、草薙駅手前左手には、**草薙神社の大鳥居**と元禄《げんろく》一二年（一六九九）建立の参道道標がある。街道には古い家並がところどころに残る。数キロにして府中宿にいたる。

【ちょっと寄り道】

●三保《みほ》の松原《まつばら》

　江尻宿といえば、宿内から南にくだった三保の松原が、平安のむかしから景勝地として知られてきた。その浜辺の一角にいまもそびえる**羽衣《はごろも》の松**は、樹齢六〇〇年。天女《てんにょ》が漁師・伯龍《はくりゅう》のために美しい舞を舞いながら天に帰ったという伝説の松。近くの羽衣神社では、毎年二月一五日に、**つつがゆ神事《しんじ》**がおこなわれ、春になると全国から集められた二二種、二二〇本の桜が花を咲かせる。JR清水駅からバス（三保線）二五分「松原入口」下車徒歩一〇分。

●清水郷土資料室

清水中央図書館内。JR清水駅からバスで一五分「文化センター前」下車。＊0543・54・1331／9時30分～19時（土曜・日曜・祝日17時まで）／休館日　第2月曜、第4水曜、年末年始ほか

●清水の次郎長遺物館

JR清水駅からバス一〇分「梅蔭寺《ばいいんじ》前」下車。＊0543・52・0995／8時30分～16時／無休

【名物のうまいもの】

●追分羊羹

江戸初期、とある砂糖商人が箱根の山中で旅の途中ながら病気で苦しむ明《みん》（中国）の僧に出会い、手厚く介抱したところ、病《やまい》が癒《い》えた僧は深く感謝し、小豆のあつものづくりの秘法を伝授して旅立っていった。それが追分羊羹。街道沿い追分付近の**追分羊羹**（0543・66・3257）本店のほか、市内各所で買える。

●久能山のいちご

久能海岸沿いは石垣いちごの栽培がさかん。一月から五月までいちご狩りも楽しめる。

●黒はんぺん

焼津《やいづ》でつくられたものが多いが、清水駅前のみやげもの店**東京堂**（0543・66・6746）では清水産もあつかっている。

【泊まってみたい宿】

●大ひさし屋（0543・66・1348）

もと脇本陣。四五〇年の歴史をもつ。清水銀座のほぼ中央、西にむかって左。

江戸より19番目の宿

府中《ふちゅう》

【最寄り駅】▼JR静岡駅。北口を出て松坂屋《まつざかや》デパートの東側の道を行くと、約二〇〇《メートル》で伝馬町《てんまちょう》通りに出る。ここが東海道。

【街道を歩く】

徳川家康《とくがわいえやす》が少年期と晩年をすごした府中は、また、「東海道中膝栗毛《とうかいどうちゅうひざくりげ》」の著者、十返舎一九《じっぺんしゃいっく》の生誕地でもあり、東海道とは縁の深い土地である。

現在の静岡市中心部は、駿河国《するがのくに》の国府《こくふ》が置かれたところから「駿府《すんぷ》」あるいは「府中」と呼ばれ、江戸時代以降は宿場の呼称として「府中宿」となった。

府中宿は、東の入口の下横田《しもよこた》町《まち》から院内《いんない》町《ちょう》、上横田《かみよこた》町《まち》、鋳物師町《いもじちょう》、誉田町《ほんだちょう》、伝馬町あたり、さらに新谷町《しんがいちょう》、江川町《えがわちょう》、呉服町《ごふくちょう》、**札《ふだ》**の

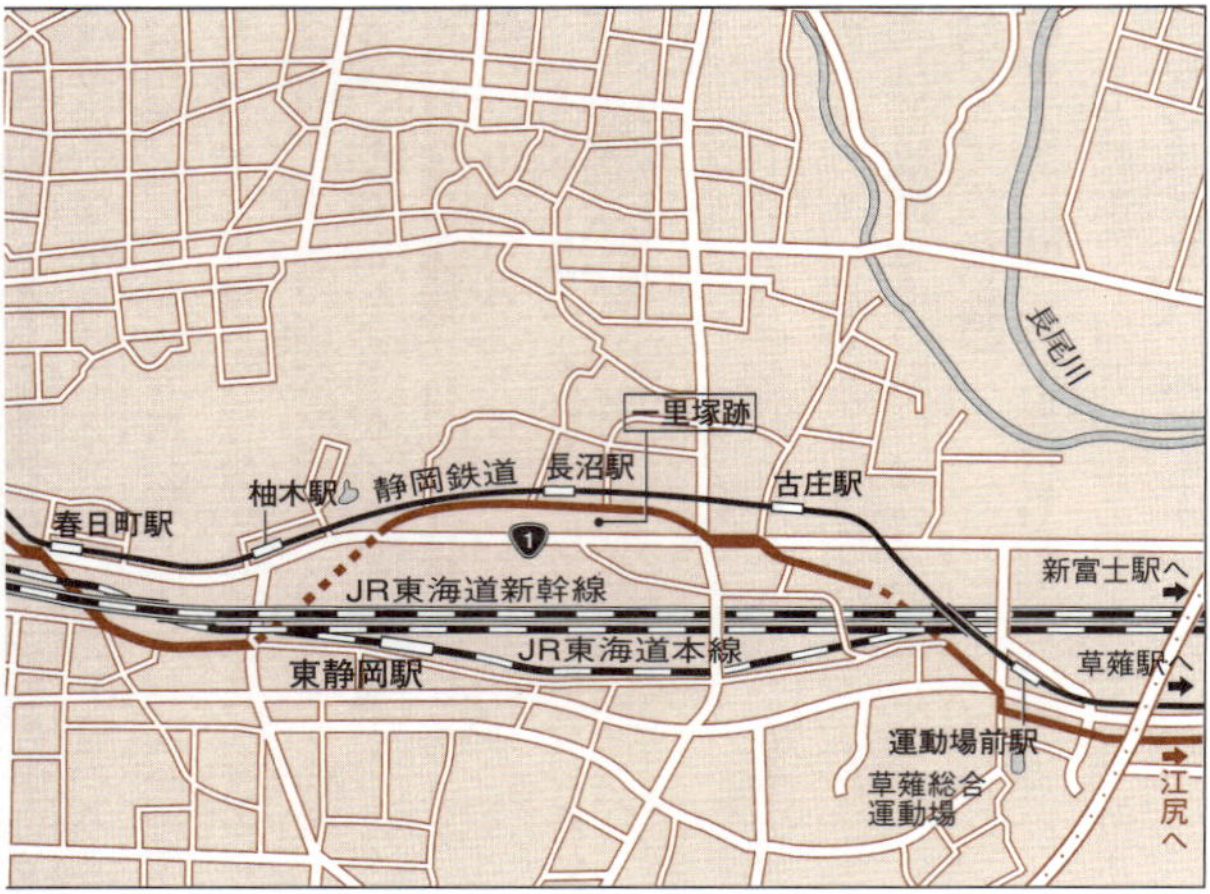

辻《つじ》（駿府城入口）、七間町《しちけんちょう》、人宿町《ひとやどちょう》、梅屋町《うめやちょう》、新通《しんとおり》、川越町《かわごしちょう》まで。川越町に**西見附**《にしみつけ》があった。東見附《ひがしみつけ》から西見附までは、城下町特有の曲がりくねった街道である。

江尻方面からは、東海道はＪＲ東海道本線に分断されながら、静岡鉄道の南を鉄道とほぼ並走。静鉄・春日町《かすがちょう》駅の西で国道1号と交差。このあたりが**東見附**。そこから七〇〇㍍《メートル》ほどで**華陽院**《けよういん》。ここが静鉄・日吉町《ひよしちょう》駅の南になる。

すこし行った静鉄・新静岡駅の南に、**西郷・山岡会見跡の碑**。慶応《けいおう》四年（一八六八）西《さい》郷隆盛《ごうたかもり》と幕臣山岡鉄舟《やまおかてっしゅう》が江戸無血開城について会談した場所である。

さらに行くと、街道は、ＪＲ静岡駅から北にのびる広い道路とぶつかる五叉路《ごさろ》へ。そこを左折、やや行ったスクランブル交差点を右折。そのさきのデパート伊勢丹《いせたん》の角に、駿府

城追手門《おうてもん》入口でもある**札の辻**。

左折すると、そこからが**七間町**の道幅の広い商店街。その名のとおり、道幅が七間（約一三メートル）。全国の街道でも随一の広い道幅だった。

七間町の通りには、府中特産の漆器《しっき》、竹細《たけざい》工《く》、挽物《ひきもの》、木製家具、蒔絵《まきえ》、漆下駄《うるしげた》、和染《わぞめ》、ひな具、ひな人形などを売る店がならび、参《さん》勤交代《きんこうたい》の武士たちも、みやげに買ったという。現在でも、このあたりには、当時の得意先であった大名の国名をつけた屋号や商品名が残っている。

街道は七間町をぬけて、サッカー用具店の角を右折。そのさき、写真店の角を左折。ここから新通で、まっすぐにのびた街道は、やがて**安倍川《あべかわ》**へ。

安倍川橋の手前には、**由井正雪《ゆいしょうせつ》碑**やあべかわ餅《もち》の有名店「**石部屋《せきべや》**」、**安倍川義夫《あべかわぎふ》の碑**がある。


【ちょっと寄り道】

●**駿府公園**
天正《てんしょう》一三年（一五八五）徳川家康が築城した駿府城の跡地を公園にしたもの。平成元年に巽櫓《たつみやぐら》が復元された。

●**静岡県立美術館**
ＪＲ草薙《くさなぎ》駅からバス（美術館行き）六分、または静鉄・県立美術館前駅で下車、徒歩一五分。ロダンの彫刻三二点を常設展示。企画展の内容も充実。＊０５４・２６３・５７５５／10時～17時30分（5～9月の毎週土曜は20時まで）／休館日　月曜（休日の場合翌日）、年末年始、展示替えのための休館日

●**登呂遺跡《とろいせき》**
弥生時代の遺跡として有数。併設の**登呂博物館**（０５４・２８５・０４７６）は遺跡から出土した考古資料を展示。隣の**芹沢《せりざわ》美術館**（０５４・２８２・５５２２）は、型絵染《かたえぞめ》の人間国宝、芹沢

銈介《けいすけ》の作品、芹沢自身が海外で集めたコレクションなどを展示。

【名物のうまいもの】

●あべかわ餅

ある男が、安倍川上流で金がとれたこともあって、「きな粉」を「金な粉」と洒落《しゃれ》て、徳川家康に献上したところ、そのおいしさに舌鼓《したつづみ》をうった家康がみずから「あべかわもち」と名づけたとされている。評判の**石部屋**（054・252・5698）は朝一〇時から開店し、売り切れたら閉店。

●うさぎ餅

江戸時代文化《ぶんか》・文政《ぶんせい》期（一八〇四〜一八三〇）の狂歌の第一人者、大田南畝《おおたなんぽ》（蜀山人《しょくさんじん》）が東海道を旅した際に食し、「耳長う聞き伝へきし兎餅月もよいからあがれ名物」と歌に詠《よ》み、それにちなんで「うさぎ餅」と名付けられた。府中に近い古庄《ふるしょう》でつくられ、旅人に好評だった。しばらく途絶えていたが最近復活し、静岡伊勢丹で販売されている。

●桶ずし

山海の素材を盛り込んだちらしずし。大田南畝が、江尻と府中のあいだにある**間《あい》の宿《しゅく》**・**小吉田《こよしだ》**の茶屋《ちゃや》で食したとされる。JR静岡駅の**東海軒**（054・253・5171）で。

歌川広重「東海道五拾三次之内　府中安部川」

江戸より 20 番目の宿

丸子

まりこ

【最寄り駅】▼JR静岡駅。バス（藤枝駅行き各駅停車）二〇分「丸子橋入口」下車で、とろろ汁《じる》の丁子屋《ちょうじや》のすぐ前。▼宇津ノ谷《うつのや》へは、三〇分「宇津ノ谷入口」下車。

【街道を歩く】

安倍川橋《あべかわばし》をわたったあたりが**間《あい》の宿《しゅく》**、**手越《てごし》宿**。しばらく行くと、断続的ではあるが松並木がつづく。街道は南西へ。およそ一・二キロ行った長田西《おさだにし》中学校の角で、国道1号と合流。そのさき、佐渡《さわたり》交差点で、国道から左にそれる。

しばらく行くと、右側歩道上に「一りつかあと」と記された**一里塚跡**。

街道は、その南を流れる丸子川と並行し、右側に**本陣跡**、**お七里役所跡**がつづき、やが

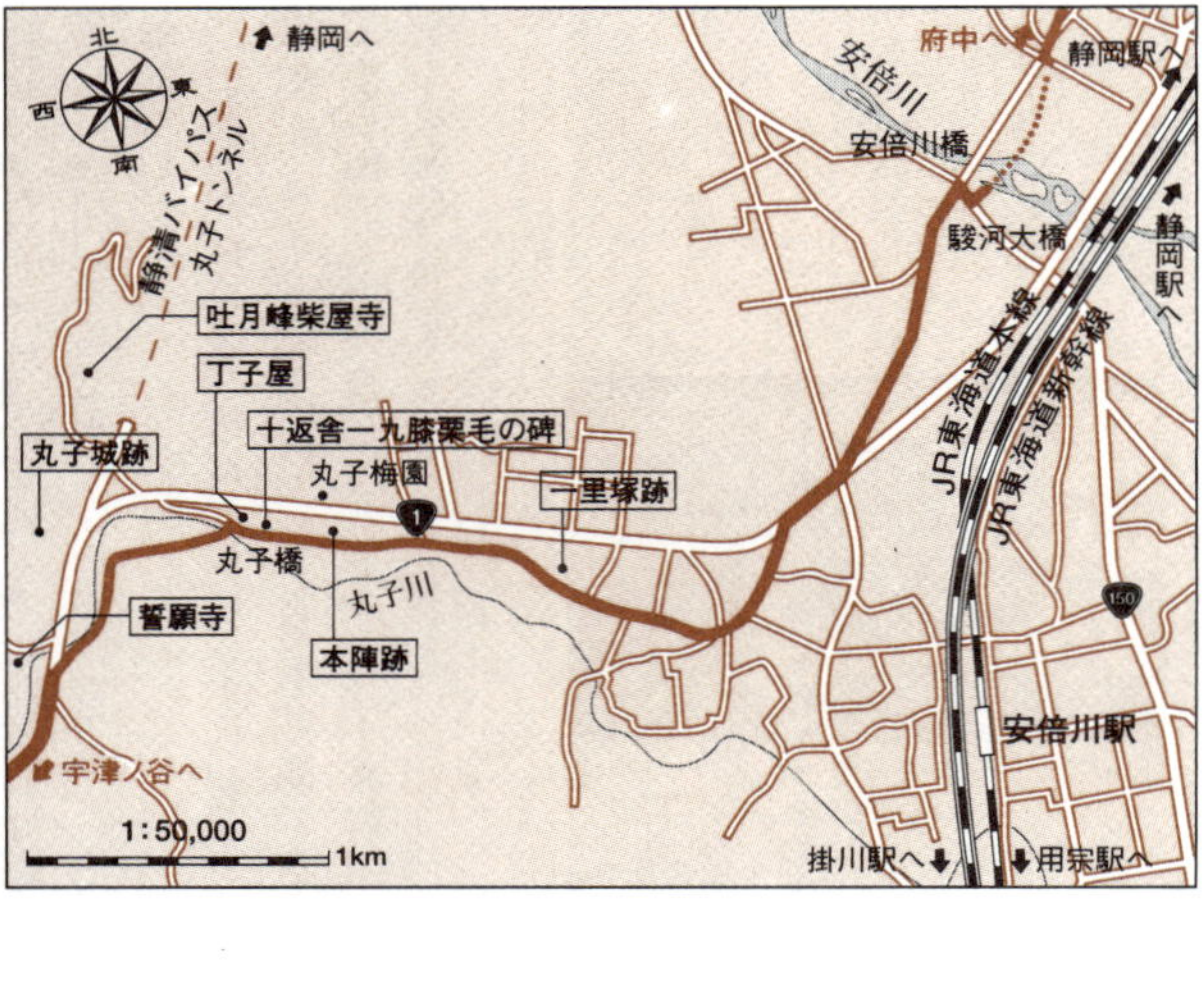

て左に丸子橋が見えたら、左折して橋をわたる。

　橋の手前に、名物、とろろ汁の**丁子屋**がある。このあたりには、むかしから、とろろ汁の店がならび、旅人は、宇津ノ谷峠へののぼりをひかえ、ここで精気をつけて出立《しゅったつ》した。峠をおりてきた旅人も、ここで休憩し、茶屋《ちゃや》はおおいににぎわった。

「東海道中膝栗毛《とうかいどうちゅうひざくりげ》」には、安倍川を肩車《かたぐるま》でわたった弥次《やじ》さん、喜多《きた》さんが、にわか雨に降られ、ほうほうの体《てい》で丸子の茶店に入ったが、店では夫婦げんかの最中で、名物のとろろ汁にありつけなかった話があり、店の前には**十返舎一九膝栗毛の碑**や**芭蕉句碑**「梅わかな丸子の宿のとろろ汁」がある。

　丸子橋のさきを右に入ると、源頼朝《みなもとのよりとも》が創建したと伝えられる**誓願寺**《せいがんじ》がある。境内の泉《せん》水《すい》に、天然記念物のモリアオガエルが生息す

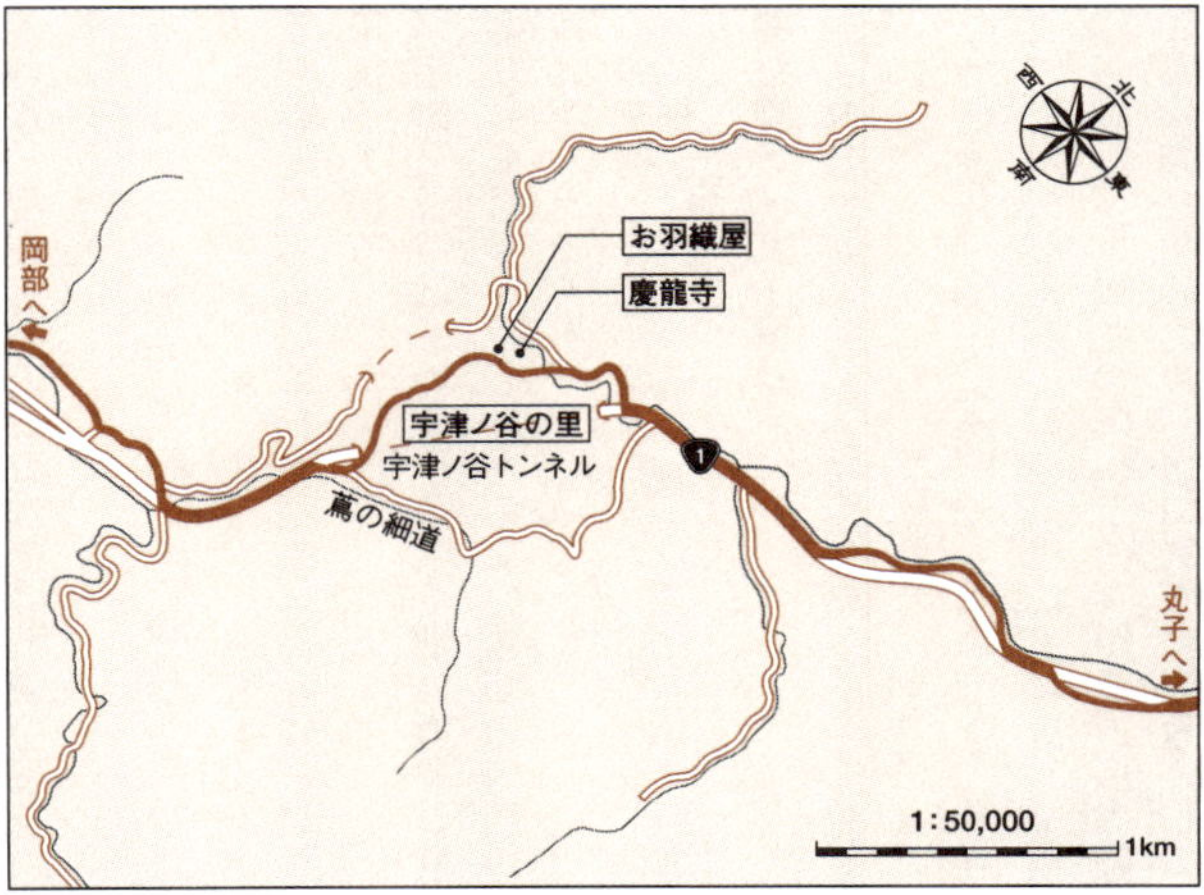

ることでも知られる。

街道は、国道1号と合流したり、道をそれたりをくりかえしながら、宇津ノ谷へむかう。やがて街道の右手奥に、**慶龍寺**《けいりゅうじ》。**十団子**《とおだんご》で知られ、毎年八月二三日、二四日の縁日《えんにち》には、苦難除《くなんよ》けの小粒の十団子が販売される。また、鬼退治の伝説もよく知られる。

峠の手前には、**お羽織屋**《はおりや》がある。

天正《てんしょう》一八年（一五九〇）、小田原征伐《おだわらせいばつ》に東海道をくだった豊臣秀吉《とよとみひでよし》が、宇津ノ谷の民家の軒下にさがった馬の沓《くつ》に目を止め、使い古した自分のものと取り替えたいと申し出たところ、主人は三脚分しか出さない。秀吉がわけをたずねると、主人は「ここに残した一脚分で、戦《いくさ》の勝利を祈るつもりだ」と答えた。

秀吉は気分をよくして出立。戦に勝っての帰りに、ふたたび立ち寄り、ほうびとして陣《じん》羽織《ばおり》を与えた。以後、この家を「お羽織屋」という。現在も、ここではその羽織を展示。十団子も販売している。

宇津ノ谷の集落を行くと、道は石段になり、そこをのぼると、右手に、山中に分け入る細い道がある。これが宇津ノ谷峠にむかう旧街道である。

宇津ノ谷峠は、いまも薄暗く細い道で、歌舞伎「蔦紅葉宇都谷峠《つたもみじうつのやとうげ》」の文弥殺しの場面が目に浮かんでくる。

峠を越えると、つぎの宿、岡部《おかべ》である。

【ちょっと寄り道】

●誓願寺・丸子城跡

JR静岡駅から中部国道線バス三〇分、「二軒家」下車。源頼朝が両親の追善供養のために創建。天文《てんぶん》年間（一五三二～一五五五）に焼失したが、のち武田信玄《たけだしんげん》によって再建された。大坂冬の陣へとつながる方広寺鐘《ほうこうじしょう》銘《めい》事件の弁明のため、徳川家康に使者として送られた豊臣家の家臣、片桐且元《かたぎりかつもと》の墓があり、本堂に、ゆかりの品が展示されている。

誓願寺の目前にそびえる山上には、丸子城跡が残る。今川氏によって築かれた丸子城は武田氏に支配されたあと、徳川家康の属城となるがのちに廃城となり、現在はハイキングコースとなっている。

●**吐月峰柴屋寺《とげっぽうさいおくじ》**

丸子橋をわたらず、道なりに直進。五〇〇《メートル》さき、右手。庭園がみごとで、連歌師《れんがし》・宗《そう》長《ちょう》が永正《えいしょう》元年（一五〇四）、ここに草庵《そうあん》を結んだことでも知られる。

【名物のうまいもの】

●**とろろ汁**

この地にとれる自然薯《じねんじょ》からつくる、古くからの名物。芭蕉《ばしょう》の「梅若菜まりこの宿のとろゝ汁」の句でも知られる。**丁子屋**（054・258・1066／木曜定休。月末は水曜・木曜連休）、**一松園《いっしょうえん》**（054・259・5454）で。

●**十団子**

むかし、宇津ノ谷の梅林院《ばいりんいん》という寺の住職に腫《は》れ物ができ、小僧に膿《うみ》を吸わせて治したところ、その小僧は人肉の味をおぼえてしまい、旅人を食べる鬼になってしまった。ある日ここを通りかかった旅僧が、この鬼を小さな玉に変身させ、それを杖《つえ》でくだき一〇粒の小玉にし、飲みこんで退治した。その伝説にちなんで、小ぶりで色とりどりの一〇種の団子を詰め合わせたもの。慶龍寺の縁日で売られるほか、近年は、静岡伊勢丹、お羽織屋でも販売。

江戸より **21** 番目の宿

岡部
おかべ

【最寄り駅】▼JR静岡駅からバス（藤枝《ふじえだ》行き）、JR藤枝駅からバス（静岡行き）、いずれも「岡部町役場」下車。

【街道を歩く】

古代、奈良平安時代の街道は、海沿いに現在の焼津《やいづ》市を通過し、日本坂《にほんざか》をのぼり、安倍《あべ》川《かわ》をわたり駿府《すんぷ》に達していた。

藤枝から岡部をへて宇津ノ谷峠を越える街道は、中世以後に発達したもので、建久《けんきゅう》五年（一一九四）源頼朝《みなもとのよりとも》が鎌倉と京都を結ぶ街道（鎌倉道）を整備し、岡部宿を設立した。

徳川家康の天下統一のあと、慶長《けいちょう》六年（一六〇一）東海道に伝馬制が制定され、その翌年六月に、岡部は宿駅とされ、五十三次の仲間入りを果たした。

岡部町に入った東海道は、**十石坂観音堂**《じっこくざかかんのんどう》をすぎ、ガソリンスタンドのさきを右折する。二又道《ふたまたみち》を左に進み、**岡部**《おかべ》**川**《がわ》を越えると、**西行**《さいぎょう》**座像**が安置されている**専称寺**《せんしょうじ》。

さらに道なりに進むと、ほどなく、**つた街道**と呼ばれる旧国道1号にもどる。左手には**柏屋歴史資料館**、そのさきに見えてくるのが**内野**《うちの》**本陣跡**。

しばらく歩き、酒屋のさきを左折。そこから三〇分ほどは、落ち着いた町並がつづく。幼稚園と保育園のさきでわずかに右に折れると、ふたたびつた街道に合流。ここには岡部町役場、町民センターおかべ、岡部郵便局などがあり、現在の岡部町の中心地になっている。

ここから、つた街道をしばらく直進。四〇分ほど歩くと、松並木があらわれる。旧東海道をしのばせる一角である。

松並木をすぎ、藤枝バイパスの高架下で、道は二つに分かれるが、左が国道1号、右が藤枝へつづく東海道である。

旧道を進み国道を横切った左手に**一里塚跡**の標柱。さらに進み、八幡橋をわたって間もなく前方に大楠が見える。**須賀神社の大楠**で根回り一五・二メートル、高さ二三・七メートル、県の天然記念物に指定されている。

【ちょっと寄り道】

●光泰寺《こうたいじ》

本堂には**聖徳太子立像《しょうとくたいしりゅうぞう》**。現存する聖徳太子像のなかで、たっているものはこれだけといわれる。ほかに**准胝観音菩薩立像《じゅんていかんのんぼさつりゅうぞう》**もある。

●五智如来像《ごちにょらいぞう》

バス停「岡部町役場前」脇。むかし、田中城主だった内藤紀伊守《ないとうきいのかみ》に、口のきけない姫君がいた。なんとか治せないものかと思案していたところ、岡部のはずれの誓願寺《せいがんじ》にある五

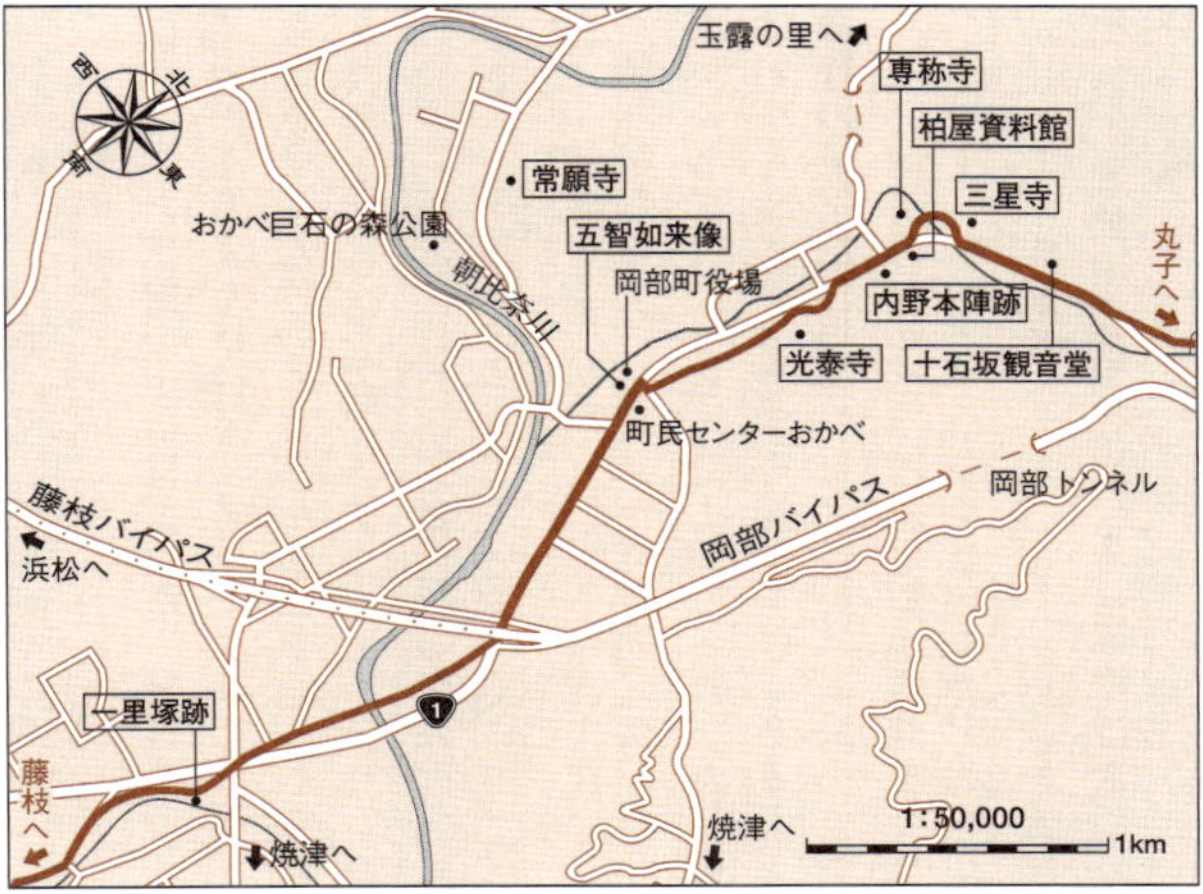

智如来をひたすら念ずるようにいわれ、そのとおりに願《がん》をかけたところ、姫君は自由に話せるようになったという。

●おかべ巨石《きよせき》の森《もり》公園

平成七年（一九九五）十月にオープンした石の公園。多数配置された御影石《みかげいし》は、最大で高さ三・五㍍、幅四㍍。バス停「岡部町役場」から玉取《たまとり》行きバスで「岡部町中学校前」下車五分。

●柏屋歴史資料館

岡部宿の旅籠《はたご》の一つとして栄えた柏屋は、一六〇年を経ても随所に当時のおもかげが残る貴重な建築物だ。平成一〇年に国の有形文化財に指定され、平成一二年に歴史資料館としてオープン。＊9時〜17時／休館日　月曜（祝日の場合は翌日）、年末年始

【名物のうまいもの】

●玉露《ぎょくろ》の里

岡部町は、京都の宇治《うじ》、福岡県の八女《やめ》とならぶ玉露の産地。平成二年（一九九〇）にオープンした玉露の里では、茶室・**瓢月亭**《ひょうげつてい》で、本場の玉露または抹茶《まっちゃ》と茶菓子が楽しめる。昼どきは、たけのこごはんなど季節のものをメニューにした定食も。＊054・668・0019／10時〜16時30分／定休日　第4月曜（祝日の場合は翌日）、年末年始

●たけのこ

岡部宿からすこし入った宮島地区は、おいしいたけのこがとれることで知られ、たけのこ料理を食べさせる料理屋や旅館もある。

●竹の子まんじゅう

白い薄皮のなかに、白餡《しろあん》と細かく刻んで甘く味付けしたたけのこが入った大ぶりのおまんじゅう。**味楽堂**《みらくどう》（054・667・3805／月曜定休）は、岡部町役場からバス（焼津行き）五分「三輪《みわ》」下車。

宿場と街道よもやま知識

◆飯盛女（めしもりおんな）

旅籠《はたご》には、大きく分けて二つの種類があった。飯盛女を置いた飯盛旅籠と、そうでない平旅籠《ひら》である。

飯盛女とは、泊まり客の相手をする女性のことで、その多くは、客と枕をともにした。当時、幕府は、宿場に遊女を置くことを禁じており、飯盛女はいわば幕府黙認の売春婦であった。

宿場のメインストリートは、飯盛女たちの客引きの声で、つねににぎわっていた。

また、彼女たちの存在は、旅人ばかりでなく、近隣の若者たちを宿場に引き寄せ、宿場に経済的繁栄をもたらす重要な要素だった。このへんは、現代の繁華街の事情と変わらない。

旅籠屋のなかには、一軒で数十人の飯盛女をかかえるところまであらわれ、見かねた幕府は、享保《きょうほう》三年（一七一八）に「飯盛女は一つの旅籠で二人まで」というお触《ふ》れを出した。

一方、飯盛女たちの処遇は、けっしてよいものではなかった。いくつかの宿場には、彼女たちにまつわる悲劇の名残や伝説も残っている。

藤沢宿の永勝寺《えいしょうじ》には、かつて宿内で働いた飯盛女たちをとむらう三九基の墓石が、主人の恩情から、当時の旅籠「小松《こまつ》屋《や》」の墓域に残っている。

江戸より 22 番目の宿

藤枝《ふじえだ》

【最寄り駅】▼JR藤枝駅。新静岡方面行きバスで一〇分「藤枝大手」下車。そこから東木戸《ひがしきど》跡まで五〇〇メートル。

【街道を歩く】

藤枝宿は、東木戸から、瀬戸川《せとがわ》の近く西木戸《にしきど》までおよそ二キロの長い宿。東から左車町《さぐるまちょう》、下伝馬町《しもてんまちょう》、白子町《しろこちょう》、長楽寺町《ちょうらくじちょう》、吹屋町《ふきやちょう》、鍛冶町《かじちょう》、木町《きまち》、上伝馬町《かみてんまちょう》、川原町《かわらまち》と九つもの町がならんでいた。そこに千戸を越す人家があり、本陣二、旅籠《はたご》三七を擁した。

宿場はいまでは近代的な商店街へと変貌したが、花火工場、ダルマ屋、たんす屋、染物《そめもの》屋、鍛冶屋、お茶問屋、椎茸《しいたけ》問屋など伝統を伝える工場や店が多く、そこから歴史を感じとることができる。

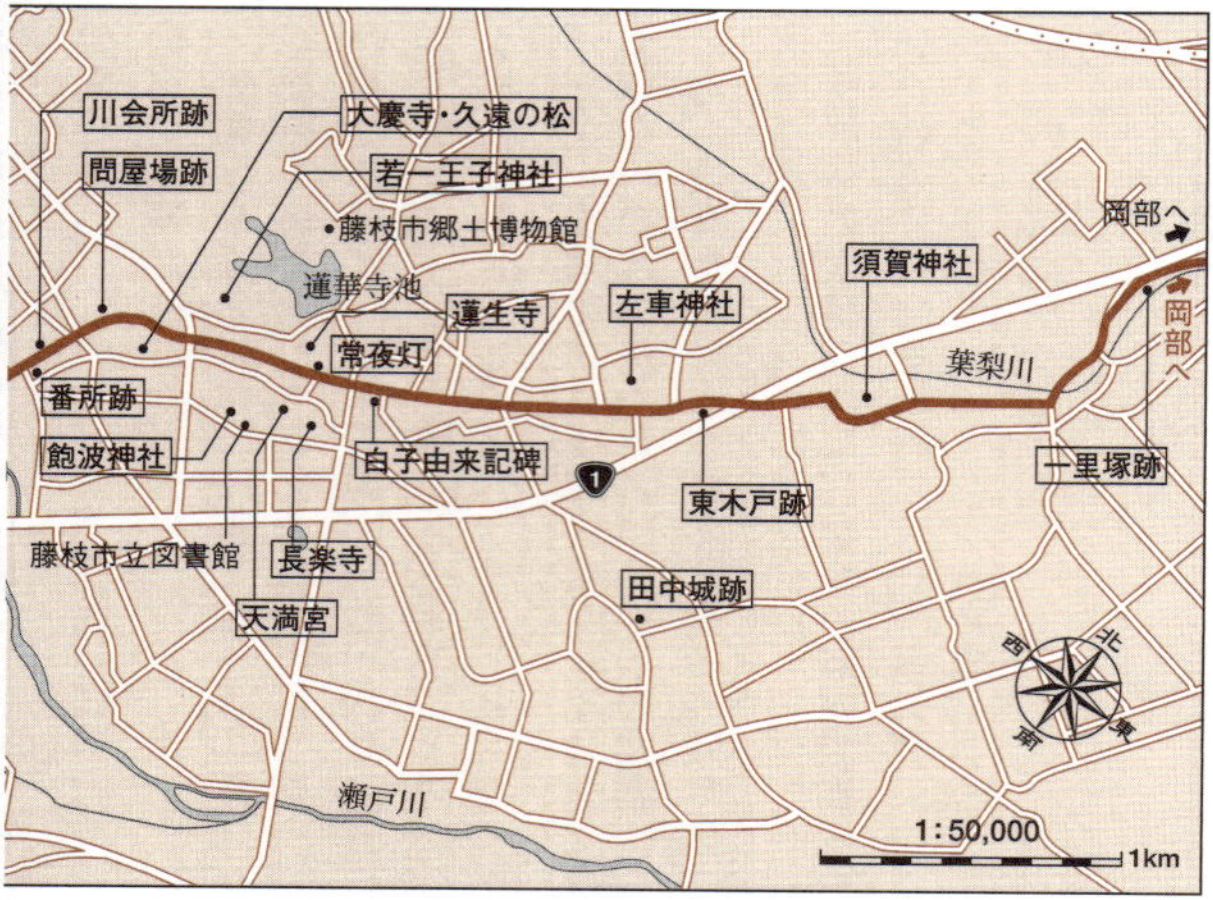

岡部からは、**東木戸跡**をすぎた右手に**左車神社**。鎌倉時代に宗尊親王《むねたかしんのう》が将軍となって鎌倉へ行く途中、乗っていた車の左輪がこわれた。車を修理しているあいだ親王が休息していた場所を、のちに「左車山休息寺《さぐるまさんきゅうそくじ》」と呼ぶようになり、現在は**成田山新護寺《なりたさんしんごじ》**となっている。こわれた車輪を埋めた場所に、この左車神社をたててまつったという。

さらに行くと、左に**白子由来記《ゆらいき》碑**。徳川家《とくがわいえ》康《やす》を助けた小川孫三《おがわまごぞう》（三重県鈴鹿市白子の出身）が住むようになったために白子町と名づけられ、すべての税が免除された。その由来を書いた碑。

ほどなく右に**常夜灯《じょうやとう》**。その北側にある**蓮生《れんしょう》寺《じ》**は、もと福井長者《ふくいちょうじゃ》の屋敷だったが、熊谷直《くまがいなお》実《ざね》が出家して「蓮生《れんしょう》」と名乗り、この長者のところに立ち寄ったことから、屋敷を念仏道場にしたのが起こり。

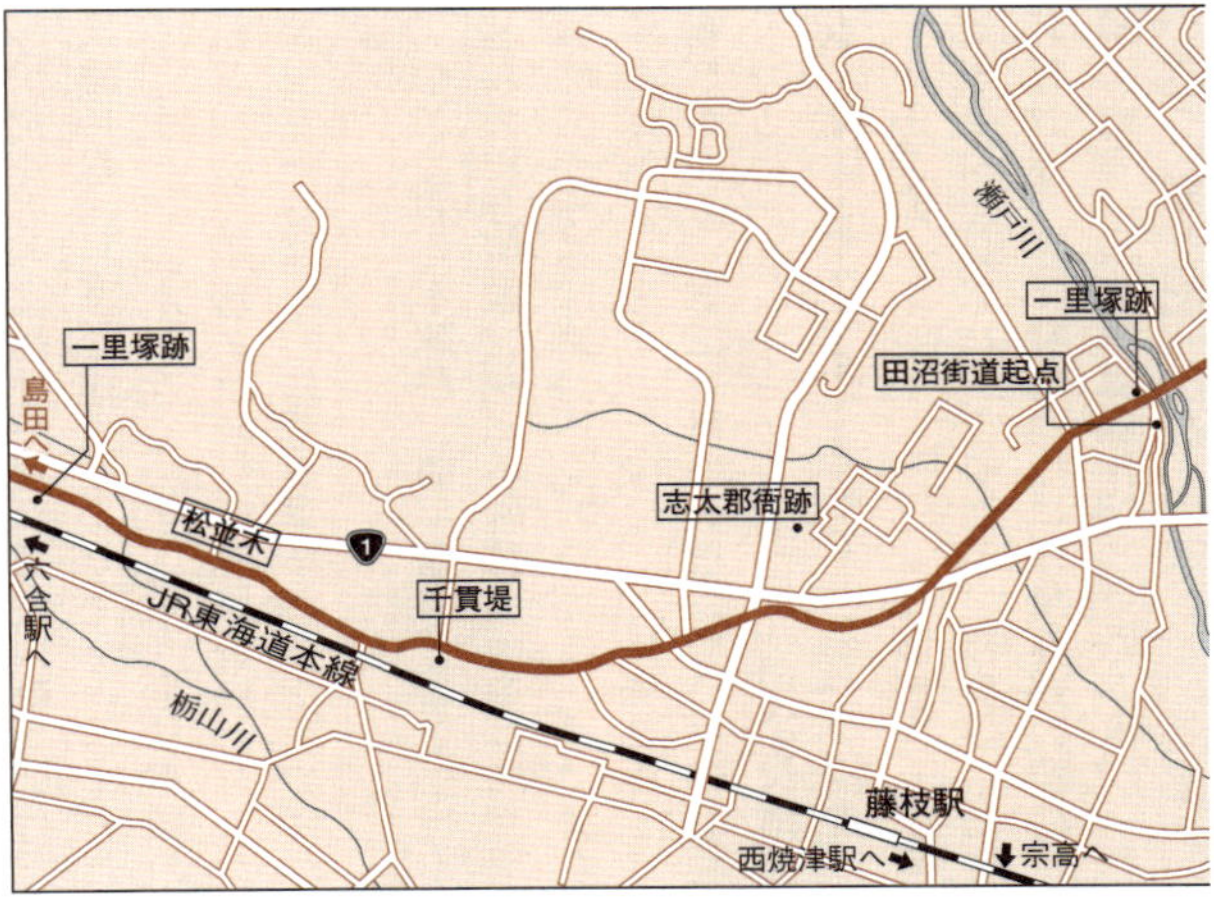

そのさき、街道の南には**長楽寺**《ちょうらくじ》がある。ここも粉川長楽斎《こがわちょうらくさい》という長者の屋敷であった。長者の一人娘のところへ、青島池《あおしまいけ》の竜が若者に姿を変えて通い、池の中に引き込んでしまった。なげき悲しんだ長者は、娘の供養にと屋敷を寺にしたという。

長楽寺の西に**天満宮**《てんまんぐう》。その下に田中藩の百姓一揆の指導者であった**増田五郎右衛門**《ますだごろうえもん》**の頌徳碑**《しょうとくひ》がある。五郎右衛門は、八十余村の農民を集めて年貢《ねんぐ》の減免《げんめん》を訴えて成功したが、首謀者《しゅぼうしゃ》であったために源昌寺原《げんしょうじがはら》の刑場で斬首《ざんしゅ》された。

街道にもどり、西進。街道の北にある**若一王子神社**《にゃくいちおうじじんじゃ》には、源 義家《みなもとのよしいえ》が奥州征討《おうしゅうせいとう》に通ったときに詠んだという歌がある。そのあたり、街道南の**飽波神社**《あくなみじんじゃ》は『延喜式《えんぎしき》』に載っている式内社だといわれる古い神社で、四年ごとの大祭には十数台の山車《だし》が出てにぎわう。

街道をさらに西進。左にある**大慶寺**《だいけいじ》には、**久遠**《くおん》**の松**。日蓮《にちれん》が植えたクロマツと伝えられる。また、西木戸近くの**正定寺**《しょうじょうじ》には**本願の松**という田中藩主土岐《とき》丹後守《たんごのかみ》が寄進したクロマツもある。ともに威風堂々とした松で姿がよい。

やがて右に**本陣跡**、**問屋場跡**。さらに行くと右に**川会所**《かわかいしょ》**跡**、左に**番所**《ばんしょ》**跡**。街道は瀬戸川にさしかかる。瀬戸川をわたって、すぐの右手フェンスに囲まれた中に、**一里塚跡碑**と**常夜灯**がある。また、その一里さきにも、松並木のつづくあたり、その南に「**田沼**《たぬま》**街道起点**」。江戸時代中期、老中でもあった相良《さがら》城主・田沼意次《おきつぐ》が開いた街道で、藤枝宿と相良港を結ぶ全長二八キロの脇往還《わきおうかん》。相良街道とも呼ばれる。左手駐車場前に**一里塚跡**の標柱が見られる。東海道は島田宿《しまだしゅく》へとむかう。

【ちょっと寄り道】

●**田中城跡**

宿の東、「藤枝大手」バス停のところにある大きな交差点（静鉄観光のところ）を南に行く。国道1号を越えるとV字路になっており、それを右へ。小学校が見えてくる。ここが城跡。円形の平城で、堀と土塁が残っている。

●**藤枝市郷土博物館**

蓮華寺池《れんげじいけ》公園内。ＪＲ藤枝駅から、藤枝大手、新静岡方面行きバス。「蓮華寺公園入口」下車、徒歩一〇分。常設展示室には、縄文人の暮らしから、中世、近世、近代、現代に至る藤枝の変化と発展を展示。東海道と宿場に関連した特別展・企画展も多い。また、そこから徒歩二五分のところに、**若王子《にゃくおうじ》古墳群**がある。＊０５４・６４５・１１００／9時〜16時30分／休館日月曜、祝日の翌日

【気のきいたおみやげ】

●**藤枝だるま**（０５４・６４１・１８５９）

創業百七十余年、代々伝統を受け継ぎ、現在は五代目・長橋秀明さんが店を守る。小泉八雲が愛したことから「八雲だるま」とも呼ばれ、鬢《びん》の左右に描かれた「8」の文字が特徴。

【名物のうまいもの】

●**瀬戸の染飯《そめいい》**

強飯《こわめし》をクチナシの汁で黄色く染めて、すりつぶした食べ物。そのにぎり飯が、むかしは山越えの携行食となっていた。駅前の**喜久屋《きくや》**（０５４・６４１・０６６８）で買えるが、数量にかぎりがあるので、たくさんほしい場合は、予約が必要。

江戸より **23** 番目の宿

島田 しまだ

【最寄り駅】▼JR島田駅。北へ徒歩およそ三〇〇《メートル》で本通りに出る。そこが東海道。

【街道を歩く】

藤枝からは、国道1号をほぼたどるかたちで西進。JR六合《ろくごう》駅の北をすぎ、およそ二・五キロ行くと、道の右側に**一里塚跡**がある。バス停「島田七丁目」のすぐ西になる。

そこからおよそ二〇〇《メートル》で左に**刀匠碑**《とうしょう》。島田鍛冶《かじ》一門を顕彰《けんしょう》したもの。さらに行くと、道の両側に、**芭蕉**《ばしょう》**句碑**がある。

そこから二〇〇《メートル》ほどで、商店街もとぎれ、むかしながらの家屋も残る界隈《かいわい》へ。右に見えるのが、**大井**《おおい》**神社**。三年ごと（十二支の寅《とら》巳《み》申亥《さるい》の年）の**帯祭**《おびまつり》で知られる。

帯祭は、他町村から嫁《とつ》いできた花嫁を、大

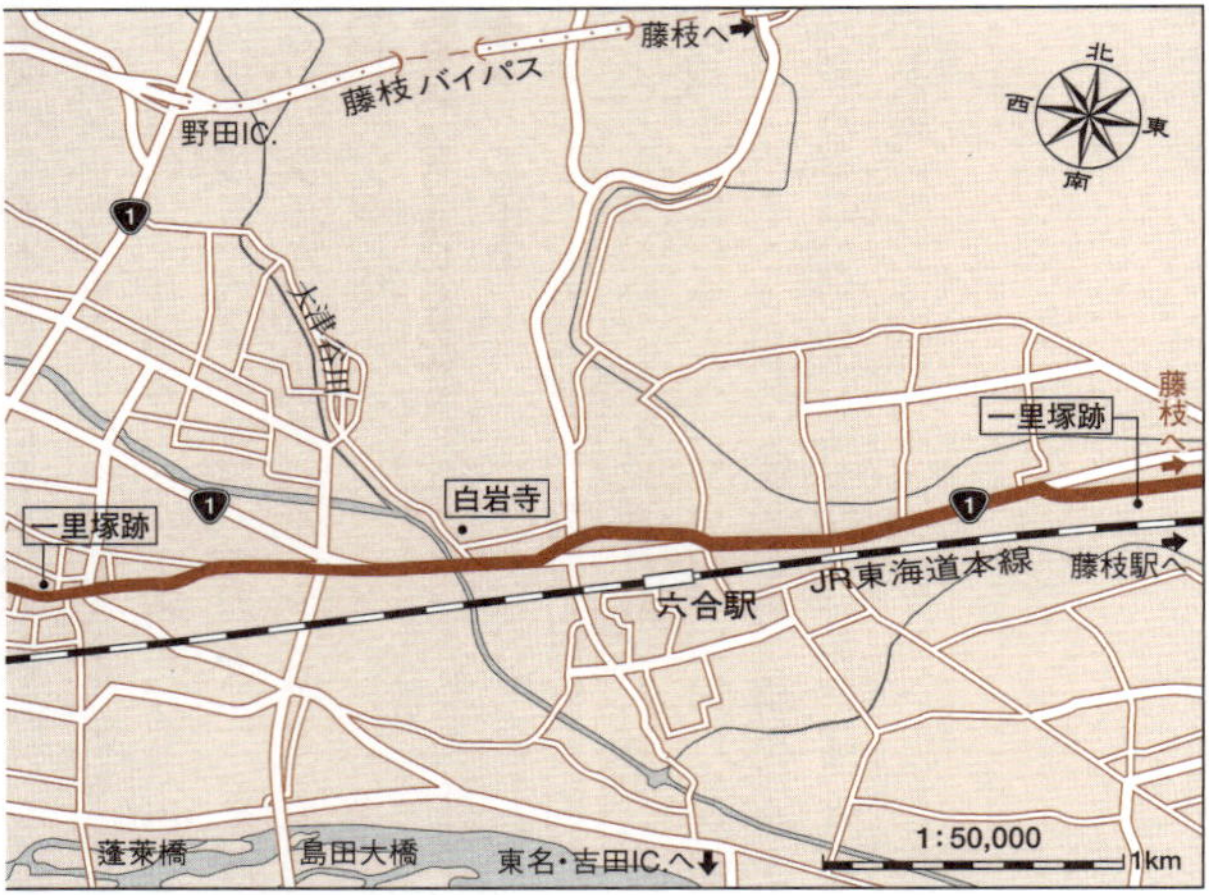

井神社に参詣したのち宿内の人々に披露したしきたりが変化して、帯だけを神社に飾って披露したのがはじまりという。十月中旬の三日間が祭礼日。最終日は、大名行列を先頭に二五人の大奴《おおやっこ》がつづき、大奴の木太刀《おおたち》にかけた丸帯の逸品を披露する。ついで、御神輿《おみこし》、鹿島踊《かしまおど》り、屋台踊《やたいおど》りなど、豪華な行列一五〇〇人が東海道をねり歩く。

大井神社から西へ四〇〇メートル進むと、北側に**大善寺**《だいぜんじ》がある。山門脇に**閻魔堂**《えんまどう》があり、寺の鐘は「時《とき》の鐘《かね》」として親しまれたが、いまは除夜《じょや》の鐘をつくのみ。大井神社大祭の前年の八月一六日には、暗闇のなかで、水難にあった川越人足《かわごしにんそく》や旅行者を供養《くよう》する**施餓鬼**《せがき》がおこなわれる。

大善寺から西へ、およそ一キロ。往時をしのばせる家並がつづき、やがて**大井川川越遺跡**に着く。当時、橋のなかった大井川には、川

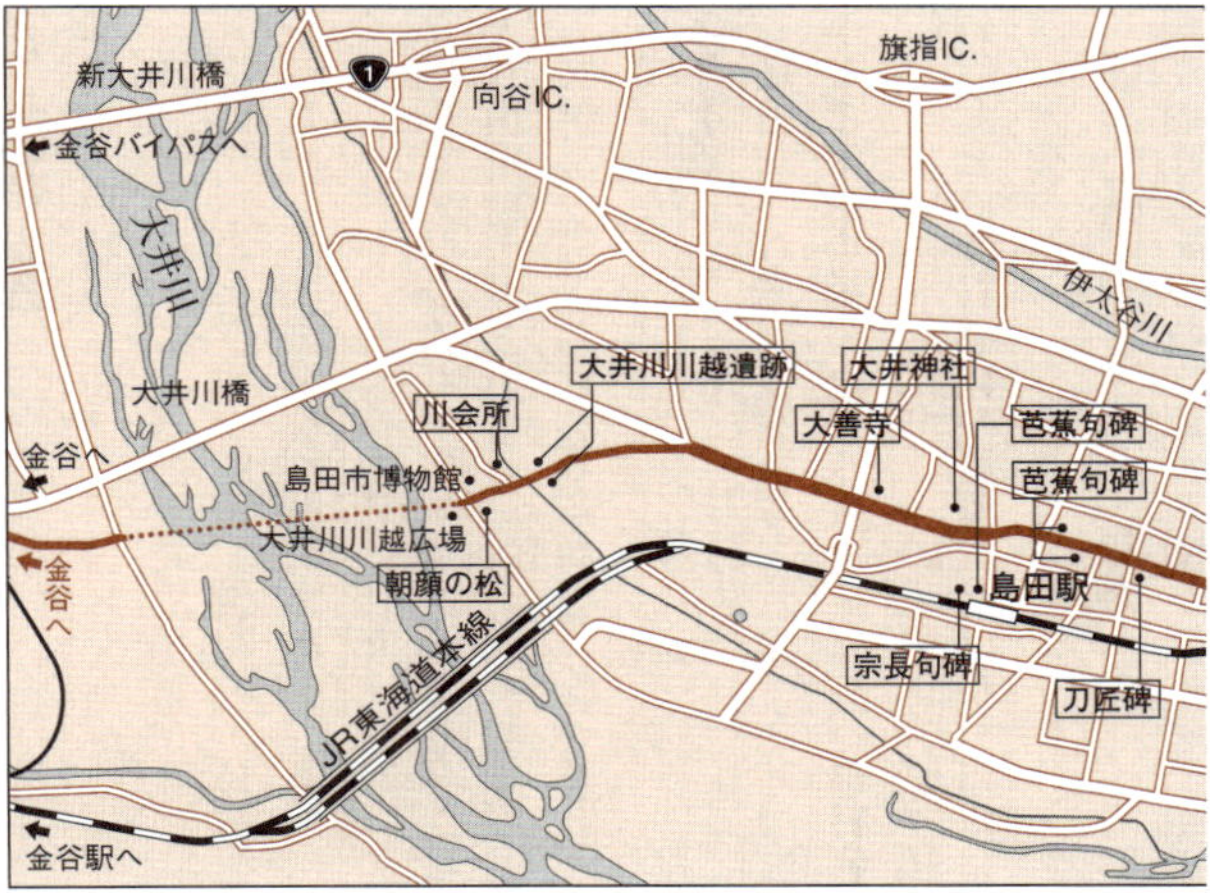

越人足が島田と金谷《かなや》側にそれぞれ、幕末時で六五〇人待機していた。旅人は、人足の肩車や蓮台《れんだい》に乗って大井川を越した。遺跡には復元された家屋が公開されている。

用水路をわたって北側に行くと、江戸期の建物、**川会所《かわかいしょ》**がある。元禄《げんろく》九年（一六九六）に川越制度がしかれ、川越業務を管理運営するための役所として、川会所が置かれた。大名道具の御駕籠《おかご》、木札《きふだ》、蓮台などを手で触れることができる。川会所前の広場には**芭蕉句碑**があり、川会所から西へ歩いてすぐのところ、北側には**島田市博物館**がある。

東海道の南側には**朝顔《あさがお》の松《まつ》公園**。河畔《かはん》にあった大きな松は、浄瑠璃「生写朝顔話《しょううつしあさがおばなし》」にちなんで「朝顔の松」と名づけられている。

当然ながら、いまは渡しで川を越えることはない。つぎの宿、金谷へは陸路で、川越遺跡の北にかかった大井川橋をわたる。

【ちょっと寄り道】

●島田市博物館

川留《かわど》めによってにぎわった島田宿や難所《なんしょ》大井川の川越のようすを展示、説明。JR島田駅からバス（市内循環稲荷町《いなりちょう》まわり、または金谷行き）一〇分「向島西《むかいじまにし》」下車一〇分。東に国指定史跡の大井川川越遺跡があり、西は大井川川越広場とつづいている。＊0547・37・1000／9時〜17時／休館日　月曜（祝日の場合は翌日）、年末年始

●蓬莱橋《ほうらいばし》

島田駅から南東に歩いて一五分。大井川にかかる木造の橋。全長八九六・五メートル、通行幅二・七メートル。明治一二年（一八七九）完成。橋のたもとには**石原純《いしはらじゅん》の詩碑**「五百五十間のながい木橋がゆらゆら揺れる、たよりない人生のように」。わたると、**七福神《しちふくじん》石像**。すこし丘をのぼると、**牧之原《まきのはら》大茶園**が開ける。富士

山を右に見ながら、島田市を一望。書碑や茶園開拓の指導者だった**中條景昭《ちゅうじょうかげあき》の像**がある。

【名物のうまいもの】

●**清水屋《しみずや》の小饅頭《こまんじゅう》**

大名茶人として名高い松平不昧公《まつだいらふまいこう》が参勤交代の途中、この酒まんじゅうに目をとめ、食べやすいよう、もっと小さくと助言し、現在の大きさになった。皮にねりこまれたどぶろくの香《かおり》が風雅《ふうが》。JR島田駅近く本通二丁目、創業三〇〇年の老舗、**元祖清水屋**（0547・37・2542）で。こんぶをねりこんだようかんで餡《あん》をくるんだ**黒奴《くろやっこ》**も。

●**食事処**

やぶや（0547・36・5115／17時〜23時／日曜、祝日定休）は三代将軍徳川家光《とくがわいえみつ》のころから旅籠《はたご》を営み、現在の主人は一四代目。一二代目のとき、旅館から、どじょう料理中心の料理店に変わった。JR島田駅から三分。駅から北に三本のびた道のうち、右の道を直進。すぐの酒屋を右へ。本町二丁目の**八百吉春海楼《やおきちしゅんかいろう》**（0547・35・5377／火曜定休）では地元でとれた旬のものが味わえる。なお、駅周辺には飲食店が多いが、川越遺跡、蓬莱橋付近には食べるところがすくない。

歌川広重「東海道五拾三次之内
嶋田大井川駿岸」

江戸より **24** 番目の宿

金谷 かなや

【最寄り駅】▼JR金谷駅。降りて右に数十メートルで東海道。

【街道を歩く】

島田からは、大井川橋をわたり、西へ。ほどなく、街道は、大井川鉄道・新金谷駅北の踏切をわたる。

街道からは離れるが、駅の南東には、**宅円**《たくえん》**庵**《あん》。「白浪五人男《しらなみごにんおとこ》」の頭目《とうもく》として知られる**日**《に》**本左衛門**《ほんざえもん》**の墓**がある。見付《みつけ》宿でさらし首になったのを、愛人の奴《やっこ》の小まんが盗み出して、ここに埋葬したと伝えられる。

東海道にもどり、しばらく行くと、およそ一キロで、JR金谷駅へ。

本陣跡は、駅の手前五〇〇メートルほどの街道の右側にある佐塚《さづか》書店の前に**佐塚屋本陣跡**、そこからおよそ五〇メートル行った地域交流センター前に、**柏屋**《かしわや》**本陣跡**の標示板がある。

さらに行くと、金谷駅手前のガード下の角に道標があり、ここが**一里塚**があった場所。

そこからJRのガードをくぐり東海道を西進すると、左手奥に**長光寺**《ちょうこうじ》。境内に**芭蕉**《ばしょう》**の句碑**「道のべの木槿《むくげ》は馬に喰《く》はれけり」がある。

ゆるやかな坂道を行くと金谷宿の西の入口にあたる**不動橋**《ふどうばし》に出る。そのさきには、むかし**道銭場**《どうせんば》があった。いまでいうなら有料道路の料金所である。ここからさらに坂をのぼっていくと左側に秋葉山《あきはさん》と刻まれた灯籠《とうろう》。これが**常夜灯**《じょうやとう》。

さらに西へ進むと、**金谷坂石畳**《かなやざかいしだたみ》につきあたる。平成の道普請《みちぶしん》でよみがえった石畳は全長四三〇メートル。途中にある和風の木造建物が**石畳茶屋**。休憩室は三〇畳敷の板の間に、三つの炉が切ってあり、お茶と菓子が味わえる。宿場にゆかりの資料の展示もあり、ひと休みによい。近くには**庚申堂**《こうしんどう》がある。

急坂をのぼりきると、左手に芭蕉が馬の背にゆられて旅した際に詠《よ》んだ一句を刻んだ句碑「馬に寝て残夢《ざんむ》月《つき》とおし茶の烟《けぶり》」。そこから行幸道路を南東へとたどっていくと、大茶園が広がり、その一角に牧之原《まきのはら》公園がある。ここから、東には大井川、運がよければ富士も望める。

芭蕉句碑から北へ歩を進めると、まもなく国指定史跡の**諏訪原城**《すわはらじょう》**跡**の案内板が目にとまる。自然を巧妙に利用した城で、**三日月堀**《みかづきぼり》がめずらしい。**城跡の碑**と**諏訪神社**がある。

そのさきの坂道は、平成一三年、住民の手により全長六一一《メートル》の石畳となり、古道がよみがえった。そのさきは**間の宿**《あいのしゅく》・**菊川**《きくがわ》。入口に**高麗橋**《こうらいばし》がかかる。かつて**菊川神社**の手前にならんでたっていた、**藤原宗行**《ふじわらのむねゆき》**の詩碑**と**日**《ひ》

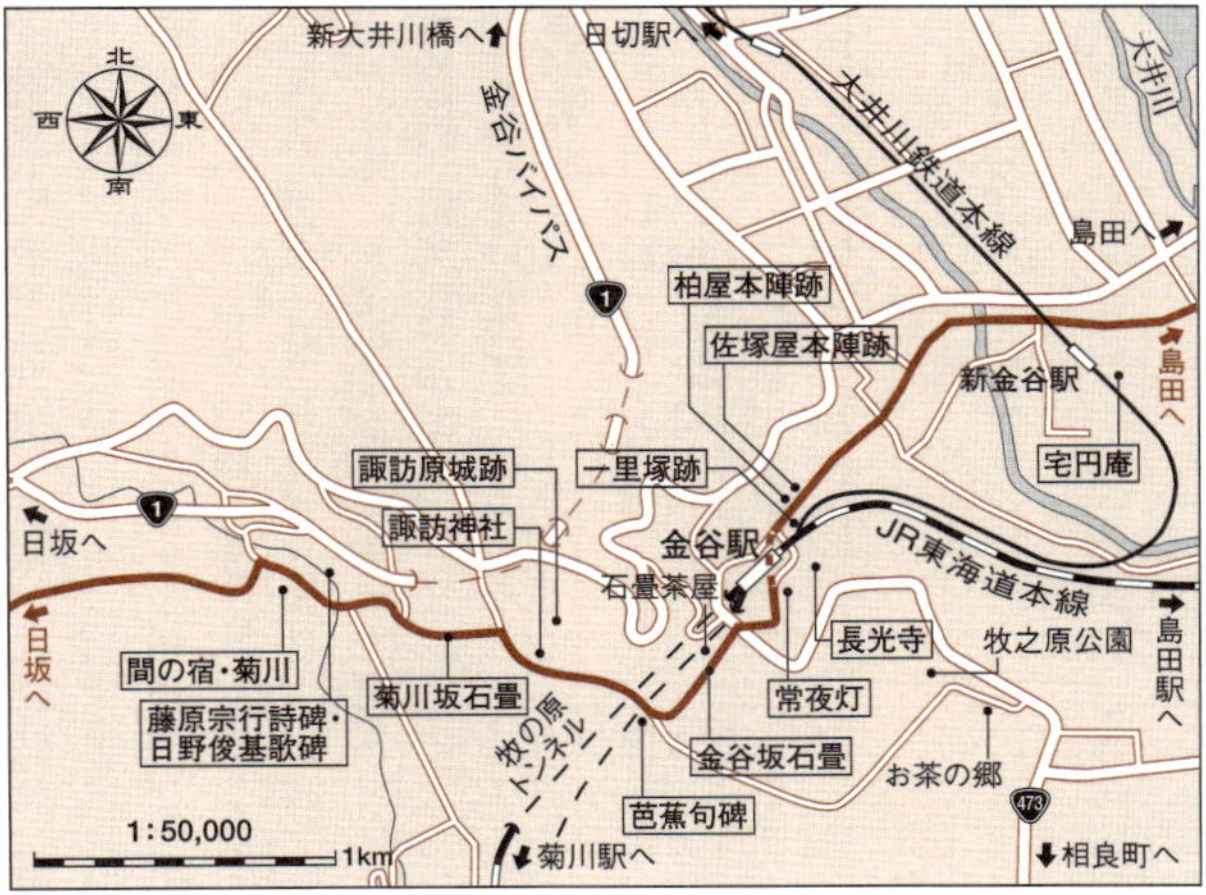

野《の》俊基《としもと》の**歌碑**は現在、**菊川の里会館**（平成八年オープン）の前に移設されている。

宗行は、鎌倉時代の承久《じょうきゅう》の乱（一二二一）で幕府に捕らえられ、護送される途中この宿に泊まった。そのとき宿の柱に刻んだ漢詩が碑に刻まれている。

俊基は、後醍醐《ごだいご》天皇の側近で、倒幕運動のため山伏《やまぶし》姿で各地を歩いた公卿《くぎょう》で、正中《しょうちゅう》の変《へん》（一三二四）で、幕府に捕らえられた。

【ちょっと寄り道】

間の宿・菊川を出ると、じきに**小夜《さよ》の中《なか》山《やま》**。そこをすぎれば、日坂《にっさか》である。

●**諏訪原城跡**

天正《てんしょう》元年（一五七三）に武田《たけだ》勝頼《かつより》が築いた。扇のかたちをした山城《やまじろ》で、甲州流築城法の典型。空堀《からぼり》、井戸など、大部分が残されている。

●**牧之原公園**

金谷の町並や大井川、天気がよければ、富士山や南アルプス、駿河《するが》湾も一望できる。園内には、中国から茶を伝えた**栄西禅師《えいさいぜんじ》の像**がたっている。「**お茶の郷《さと》**」（０５４７・４６・５５８８／定休日　第２・４火曜〈祝日の場合は翌日〉、年末年始）には博物館、京都の仙洞御所《せんとうごしょ》東庭を復元した日本庭園、茶室などがある。

【名物のうまいもの】

●**食事処**

大井川鉄道・新金谷駅近くの**よし善《ぜん》**（０５４７・４６・１８６９）の**菜飯田楽《なめしでんがく》**は、ダイコンの葉をたきこんだごはんと豆腐の田楽の組み合わせ。菜の香りを楽しめる。

宿場と街道よもやま知識

◆木戸（きど）

宿場の出入口を木戸という。宿のはずれの両端にあり、多くの場合、文字どおり門戸がたち、その脇に番所《ばんしょ》が設けられた。

宿場によっては、木戸の大扉は、昼間は開け放たれており、人々は自由に出入りできるが、夜間や非常時にはこれを閉じて、人馬の通行を制限したところもあった。

東海道の場合、江戸側の木戸を東木戸、京都側を西木戸と呼ぶ場合が多い。前者を江戸《えど》方見附《かたみつけ》、または江戸《えど》口門《ぐちもん》、後者を上方見附《かみがたみつけ》、または京 口門《きょうぐちもん》と呼ぶなど、木戸の呼称は宿場ごとに異なった。

◆枡形（ますがた）

宿の出入口の道路は、直角に折れまがった構造がとられた。「枡形」や「曲尺手《かねんて》」と呼ばれ、城中で、敵やくせ者の侵入を防ぐために用いられた構造で、それが道の形に応用されたもの。

そうした軍事的な目的とは別に、大名行列同士が宿内の道で鉢合わせしないですむための工夫でもあった。見張りが行列のさきを行き、むこうから、こちらよりも格の高い大名が来た場合には、それを知らせ、付近の寺などに緊急待避したのである。

東海道では、二川宿、蒲原宿などに、枡形道路がよく残っている。

江戸より 25 番目の宿

日坂《にっさか》

【最寄り駅】▼JR掛川駅からバス（東山行き）三〇分「八幡宮前《はちまんぐうまえ》」下車。

【街道を歩く】

金谷宿の旧道を西へ、急な石畳の坂をのぼると、諏訪原《すわはら》（牧之原）に出る。さらに石畳を行くと間《あい》の宿《しゅく》・菊川《きくかわ》。箭置《やおき》坂をのぼると、**小夜《さよ》の中山《なかやま》**である。

やがて右手に**久延寺《きゅうえんじ》**。掛川城主の山内《やまのうち》一《かず》豊《とよ》が、関ケ原の合戦にむかう家康《いえやす》を接待するため、境内に茶室を設けたと伝えられる寺で、家康手植えの五葉松や芭蕉《ばしょう》句碑がある。本堂右手の大きな丸い石が、有名な**夜泣き石《よなきいし》**の一つである。むかし妊婦《にんぷ》が山賊《さんぞく》に殺されたが、さいわいお腹の子は助かり、久延寺の住職が水飴《みずあめ》で育てた。殺された母の霊が石にこ

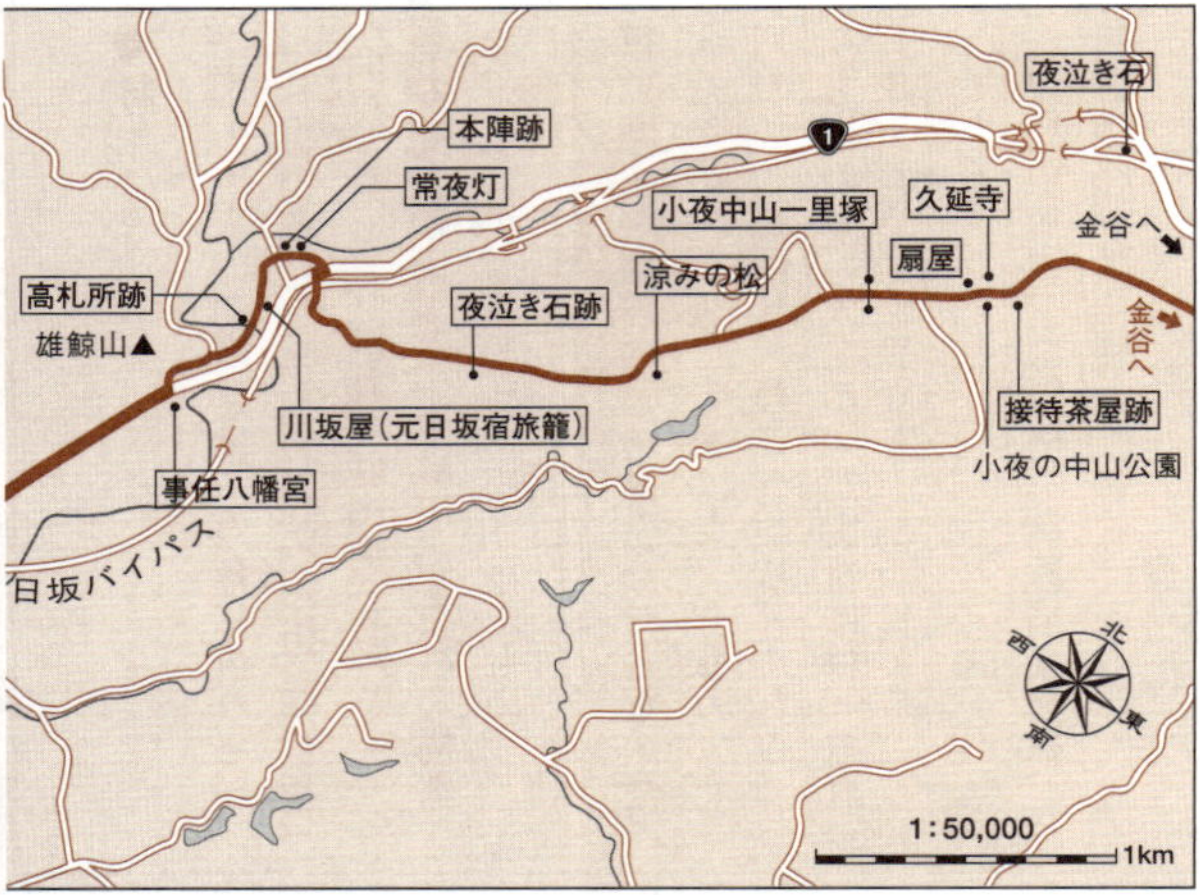

もり、毎晩泣くので、読経《どきょう》してなぐさめたところから、「夜泣き石」の名がついた。

寺のさき右手に江戸時代創業の茶屋「**扇屋**」が、そのむかい側には**小夜の中山公園**があり、入口には**西行法師《さいぎょうほうし》の歌碑**がある。さらにそのさきには、**一里塚**や**芭蕉句碑**のある**涼み松**、**妊婦の墓**、**夜泣き石跡**がつづく。

小夜の中山から**七曲《ななま》がりの急坂**をくだると、日坂宿に出る。

古いおもかげを残す町並である。宿に入ると、通りの家並には、家号を記した看板が吊《つ》られている。街道の右に、安政《あんせい》三年（一八五六）にたてられた**常夜灯《じょうやとう》**。いまは幼稚園になっているところが**扇屋本陣跡**。

宿場を西へ進み、坂口、本町、下町、古宮をすぎると、宿場の西外れには当時のおもかげを伝える旅籠《はたご》、**川坂屋**が残り、宿の出口には**高札場跡**が復元され、高札が掲げられてい

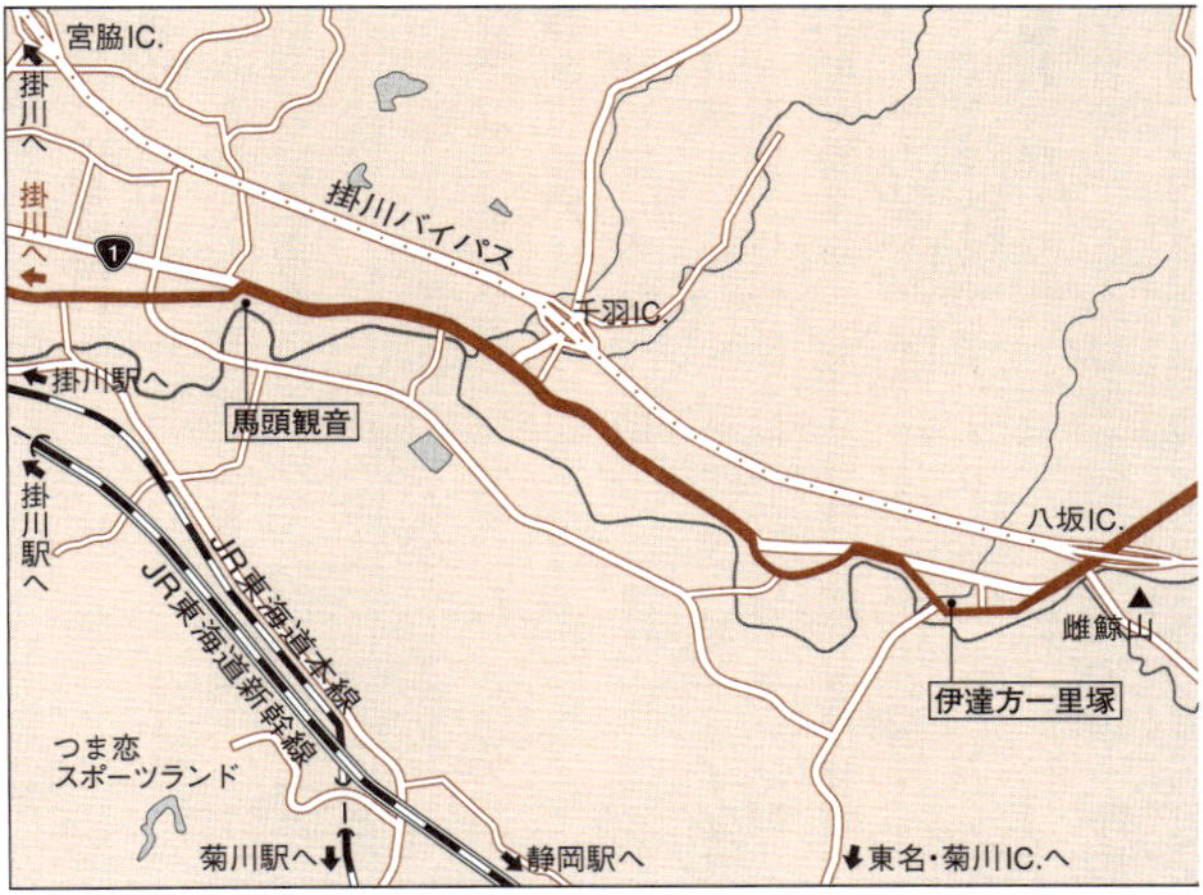

る。そのさきは国道と合流し、左手に**事任《ことのまま》八幡宮《はちまんぐう》（誉田《ほんだ》八幡宮）**がある。大同《だいどう》二年（八〇七）坂上田村麻呂《さかのうえのたむらまろ》が興《おこ》したと伝えられる。願いが「こと（事）のまま（任）にかなう」という評判がたち、にぎわったという。

国道1号の左手にあるのが**雄鯨山《おくじらやま》**。その南に**塩井川《しおいがわ》**をはさんで**雌鯨山《めくじらやま》**がある。むかし、竜神《りゅうじん》が事任八幡宮の姫を竜宮《りゅうぐう》へ迎えたいと願い出たが、八幡宮の神は許さなかった。竜神は塩井川へ潮を出し、雌雄の鯨をもって姫を奪おうとした。神はちょうど碁《ご》を打っている最中で、碁石を投げて鯨を退治した。それで、雌雄の鯨は二つの山となったという。

やがて二叉路《にさろ》で、街道は左の旧道にそれ、まもなく左に**伊達方《だてがた》一里塚**がある。国学者・石川依平《いしかわよりひら》の生家の前で、ふたたび国道1号と合流。そのさきの二叉路で、また左にそれ、ほどなく国道に合流。東海道は、掛川へとむかう。

【ちょっと寄り道】

●小夜の中山公園

久延寺のむかいにある見晴らしのよい小公園。歌碑にある「年たけてまたこゆべしと思ひきや命なりけり小夜の中山」は、このときが二度めの峠越えだった西行法師の歌。

【名物のうまいもの】

●子育て飴《あめ》

親の決めた婚約の前に子を身ごもっていた小《こ》石姫《いしひめ》は、出産後、身の不孝を案じ、自害した。遺児、月輪童子《つきのわどうじ》は父から伝えられた製法の飴で育てられた。久延寺の伝説とは異説だが、その飴をいまは、小夜の中山の**扇屋《おうぎや》**（0537・27・1474）でつくり、売っている。

●わらびもち

むかしからの日坂名物。宿内の**山本商店**（0537・27・1018）が手づくりで。

◆茶屋（ちゃや）と立場（たてば）

旅人の休息場所。ここで、お茶とともに、名物の団子や餅を食べたり、昼食をとったりした。

茶屋は、宿のはしに数軒から数十軒あるのがふつうで、おもに宿内の旅人を相手に商売をした。

また、宿と宿のあいだにも、「立場」と呼ばれる旅人の休憩地点があった。ここにもよく茶屋が開かれ、道中の旅人をもてなした。これを「立場茶屋」という。

箱根宿にいたる東坂《ひがしざか》には、名物の「甘《あま》酒茶屋《ざけぢゃや》」がいまもむかしそのままに営業している。

◆間の宿（あいのしゅく）

立場には、茶屋以外にも、旅の備品を売る店屋などが開かれた。これがしだいに一つの集落を形成するようになる。それが「間の宿」である。東海道では、小田原と箱根のあいだの畑宿《はたじゅく》、知立《ちりゅう》と鳴海のあいだの有松宿《ありまつじゅく》、金谷と日坂のあいだの菊川宿《きくがわじゅく》などが、これにあたる。宿間の距離が長いときその中間に、また峠越えをひかえた場所などに、間の宿が発達したことがわかる。

間の宿には多くの茶屋がたち、町屋《まちや》が形成されていた。しかし、幕府は一般の宿場を保護するため、間の宿での旅人の宿泊を禁止した。

江戸より 26 番目の宿

掛川

かけがわ

【最寄り駅】▼JR掛川駅。北口に出て一五〇メートルで、連雀《れんじゃく》沢野屋《さわのや》本陣前に出る。

【街道を歩く】

日坂《にっさか》から、東海道は、途中、成滝《なるたき》で国道1号を左に折れ、**葛川**《くずかわ》の**馬喰橋**《ばくろうばし》**跡**、振袖餅屋《ふりそでもちや》のある**馬喰橋一里塚跡**をすぎて、やがて**新町**《しんまち》の**七曲**《ななま》**がり**にさしかかる。

七曲がりをすぎると、東番屋《ひがしばんや》をへて旧東海道は喜町《きまち》を北へ曲がり、**高札場**《こうさつば》**跡**を西へ折れて連雀に出る。掛川信用金庫の十字路の北に新設された**大手門**、**番屋**。その西、道の右側に**連雀沢野屋本陣跡**。さらにそのさき、左側に**中町浅羽屋**《なかまちあさばや》**本陣跡**がある。復元された**掛川城**は、この北の位置にある。

そのまま進んで、街道右手に成田山遥拝

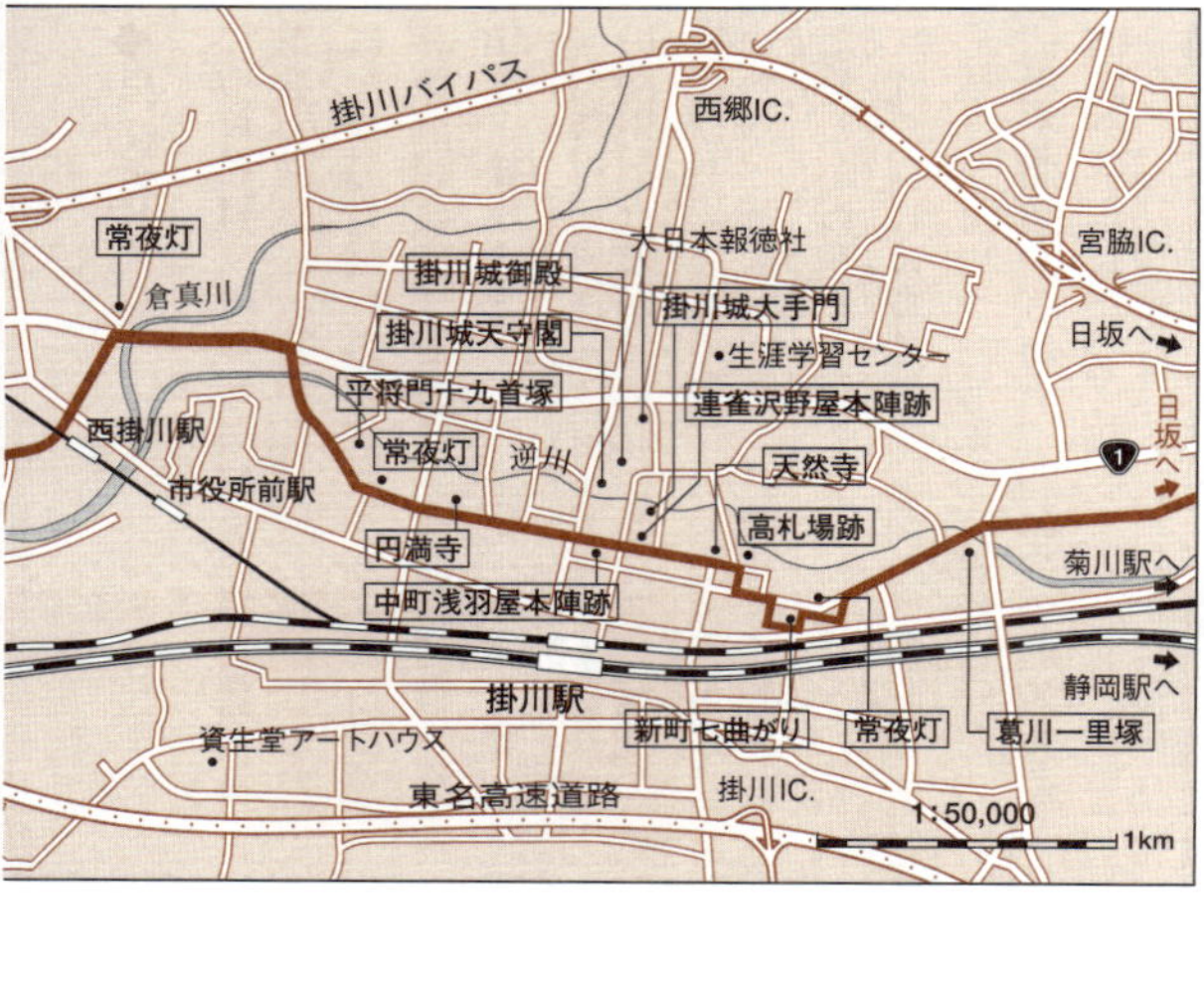

所、そのさきに**平将門十九首塚**《たいらのまさかどじゅうくしゅつか》。東海道は北へむかい、およそ五〇〇メートル進んで二瀬川《ふたせがわ》で国道1号とぶつかり、その角を左へ。さらに五〇〇メートル進み、**倉真川**《くらみがわ》にかかる**大池橋**《おおいけばし》をわたってすぐを左に、国道1号から南にそれる。まっすぐ行くと、赤鳥居の秋葉道、信州塩の道を通り、森町にぬける。

ほどなく天竜浜名湖鉄道を、西掛川駅を左に見ながら横切る。およそ一キロ行くと、左に**大池一里塚跡**があり、さらに進み、国道1号、東名高速道路を越えると、名残の松並木があり、街道はやがて**間の宿**《あいのしゅく》・**原川**《はらかわ》へ、さらにつぎの宿、袋井《ふくろい》宿へとむかう。

【ちょっと寄り道】

●掛川城

平成六年（一九九四）に本格的な木造の城として復元された。城の歴史は古く、文明《ぶんめい》年間（一四六九～一四八七）に駿河守護大名の

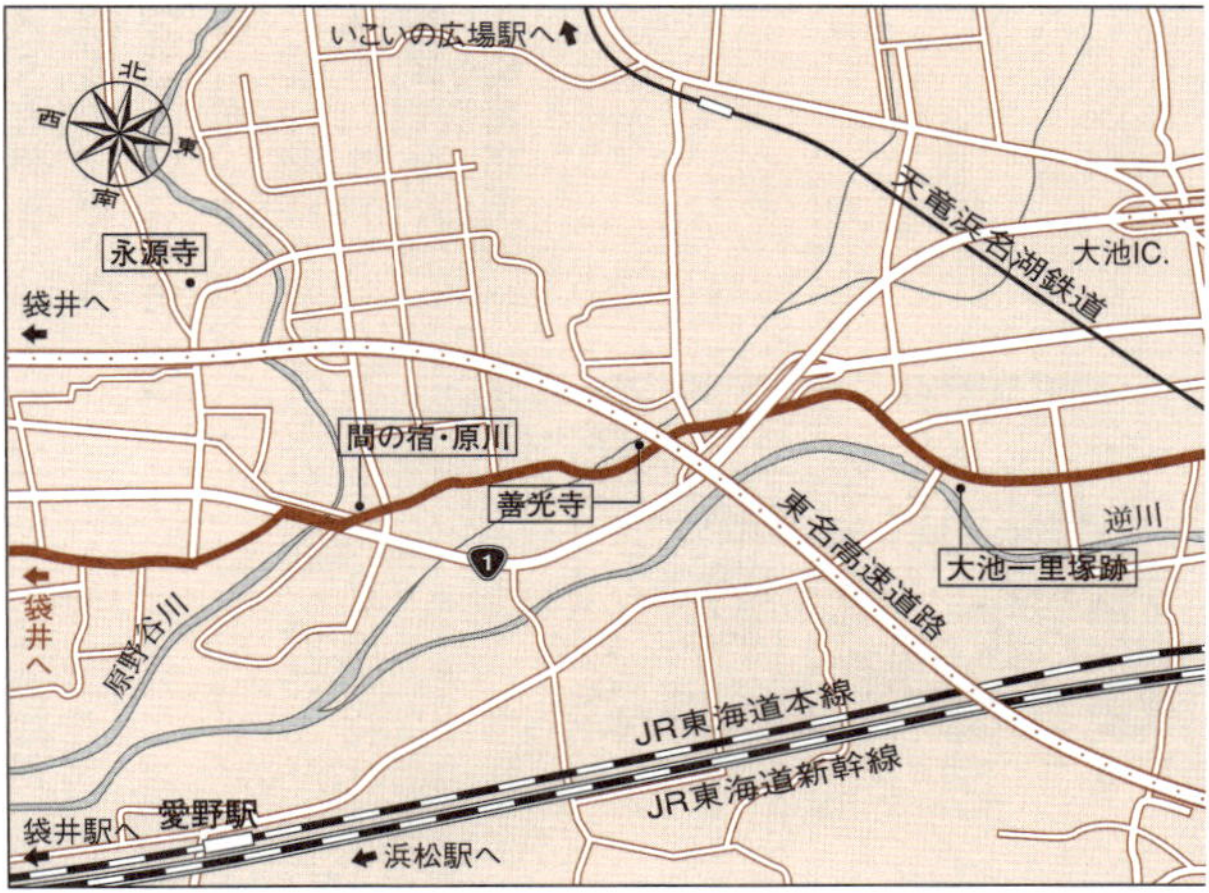

今川義忠《いまがわよしただ》が遠江《とおとうみ》支配の拠点として築いた。外層三層、内部四階からなる天守閣のほか、太《たい》鼓櫓《こやぐら》、本丸跡、四《よ》つ脚《あし》門、冠木《かぶき》門、三日月堀、そろばん堀、築堤などが復元された。城を囲んで桜が植えられ、四月初旬はお花見スポットとしてにぎわう。

【名物のうまいもの】

●葛湯《くずゆ》

掛川近辺《きんぺん》は古くから、奈良の吉野《よしの》とならぶ葛の生産地。市内には現在も葛湯を売る店が多数あるが、駅前通りの**梅廼家《うめのや》**（0537・22・2546）の葛湯は甘さの加減がいいと好評。

●梅衣

餡《あん》でぎゅうひをつつみ、シソの葉でくるんだ菓子。駅前の**榊屋《さかきや》**（0537・22・2301）で。

●食事処

会席料理の**月茂登《つきもと》**（0537・22・2275）は、葛布《くずふ》をあしらった室内がうれしい。肴町《さかなまち》にある**うな専《せん》**（0537・22・5354）はうなぎの姿焼き定食が人気。

【気のきいたおみやげ】

●葛布

葛の繊維からつくられた布。衣類よりも、財布や傘など小物類が多い。東海道沿いの**川《かわ》出《で》幸吉《こうきち》商店**（0537・24・2021）、掛川城前の**小崎葛布《おざきかっぷ》工芸**（0537・24・2222）で。

歌川広重「東海道五拾三次之内
掛川秋葉山遠望」

江戸より 27 番目の宿

袋井

ふくろい

【最寄り駅】▼JR袋井駅。北口に出て七五〇メートルで宿場の中心。

【街道を歩く】

袋井宿は、東海道五十三次の東からも西からも、どまんなかの二七番目。弥次《やじ》さん喜多《きた》さんならずとも、ここでひと息ついた。

国道1号線の高架が交差するあたり右手に**善光寺**《ぜんこうじ》がある。東海道のちょうど真ん中に位置することから「仲道寺《ちゅうどうじ》」とも呼ばれている。

掛川《かけがわ》から歩いてくると、**同心橋**《どうしんばし》をわたり、土塁を残した、りっぱな松並木を見ながら進む。途中には**富士浅間宮**《ふじせんげんぐう》への入口の大きな**赤**《あか》**鳥居**《とりい》。やがて、日蓮上人の先祖並びに両親の墓がある**妙日寺**《みょうにちじ》。そのとなりの袋井東小学校の庭には**久津部**《くつべ》**一里塚跡**がある。道は旧国道1号にまじわる。

右手に**秋葉灯籠**《あきばとうろう》が見え、そのさき右側に袋井市役所、郵便局、商工会議所があり、その左に**天橋**《あまばし》がある。ここが袋井宿の東の入口で、橋のたもとに案内板がたっている。

橋をわたると、右手に**どまん中茶屋**がある。そのむこうに東西五町一五間余（約五七二メートル）の町並があった。白髭道《しろひげみち》、観福小路《かんぷくこうじ》、法多小路《はったこうじ》など、南北に細い小路がのびている。本陣は**田代**《たしろ》**本陣**、**中大田**《なかおおた》**本陣**、**西大田**《にしおおた》**本陣**があったという。

ほどなく、左手に**袋井宿場公園**。JR袋井駅から北にまっすぐ来ると、ここに出る。袋井駅から街道に出る手前には**原野谷**《はらのや》**川**が東から西へと流れており、川には**静橋**《しずかばし》、**和橋**《やわらばし》がかかっている。宿場公園は静橋の北側になる。

西へおよそ二〇〇メートルで、**御幸橋**《みゆきばし》。かつての中川橋《なかがわばし》で、袋井宿の西の入口だった。

そこからおよそ二キロも進むと、左手に、近年築かれた土盛りの**木原一里塚**がある。さらに三方ケ原《みかたがはら》合戦の前哨戦があった**木《き》原《はら》畷《なわて》古戦場跡**に出る。

さらに進むと、街道はやがて太田川をすぎ、国道1号の南を、見付《みつけ》宿へとむかう。

【ちょっと寄り道】

●**法多山《はったさん》**

高野山真言宗。神亀《じんき》二年（七二五）、行基《ぎょうき》上人《しょうにん》が開いたといわれる。厄除観音《やくよけかんのん》として知られる正観世音菩薩《しょうかんぜおんぼさつ》をまつる。JR袋井駅からバス（法多山行き）一七分、終点下車。

●**万松山《ばんしょうざん》可睡斎《かすいさい》**

応永《おうえい》八年（一四〇一）に開かれた曹洞宗《そうとうしゅう》の名刹《めいさつ》。火防《ひぶせ》の神様をまつる。JR袋井駅からバス（可睡斎行き）一〇分、終点下車。

●**医《い》王山《おうざん》油《ゆ》山寺《ざんじ》**

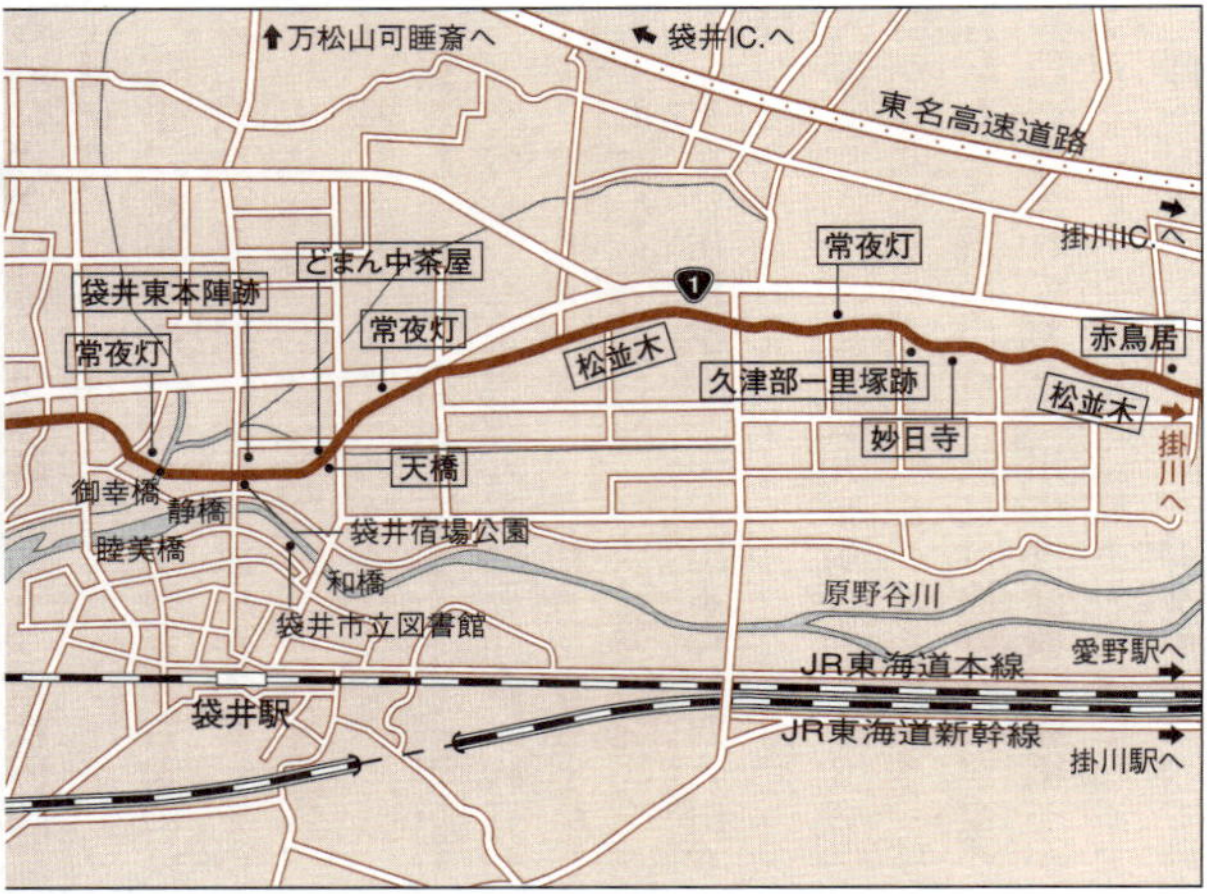

大宝《たいほう》元年（七〇一）、行基上人により開かれた。むかし、油がわきでていたことから、この名がついた。薬師《やくし》如来《にょらい》をまつる。ＪＲ袋井駅から車でおよそ一五分。

【名物のうまいもの】

●厄除けだんご

法多山に江戸時代からつづく名物。

●ぼたんもち

ぼたんの名所、万松山可睡斎で売られる。淡いぼたん色のもち米を餡《あん》でくるんだ菓子。

●ごりやくまんじゅう

医王山油山寺で販売。「目の霊山」にちなみ、めだまを模した小ぶりのまんじゅう。

●マスクメロン

全国有数の品質を誇る「クラウン印」は絶品。駅前ほか、市内各所で買える。

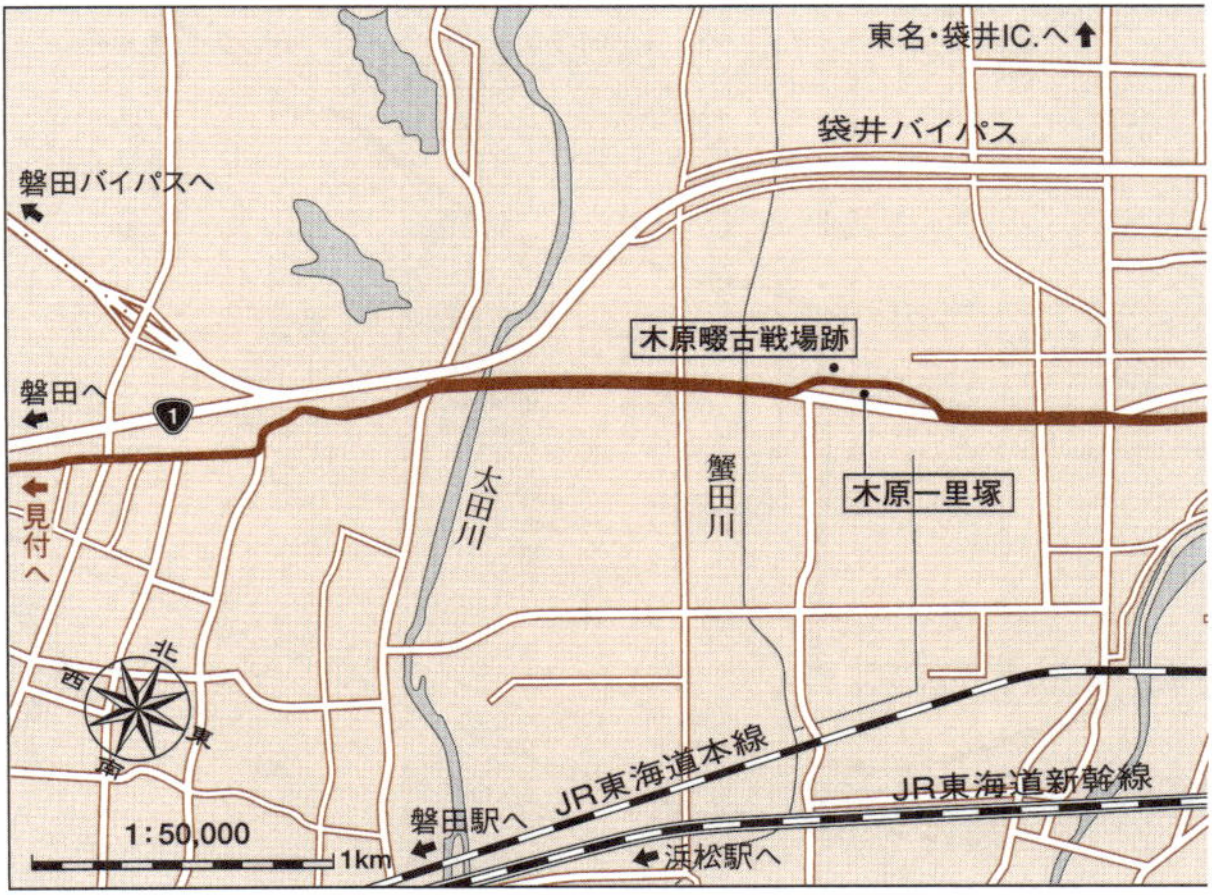

江戸より28番目の宿

見付 みつけ

【最寄り駅】▼JR磐田《いわた》駅からバス（見付車庫行き、または山東《やまひがし》行き）で五分「加茂川」下車。

【街道を歩く】

袋井から行くと、右手に**遠州鈴ケ森**《えんしゅうすずがもり》の立札《たてふだ》が見える。急な石段をのぼると**供養塔**《くようとう》。白浪《しらなみ》五人男《ごにんおとこ》の頭目《とうもく》、**日本左衛門**《にほんざえもん》が江戸で打ち首になり、ここで獄門にかけられたという。

市街地に入る手前で道が三叉路《さんさろ》になっていて、南に折れたところにある石段をのぼると**愛宕**《あたご》**神社**。その奥の塚が**阿多古山**《あたごやま》**一里塚**。そこから宿場全体を見わたすことができる。そのさきに**木戸跡**《きどあと》。いよいよ遠州見付宿である。京からくだると、ここではじめて富士山が見えたところから、「見付」の名がついた

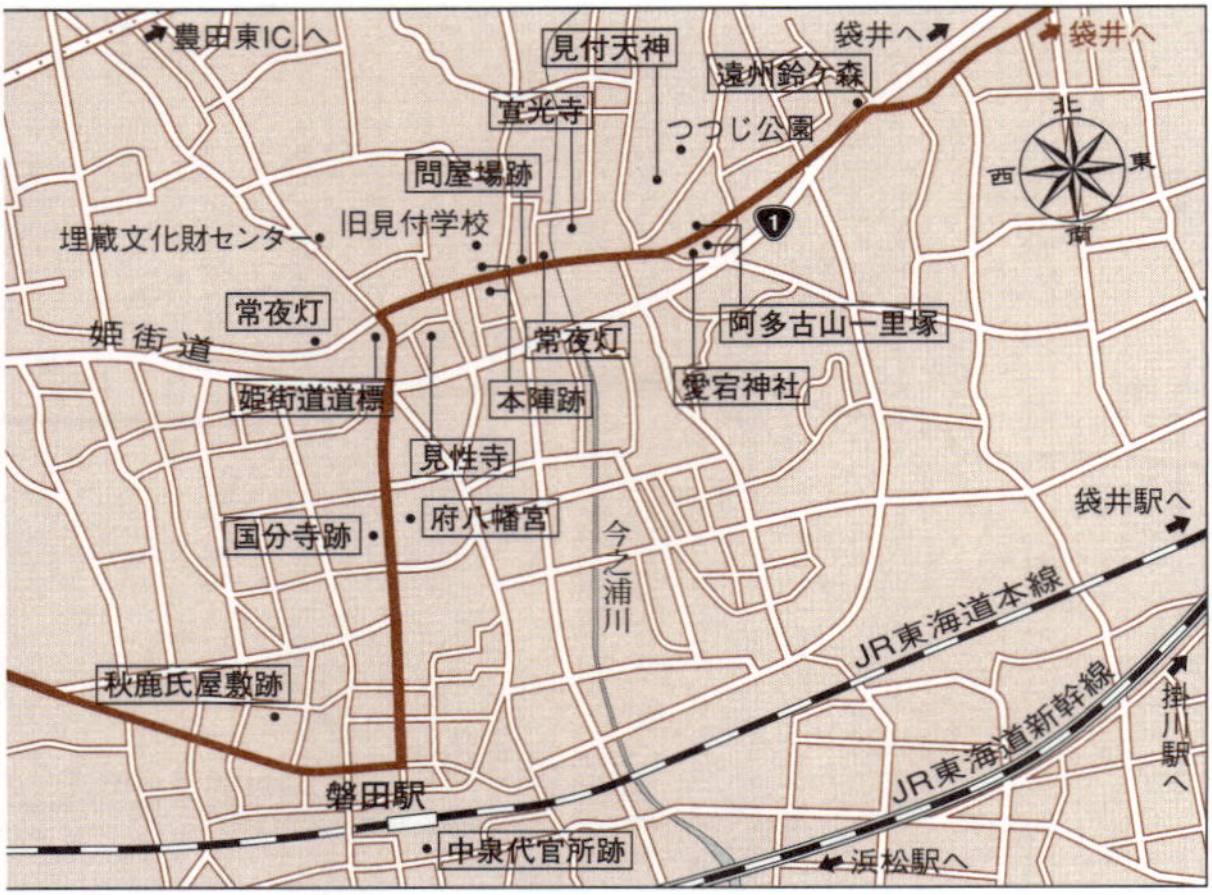

という。

さらに西へ行くと、**問屋場跡**《といやば》。現在は静岡銀行がある。そのむかいに**脇本陣跡**。北へ入ったところに、徳川家康《とくがわいえやす》が寄進した釣鐘《つりがね》のある**宣光寺**《せんこうじ》。

道をさらに西へ行き、信号機のある交差点をわたると、**本陣跡**が道の両側にある。右に入ると現存最古の小学校である**旧見付学校**が残っている。明治八年（一八七五）にたてられた五階建ての白亜《はくあ》の校舎が美しい。

付近には寺が多く、それぞれ特徴があり、ゆっくり訪ねるのもよい。その一つ、**見性寺**《けんしょうじ》には、境内に芭蕉など三つの句碑がある。

そのさき、「遠州見付宿　これより姫街道《ひめかいどう》三州御油宿《さんしゅうごゆじゅく》まで」と書かれた**道標**《どうひょう》。**姫街道**は、浜名湖の今切《いまぎれ》渡《わた》しをきらった女性たちが主に迂回路として通ったといわれている。その道標から東海道は左に折れ、JR磐田駅へ

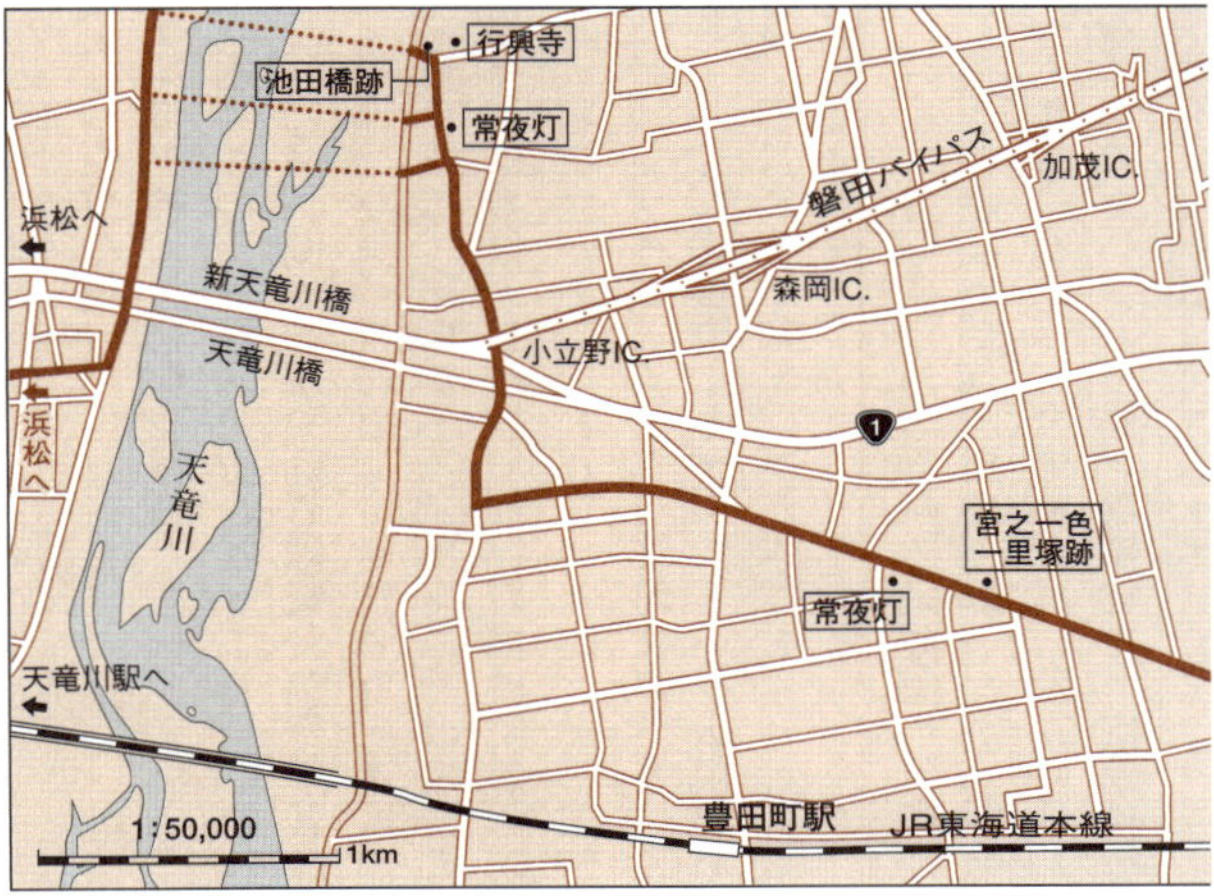

むかう。

国道1号の交差点をわたって、南にすこし行くと、右手に**国分寺跡**《こくぶんじ》、左手に**府**《ふ》**八幡宮**《はちまんぐう》がある。

道は、JR磐田駅へと南下。駅のすぐ北を右に折れて西へ。二キロほど行くと**宮之**《みやの》**一色**《いっしき》**一里塚跡**。北側の塚は復元され、石碑がたっているが、南側の塚はない。すこし行くと**秋葉**《あきば》**常夜灯**《じょうやとう》が南側にある。

天竜川《てんりゅうがわ》近くの磐田市池田は、謡曲《ようきょく》「熊野《ゆや》」で知られ、平宗盛《たいらのむねもり》に寵愛《ちょうあい》された熊野御前《ごぜん》の郷里。**行興寺**《ぎょうこうじ》にその墓がある。境内に**荻原井**《おぎわらせい》**泉水**《せんすい》**の句碑**「藤《ふじ》の長房《ながふさ》や天竜は長き流れなり」。本堂横の「**熊野**《ゆや》**の長藤**《ながふじ》」は天然記念物。

天竜橋跡のあたりは、江戸時代の**渡船場**《とせんば》**跡**でもある。天竜川は明治初年まで船でわたったが、明治七年（一八七四）に船橋《ふなばし》ができ、その翌々年に木橋にかけかえられた。この石碑は木橋の跡を示している。

【ちょっと寄り道】

●見付天神（矢奈比売《やなひめ》**神社）**

木戸跡のさきを北に折れたところ。旧暦八月一〇日、闇のなかで踊る**裸祭り**が奇祭として有名。学業の神様としても知られ、本殿の右奥に**筆塚**《ふでづか》、**印塚**《いんづか》がある。鳥居のそばに**霊犬**《れいけん》**悉平太郎**《しっぺいたろう》**の像**。むかし、神社の森に住む妖怪に人身御供《ひとみごくう》がおこなわれていたが、悉平太郎という猛犬を信州から借りてきて妖怪を退治し、平和な宿場町にもどったという伝説がある。五月ごろにはツツジがみごと。

●旧見付学校

現存する日本最古の洋風木造建築の五階建て校舎。建築当時は四階建てだったが、明治一六年（一八八三）に増築され、現在の姿となった。たいへんモダンな建物で、内部は教育関係の資料館として使われている。

●埋蔵《まいぞう》文化財センター

東海道は姫街道入口から左折し南下するが、それを右折すると、右手に埋蔵文化財センターがある。点数はさほど多くないが、土器や石器、埴輪《はにわ》、むかしの農具や刀など、磐田で発掘されたものや使用されていたものが展示されている。＊0538・32・9699／8時30分～17時／休館日　土曜・日曜・祝日

【名物のうまいもの】

●又一庵《またいちあん》のきんつば

見性寺のそばにある**又一庵本舗**（0538・32・2371）のきんつばは、皮が薄く餡《あん》がたっぷり入っているので評判。

●見付天神の粟餅《あわもち》

粟でつくったコシの強い餅を、甘味をおさえた餡《あん》でくるんだ小ぶりな菓子。

●食事処

そばなら、江戸中期創業の**三友庵**《さんともあん》（0538・32・2323／11～19時）がおすすめ。

【泊まってみたい宿】

●大孫《だいまご》（0538・32・7328）

JR磐田駅から見付行きバス一〇分「見付」下車すぐ。一八〇〇年頃の創業。

歌川広重「東海道五拾三次之内
見附天竜川図」

◆並木（なみき）

街道沿いの並木は、街道がそこにあることを示すとともに、道行く旅人を風雨や日ざしから守った。

松をはじめ、杉、カシ、ヒノキなどが並木として植えられ、旧東海道をたどると、いまも各地に美しい並木道が残っている。

なかでも、御油から赤坂にかけクロマツの並木が六〇〇㍍におよぶ「御油の松並木」と、芦《あし》ノ湖《こ》畔の旧道で天高くそびえる「箱根の杉並木」は有名。

並木の管理については、幕府より通達がたびたび出され、並木の補修や整備、植樹や伐採は厳しく規制されていた。

◆一里塚（いちりづか）

江戸幕府は、慶長《けいちょう》九年（一六〇四）、日本橋を起点に、主な街道の一里（約三・九㌔）ごとに塚を築くよう命じた。

一里塚はその以前からあったが、本格的に整備されたのは、このときがはじめて。街道の両側に盛《も》り土《つち》をし、その上にエノキなどを植えた。一里塚の植木がエノキになったのは、家康が担当の役人に「ええ木（良い木）を植えよ」といったのを、「エノキを植えよ」と聞きちがえたためという説がある。

旅人は、一里塚を行程の目安にし、その木陰を休憩場所とした。また、人馬料金の目安にもされた。

江戸より 29 番目の宿

浜松

はままつ

【最寄り駅】▼JR浜松駅。伝馬町《てんまちょう》交差点まで徒歩約五分。駅北口に出て、にぎやかな商店街が切れたところが東海道。

【街道を歩く】

見付《みつけ》から浜松へ、むかしは天竜川《てんりゅうがわ》を船でわたった。見付方面から天竜川橋をわたってすぐ左に折れ、土手を進むと、浜松側の**船橋跡**がある。

そこから西へ八〇〇《メートル》行くと、明治・大正期に植林・治水《ちすい》事業で功績のあった**金原明善《きんぱらめいぜん》**の**生家**。江戸時代の建物がいまも残っている。すこしさきに**安間《あんま》一里塚跡**の標柱。

そこから途中、松並木が残っているところもあるが、自動車の販売店や修理工場がたちならぶばかりで、往時のおもかげはない。相生町地内浜松東警察署のさき、左手歩道上には**馬込《まごめ》一里塚跡**の標柱がある。まっすぐ行くと田町《たまち》交差点をへて連尺《れんじゃく》交差点に着く。そこで東海道は左折。

連尺交差点にたつと、右手に浜松市役所。**浜松城**はその後ろ。城の付近は公園になっており、園内には**浜松市美術館**もある。

市役所前から連尺へ、道の西側を通ってもどると、**大手門《おおてもん》跡**がある。そのまま行くと、連尺交差点を越えたところに、**高札場《こうさつば》跡**、**杉浦《すぎうら》本陣跡**、**川口《かわぐち》本陣跡**。道の東側には**佐藤《さとう》本陣跡**、**梅屋《うめや》本陣跡**。

浜松宿には、箱根宿とならぶ六軒もの本陣があったが、戦災で消失した。現在は、碑が所在を示しているだけだ。浜松信用金庫前の本陣跡の碑は、もっとも古い杉浦本陣のもの。伝馬町交差点が梅屋本陣跡である。

伝馬町のさきの成子《なるこ》交差点を右折し、すこ

し行くと道が二つに分かれ、東海道は左へそれる。右の道は**入野街道**《いりの》。そこを行くと**賀茂**《かも》**神社**がある。江戸時代の国学者、賀茂真淵《かものまぶち》はここの生まれ。

東海道はやがてJR東海道本線を横切り、右手に**若林一里塚跡**を見て、そのさきが**二**《ふた》**つ御堂**《みどう》。藤原秀衡《ふじわらのひでひら》とその愛妾《あいしょう》をとむらう御堂である。

さらにいくと、「従是東　浜松領《これよりひがしはままつりょう》」と刻まれた**領界石**《りょうかいせき》。街道は、ほどなくJR高塚駅の南を通り、舞坂へとむかう。

【ちょっと寄り道】

●明善記念館

船橋跡から東海道沿いに西へ八〇〇《メートル》、農協のさき、左側。金原明善の業績を紹介、関連する資料等を多数展示。むかいには明善の生家が残されている。＊053・421・0550／9時～16時／休館日　月曜、祝日、年末年始

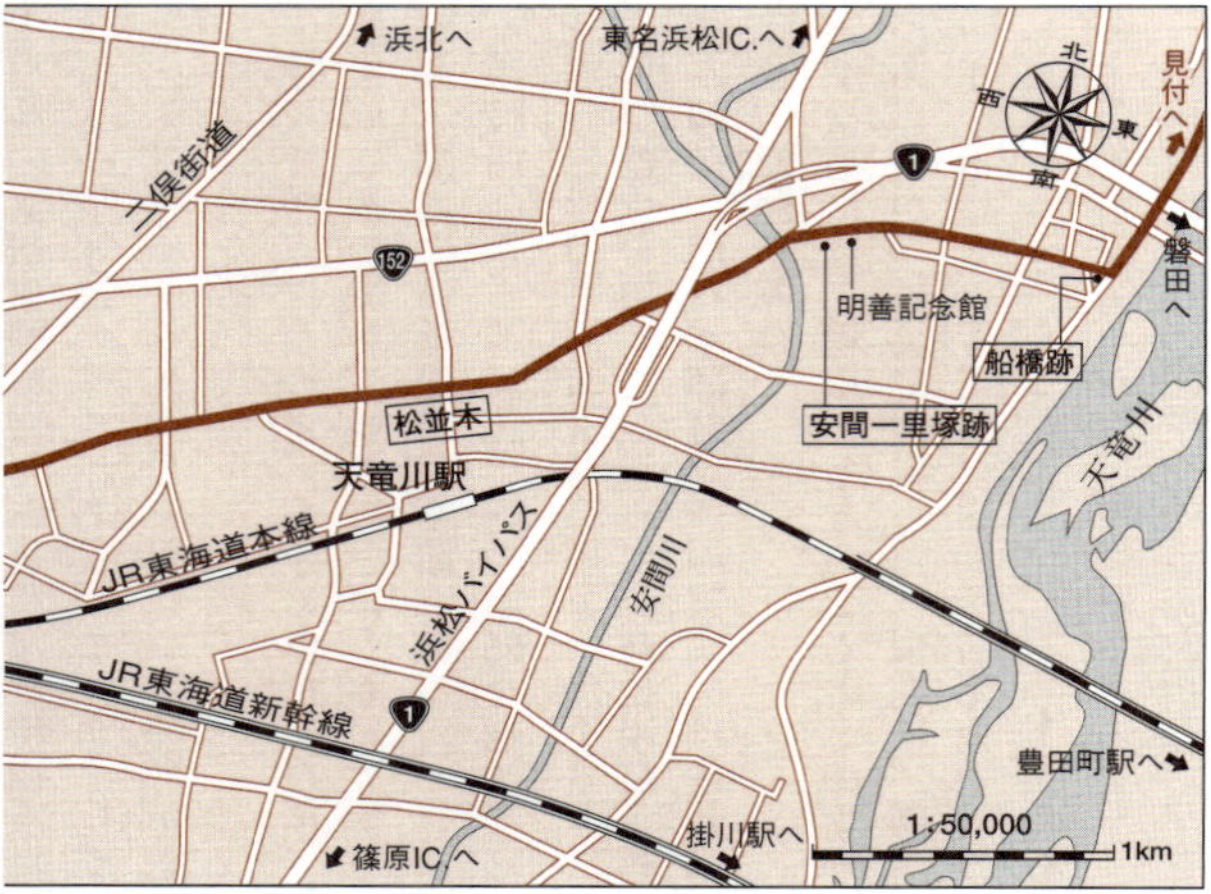

●浜松城、浜松城公園

天竜川をわたってからまっすぐ西へのびていた東海道は連尺交差点で左折する。この連尺交差点を右折、さらに市役所前を左折すると、右側が**浜松城**。浜松城は古くは曳馬野《ひくまの》城といったが、徳川家康《とくがわいえやす》が元亀《げんき》元年（一五七〇）に増改築して居城《きょじょう》に決め、以来一七年間在城した。武田勢と戦った有名な三方ケ原《みかたがはら》の合戦《かっせん》もこの浜松が舞台。盆には遠州大念仏《えんしゅうだいねんぶつ》踊《おど》りが新盆の家をまわったが、合戦の死者をとむらったのがはじまりとされている。周辺は**浜松城公園**となっている。園内には桜やガクアジサイをはじめ季節の花が植えられており、ひと休みするのによい。

●浜松市美術館

浜松城公園内。連尺交差点からは徒歩約七分。一八〜一九世紀の伝統的ガラス絵や浮世絵版画などを収蔵。＊053・454・6801／9時

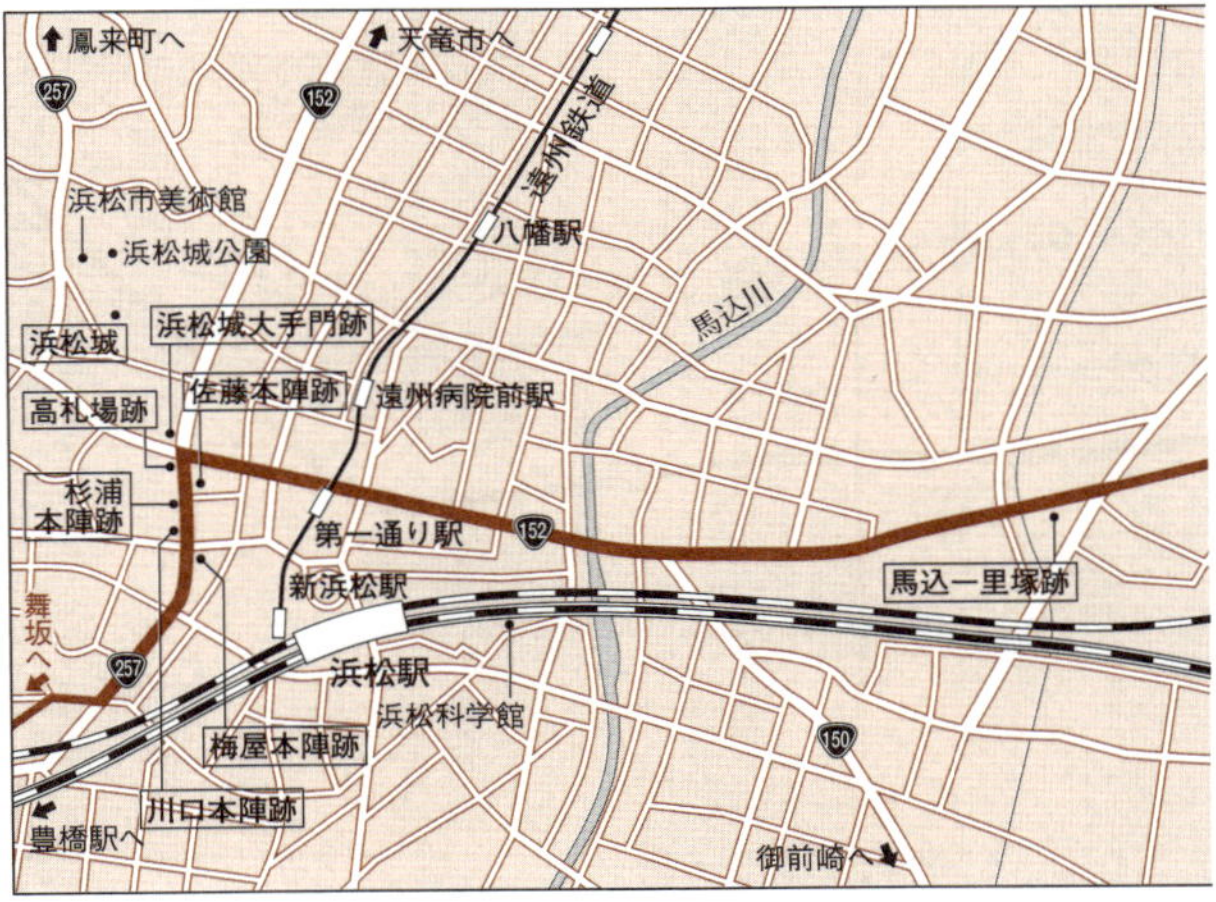

30分～17時／休館日　月曜、祝日の翌日、年末年始、展示替中

●浜松市博物館

ＪＲ浜松駅前からバス（蜆塚《しじみづか》・佐鳴台《さなるだい》行き）一五分「博物館前」下車。＊０５３・４５６・２２０８／9時～17時／休館日　月曜、祝日の翌日、年末年始

【名物のうまいもの】

●浜納豆《はまなっとう》

大豆《だいず》を発酵させ、醤油、ショウガ、サンショウ等で味つけしたもの。味噌に似た味でおつまみ、お茶漬けに。家康公も「滋養《じよう》があり保存がきき携帯《けいたい》できる」と好んだという。川口本陣跡の南、成子町の**夏目商店**（０５３・４５２・２９６７）で手造り・無添加の**三ヶ日大福寺浜納豆**が買える。

●うなぎ

浜松といえば、やはりうなぎ。浜松駅前、名鉄ホテル裏の**八百徳本店**《やおとく》（０５３・４５２・５６８７／11時～20時30分）は明治創業の老舗《しにせ》。〃基本〃

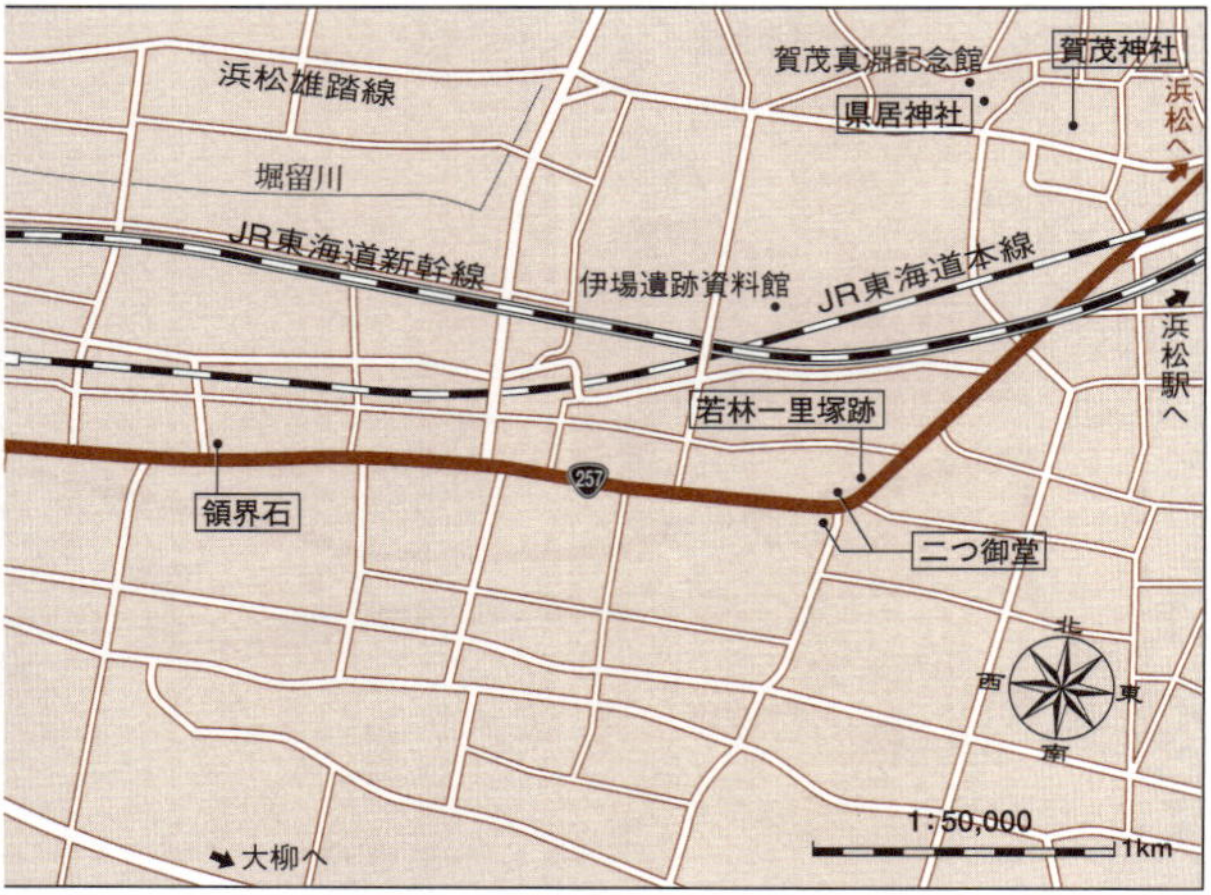

のうな重ほか、お櫃《ひつ》、うなぎ茶漬けも人気。田町、静岡銀行裏にある**大国屋《だいこくや》本店**（053・452・0859）もおすすめ。

●食事処

柳川鍋《やながわなべ》が自慢の**柳川亭**（053・452・4778／11時30分〜21時）は、高札場跡をすぎ、杉浦本陣跡の手前、洋菓子屋の角を右折すると左側すぐ。創業一二〇年の老舗。

歌川広重「東海道五拾三次之内 濱松冬枯ノ図」

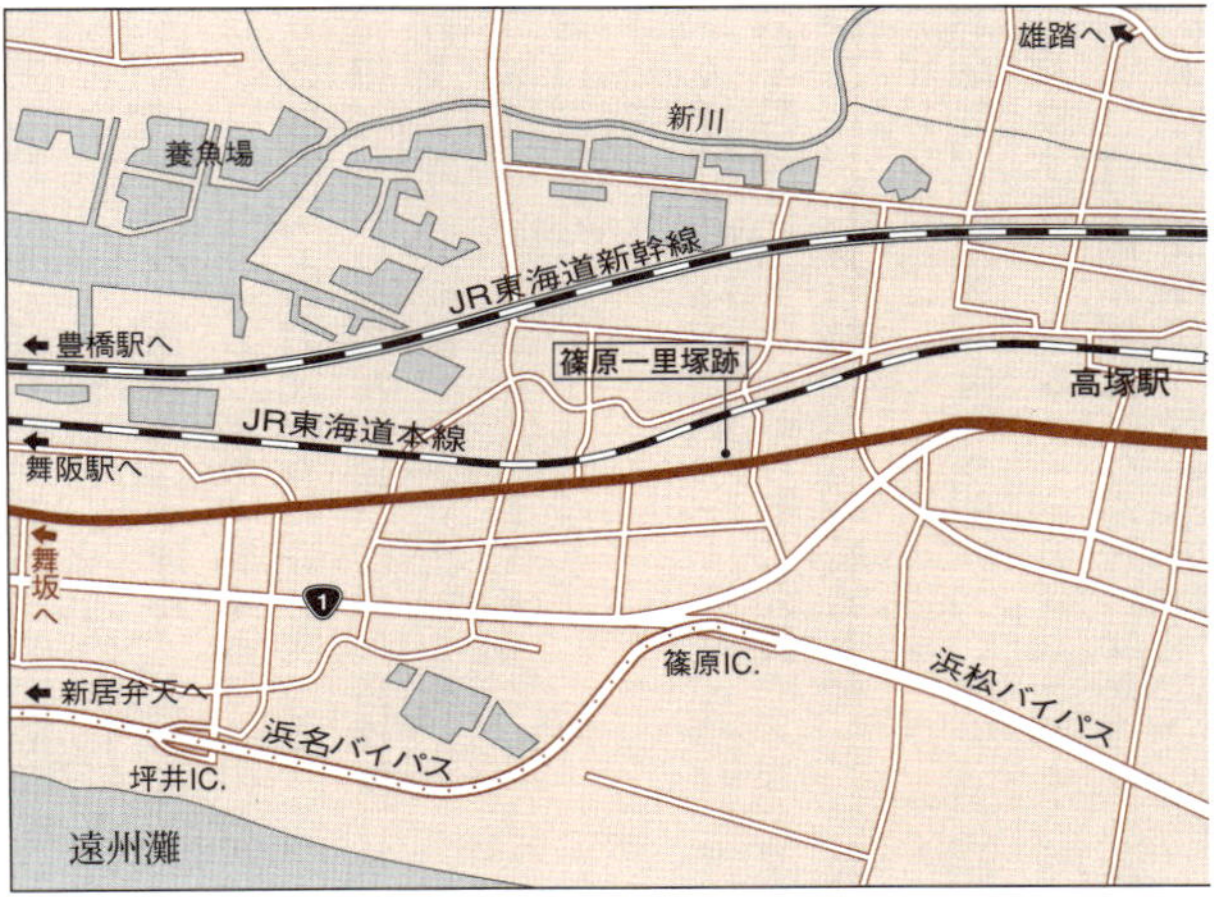

江戸より30番目の宿

舞坂 まいさか

【最寄り駅】▼JR舞阪駅。南に一〇〇メートルで、街道沿いの松並木。▼JR弁天島《べんてんじま》から東へ。弁天橋をわたって、かつての宿場の中心まで徒歩一五分。

【街道を歩く】

浜松方面から東海道を西進、前方に松並木が見えると、舞坂宿はすぐそこ。

三四〇本の松並木は、約七〇〇メートルつづき、そのさき、東海道は国道1号と交差。直進のまま、すこし行くと、左手に**見附石垣**《みつけいしがき》、**常夜**《じょうや》**灯**《とう》、**一里塚跡**の石柱がある。

北側の一里塚は、民家の裏側にわずかに残っているが、南側の塚はほとんど残っていない。そのさき、およそ七〇〇メートルにわたって、宿場があった。

三〇〇メートルほど行くと、道の左側に**常夜灯**。さらに二〇〇メートルほど行くと、道の右側に、**伝**《でん》**左衛門**《ざえもん》**本陣跡**と**徳右衛門**《とくえもん》**本陣跡**。左側に、平成九年に復元された**舞坂宿脇本陣**。このあたりには、格子戸《こうしど》の民家も何軒か残っている。

ほどなく、道の左側に三つめの**常夜灯**。それをすぎると、**浜名湖**が見えてくる。

浜名湖も、このあたりまでくると、巨大な河口のように太平洋へと注ぎこみ、大きく波立っている。

左手に見える近代的なアーチ型の橋は、国道1号バイパスにかかる**浜名大橋**である。湖岸には、**北雁木跡**《きたがんげ》（当時の船着き場跡）が残っている。

むかし、湖南の陸はつながっており、浜名湖は淡水湖だったが、明応《めいおう》八年（一四九九）の大地震で陸が切れ、外海とつながった。そのあたりを「**今切**《いまぎれ》」というのは、このため。

切れて以降は、船でわたった。新居《あらい》まで海上およそ一里（約三・九キロ）。午後四時よりおそくには、船が出なかったという。朱塗《しゅぬ》りの橋は**弁天橋**。わたると**弁天島**である。

ホテル、旅館がたちならび、このあたり、特に夏は潮《しお》干《ひ》狩《が》りや釣りの客でにぎわう。国道沿いにはドライブインもあり、食事、休憩の場にはこまらない。

名物は、ウナギ、エビ、カニ。冬場なら、カキがある。潮の香りをかぎながら海の幸を味わえるのも、旅ならではの醍醐味である。

【ちょっと寄り道】

●舞坂宿脇本陣

JR弁天島駅より徒歩一〇分。旧脇本陣茗荷屋の書院棟を平成九年（一九九七）解体・修理し、母屋とともに復元した。旧東海道の脇本陣では唯一の遺構。＊053・596・371

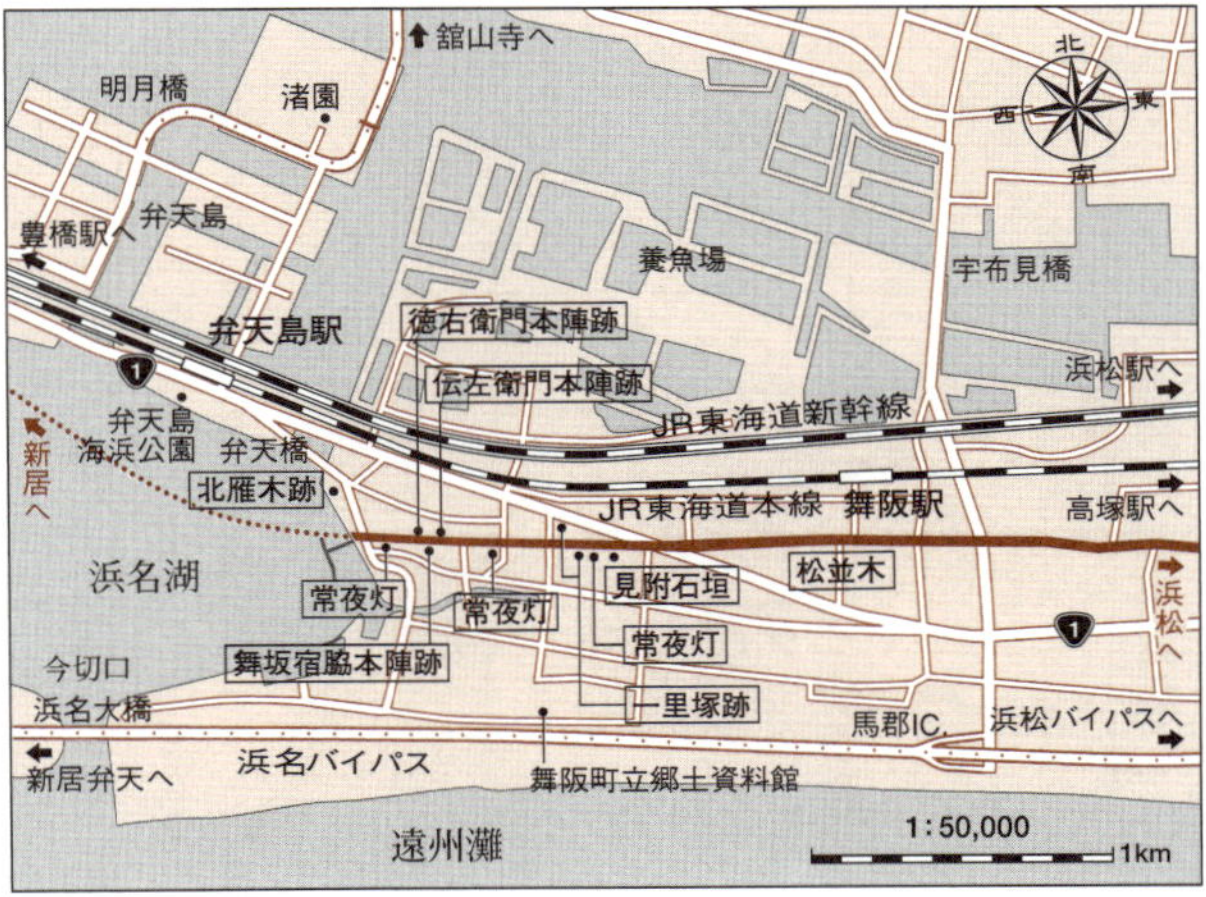

5／9時～16時／休館日　月曜（祝日の場合は翌日）

●**浜松市舞阪郷土資料館**

宿場のほぼまんなか、マルトク薬局の東の辻を南に入った舞阪町立図書館内。舞坂宿の復元模型のほか、海苔養殖の道具などを展示。

＊053・592・7000／休館日　月曜（祝日の場合、翌日）、祝日、第1木曜、年末年始

●**弁天島海浜《かいひん》公園**

春なら潮干狩り、夏なら花火大会や海水浴。釣りや温泉は一年を通して楽しめる。

【名物のうまいもの】

●**新海苔**

地元でとれた新海苔は、磯の香りが強く、野趣あふれる風味。東海道に面した**堀内商店**（053・592・0307）、**堀江商店**（053・592・0148）で。

●**食事処**

地元、浜名湖や遠州灘でとれた材料を使う**魚あら**（053・592・0041／11時30分～14時、16時30分～19時30分／月曜定休）は、西町常夜灯の西側、東海道が浜名湖につきあたったところを左折して右側。店の奥が浜名湖に面したロケーションがうれしい。

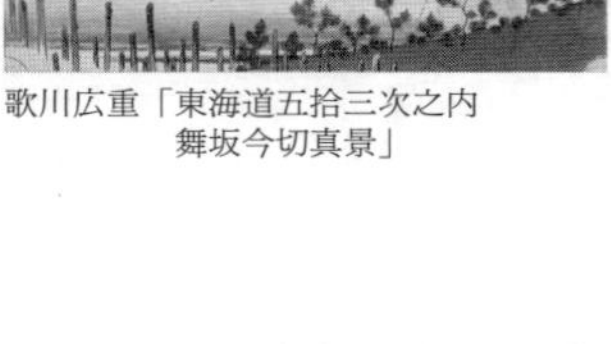

歌川広重「東海道五拾三次之内
舞坂今切真景」

宿場と街道よもやま知識

◆常夜灯（じょうやとう）

街道の各所には、旅人の夜間の便をはかる常夜灯があった。神社の境内や参道のほか、街道の分岐点にも数多い。道《どう》標《ひょう》の役目をはたしたり、また、渡《と》船《せん》場では灯台になったりもした。

東海地方には、とくに「秋《あき》葉《ば》常夜灯」とするされた灯籠《とうろう》が多いが、これは、火《ひ》防《ぶせ》の神として、古くからあがめられた秋葉山信仰によるもの。信仰や供《く》養《よう》のあかしとして、人々が各地に灯籠を寄進したのである。

鈴鹿《すずか》峠《とうげ》の「万人講《まんにんこう》常夜灯」は、金比羅《こんぴら》参りの安全を祈願したもの。巨大な石灯が一つ、むかしのままに残されている。

◆追分（おいわけ）

道路の分岐点を追分と呼び、幹線街道と支線街道の分かれ道を示す重要なポイントであった。追分では茶屋《ちゃや》も繁盛し、旅人は、名物の追分だんごなどをつまみながら、ここでひといきついた。

江尻宿のはずれには、久《く》能《のう》山《ざん》にむかう道との追分があり、「追分羊羹《ようかん》」の老舗がいまも店を開いている。

追分だけでなく、街道の要所には、進行方向や目的地、距離などを刻んだ「道標」が数多く設けられた。道標には石製のものが多いが、木製のものもあった。常夜灯などが道標をかねる場合もあった。

江戸より 31 番目の宿

新居

あらい

【最寄り駅】▼JR新居町駅の南を走る国道1号を西進、約三〇〇メートルで栄町交差点。国道1号は左に曲がるが、そのまま直進。渡船場跡、新居関所跡に出る。本陣跡など宿場の中心はそのさき。

【街道を歩く】

新居に**関所**が設けられたのは慶長《けいちょう》五年（一六〇〇）。その後、地震や津波で移転をくりかえし、宝永《ほうえい》五年（一七〇八）にいまの場所、新居町駅の西に落ち着いた。安政《あんせい》二年（一八五五）に建造された関所が、いまも残っている。関所の建物が残っているのは新居だけである。

入口には**炭太祇《たんたいぎ》の句碑**「木戸しまる音やあら井の夕千鳥《ゆうちどり》」がたち、隣接《りんせつ》する**新居関所史**

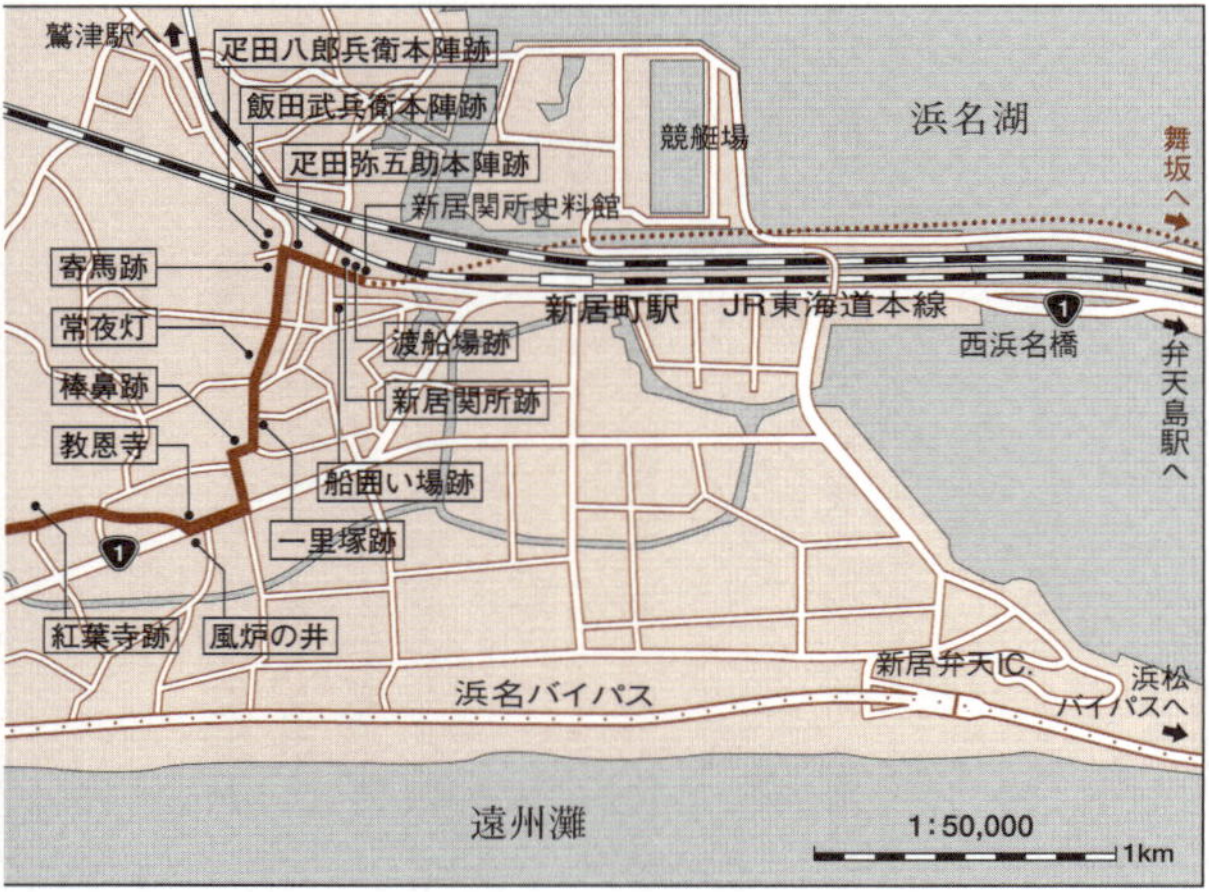

料館には、古い文献や遺品などの歴史資料が展示されている。

関所を西へ進むと、宿場になる。道の右に**疋田《ひきだ》弥五《やご》助《すけ》本陣跡**。そのむこうに**飯田《いいだ》武《ぶ》兵《へ》衛《え》本陣跡**と**疋田《ひきだ》八郎兵衛《はちろうべえ》本陣跡**がならぶ。

街道は、その一角で左へ折れ、南にむかう。およそ四〇〇メートルで、右に**秋葉《あきば》常夜灯《じょうやとう》**。さらに二〇〇メートルほど行くと、左に**一里塚跡**。ほどなく**棒鼻《ぼうばな》跡**の標示がある。

橋本交差点で、国道1号に出会い、しばらく行くと、ちょうど**教恩寺《きょうおんじ》**の前あたりの、国道の左にある**風炉《ふうろ》の井《い》**は、源《みなもとの》頼朝《よりとも》が茶湯に使ったといわれる。

街道は、教恩寺の角を右にそれて、国道1号と分かれる。そのさきに**紅葉寺《もみじでら》跡**。室町時代の将軍、足利義教《あしかがよしのり》が、ここで紅葉を観賞したという。

西へ進むと、**元町《もとまち》**（元宿《もとじゅく》）に入る。むかし

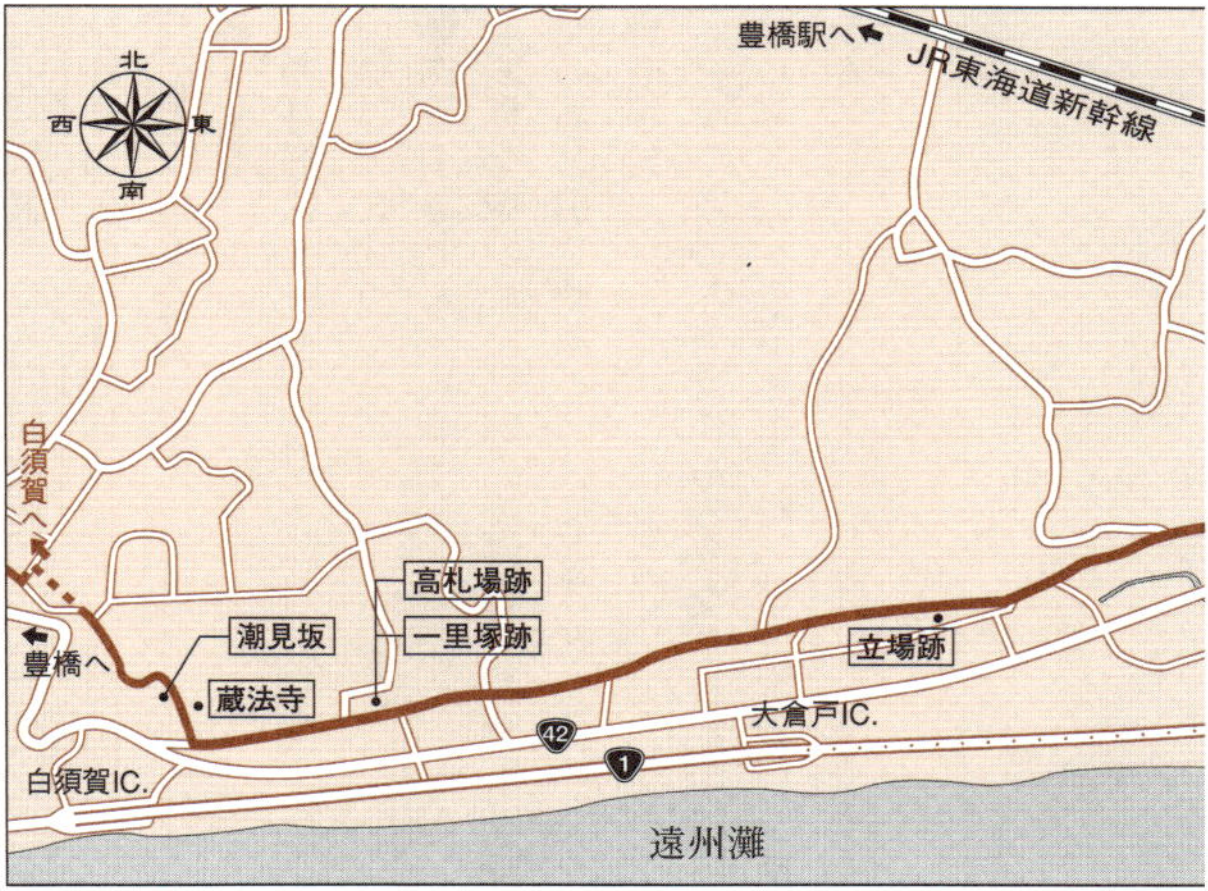

は「元白須賀《もとしらすか》」といわれ、宝永《ほうえい》四年（一七〇七）の大津波で潮見坂《しおみざか》の上の高台に移るまで、白須賀宿があったところ。街道右に**一里塚跡**と**高札場跡**《こうさつば》の案内板が見られる。

西にかなり行った町はずれには**蔵法寺**《ぞうぼうじ》がある。宝永の大津波の際にも**汐見観音**のお告げで危難をまぬがれたと伝えられる。

蔵法寺のむこうが**潮見坂**。雄大な太平洋を眺めながら、東海道は、白須賀へとむかう。

【ちょっと寄り道】

●**新居関所史料館**

新居町駅から西へ徒歩七分。江戸時代の交通史を中心に、当時の旅や暮らしの道具、浮世絵などを展示。＊０５３・５９４・３６１５／9時～16時30分／休館日　月曜（祝日の場合は翌日）、年末年始

●**本興寺**《ほんこうじ》

東海道を離れ、ＪＲ鷲津《わしづ》駅下車すぐ。和、唐《から》、天竺《てんじく》の三様式を取り入れた本堂は、国宝指定。茅《かや》ぶきの屋根は寺刹《じさつ》にはめずらしい。枯山水《かれさんすい》の庭園は**小堀遠州**《こぼりえんしゅう》の手になる名園。

【名物のうまいもの】

●**うず巻**《まき》

卯月園《うげつえん》（０５３・５９４・０２６７）がつくる巻きカステラのような和菓子。

●**あと引きせんべい**

素朴《そぼく》な味のせんべい。新居関所前交差点西隣の**あと引き製菓**（０５３・５９４・０１２７）で。

●**食事処**

紅葉寺跡の左方向にあるうなぎ食堂**かねはち**（０５３・５９４・１２７４）の「ひつまぶし」は有名。

◆関所（せきしょ）

江戸幕府は、旅行者の便宜をはかるため、宿場や街道筋の整備を進める一方、交通の要所に、人馬の往来をさまたげる施設を設けた。ヒトやモノの移動、また情報が行き交うのを厳しく取り締まり、管理することが目的で、その代表的存在が関所である。

関所には番所《ばんしょ》が置かれ、近隣の武士や役人が駐在した。ここで、通行する者の素性《すじょう》や荷物を検査した。

関宿《せきじゅく》にあった「鈴鹿《すずか》の関」は古代の関所として知られるが、江戸時代には全国五十数ヵ所に関所が設けられ、東海道には、箱根と新居の二ヵ所に関所が置かれた。

箱根は峠越えの難所、新居は南に太平洋が、北に浜名湖が迫る隘路《あいろ》。ともにほかに抜ける道がすくなく、東海道はここを押さえればよかった。

箱根、新居とも、関所のむかしを伝える資料館が設けられている。新居には、関所の建物も残っており、国の特別史跡に指定されている。

なお、関所の役割をあらわすことばに、「入《い》り鉄砲《でっぽう》に出女《でおんな》」がある。「入り鉄砲」とは、江戸に武器が入ること、「出女」とは、江戸に人質として住まわせた各地の大名の妻子が、国元へ逃げ出すことをいう。関所では、それらを重点的にチェックしていた。

江戸より32番目の宿

白須賀 しらすか

【最寄り駅】▼JR新居《あらい》町《まち》駅。遠州鉄道バスで白須賀行き「白須賀」下車。そこが本陣跡付近。JR豊橋駅から、新居町駅行きでも可。▼潮見坂《しおみざか》公園から歩いて宿に入りたい場合は、同バス「南白須賀」下車。

【街道を歩く】白須賀宿は、遠江国《とおとうみのくに》の西端の宿場町である。東海道本線から離れ、国道1号からそれた街道沿いは、ひっそりとしたたたずまいで、いまも古い家並を残している。

元来は潮見坂下の元宿にあった宿が、宝永《ほうえい》四年（一七〇七）の大地震による津波で壊滅したため、翌年、宿が移され、現在の場所が白須賀宿となった。

新居宿から行くと、潮見坂をのぼりきったところにお休み処・展示館「おんやど白須賀」があり、無料休憩所として利用可能（053・579・1777）。また、**潮見坂公園跡**は、むかし徳川家康《とくがわいえやす》がここに茶室《ちゃしつ》をつくり、武田勝頼《たけだかつより》を破って尾張《おわり》に帰る途中の織田信長《おだのぶなが》をもてなしたという。また、明治元年（一八六八）には明治天皇が行幸《ぎょうこう》の際にここで休憩した。敷地には現在、中学校がたてられている。

さらに行くと、宿場の東の入口に、新しくたてられた「白須賀宿」の標柱があり、そばに道標がある。

さらに進むと、ほどなく**曲尺手**《かねんて》である。枡形《ますがた》に折れ曲がった道が残り、このあたりには、むかしのおもかげを残す民家がいくつか軒を連ねている。

当時の宿には、本陣一、脇本陣一があり、本陣の規模は建坪《たてつぼ》一八三坪、畳敷《たたみじき》二三一畳、板敷《いたじき》五一畳の大きなものだったというが、いまは残っていない。

本陣跡と**脇本陣跡**の石柱が、新しいもの(平成六年三月建立)だが、たっており、説明パネルが設けられている。

　すこし行くと、湖西農協白須賀支所の交差点があり、その角に「**夏目甕麿**《なつめみかまろ》**邸址**、**加納諸**《かのうもろ》**平**《ひら》**生誕地**」の石碑がある。甕麿(一七七三〜一八二二)は白須賀の酒造家に生まれたが、内山《うちやま》真《ま》龍《たつ》に国学を学び、「萩園《はぎぞの》」と号した。諸平(一八〇六〜一八五七)は甕麿の長男で、加納家の養子になり、「柿園《かきぞの》」と称した。国学に通じた親子がこの地から出た、これはその記念碑である。

　交差点から一〇軒ほどさきの街道の両側に、土塁の上においしげるマキの木が見つかるはずだ。

　火事の延焼を防ぐため、道の両側に植えられた**火**《か》**防樹**《ぼうじゅ》**のマキ**は、かつてはどこの宿場で

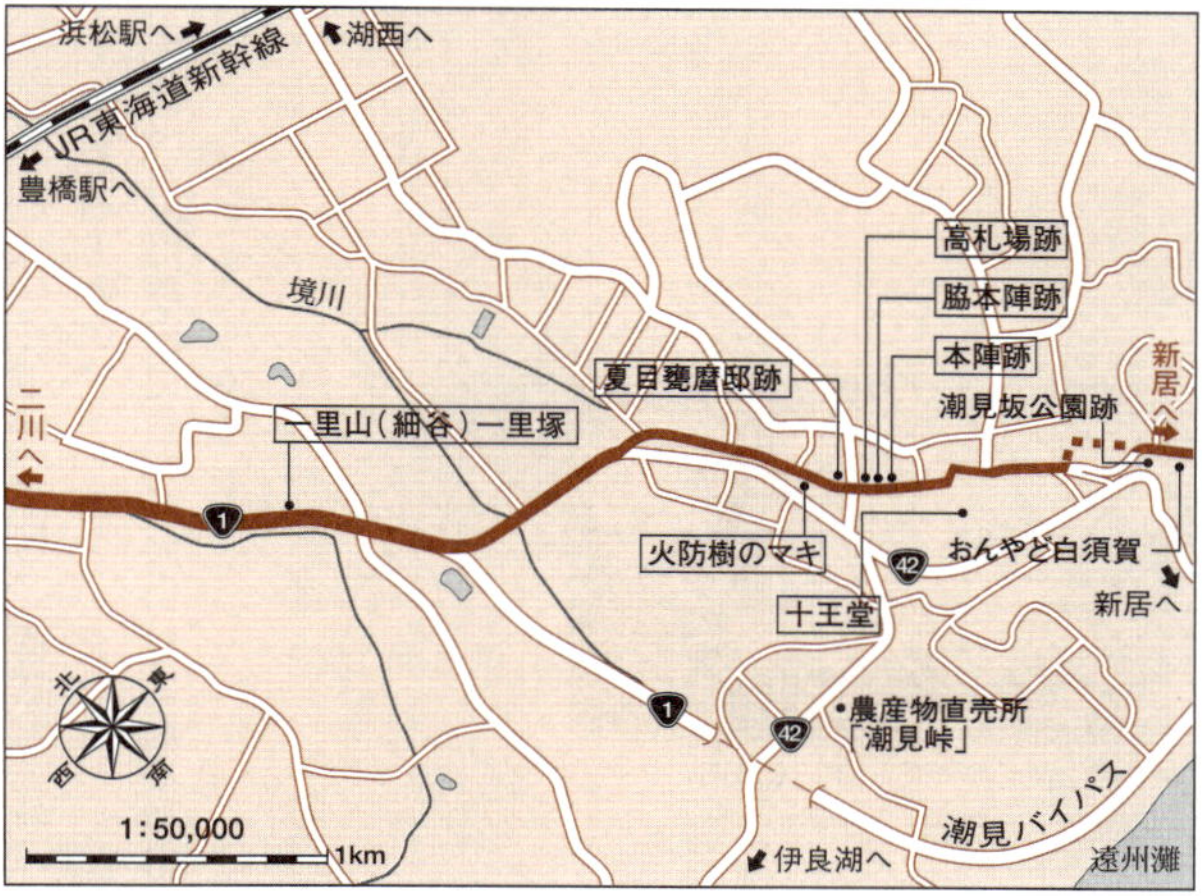

も見られたが、現在、静岡県内に残っているのは、白須賀だけである。

そのさきの道の右には**庚申堂**《こうしんどう》。天保《てんぽう》一二年（一八四一）にたてられた堂が、いまも残っている。

ほどなく街道は国道1号に合流。そこからおよそ三〇〇《メートル》行くと、遠江国と三河国《みかわのくに》の境を流れる境川《さかいがわ》。

川を越え、つぎの宿、二川《ふたがわ》へむかう。

【ちょっと寄り道】

●十王堂

創建は不明。宿場所替えのあった宝永《ほうえい》五年（一七〇八）、ほかの寺とともに、ここに移されたといわれる。堂内には鐘楼《しょうろう》、梵鐘《ぼんしょう》、**閻魔**《えんま》**大王**《だいおう》**の木像**がある。現在は、蔵法寺《ぞうぼうじ》が管理している。

【名物のうまいもの】

●勝和《かちわ》餅《もち》

およそ四〇〇年前からあり、秀吉《ひでよし》公も食べたとされるもち菓子。ソテツの実の入った餡《あん》が特徴。湖西農協白須賀支所の東にある**和田屋**（053・579・0110）で。

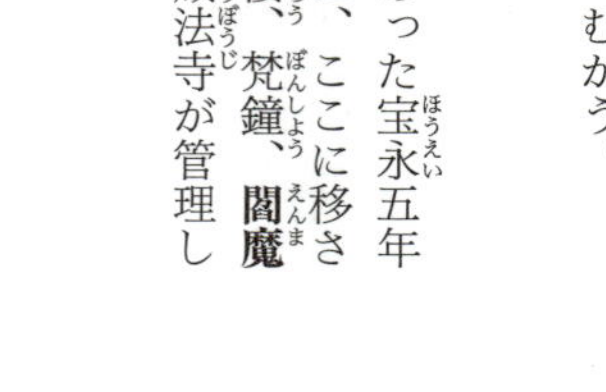

歌川広重「東海道五拾三次之内
白須賀汐見阪ノ図」

◆川越（かわごし）と川会所（かわかいしょ）

江戸幕府は、街道をさえぎる大きな河川に、橋をかけることを禁止した。生活者にとっては不便なことであったが、幕府にとっては、諸大名に対して軍事的な優位を保つとともに、治安維持の役目をはたすものでもあった。

東海道では、酒匂《さかわ》川《がわ》、興津《おきつ》川《がわ》、安倍《あべ》川《かわ》、大井《おおい》川《がわ》などに橋がかけられず、旅人は蓮台《れんだい》か肩車《かたぐるま》による川越が強制されていた。

この川越に関する一切の事務をつかさどる役所が川会所である。ここでは旅人の禁制破りなどを調べるほか、川越人足《にんそく》たちの不正行為、たとえば旅人から法外な賃銭をだましとっていないかなどを取り締まった。

「東海道中膝栗毛《とうかいどうちゅうひざくりげ》」には、安倍川を肩車でわたった弥次《やじ》さん喜多《きた》さんが、川越人足にいっぱいくわされた話もあり、こうしたトラブルは少なくなかったようだ。

このため幕府は正徳《しょうとく》元年（一七一一）、川越にさきだって、川会所で川札《かわふだ》を買いもとめるように規則を定めた。旅人はこれを人足に渡して、はじめて川を越えることができた。川札の値段はそのときの川の深さによって、決められたという。

「箱根八里は馬でも越すが、越すに越されぬ大井川」の文句で知られる大井川の川会所は、島田宿の側に、遺跡として残されている。

江戸より33番目の宿

二川

ふたがわ

【最寄り駅】▼JR二川駅。北側を走る道が旧東海道。東に一キロ余りもどったところがかつての宿場の中心。

【街道を歩く】

二川宿は、遠江国《とおとうみのくに》から三河国《みかわのくに》に入った最初の宿場である。江戸時代は、宿内総戸数三二八軒、宿内人別およそ一五〇〇人。東海道五十三次のなかでは小さな宿場で、宿駅業務のほかは、さしたる産業もなく、人々は周辺の田畑を耕して暮らしをたてていた。

明治以降は製糸の町として栄えたが、戦後はそれも衰え、むしろ住宅地として見直された。それだけに往時の名残をとどめる街でもある。道路はほとんど拡幅《かくふく》されていないため、二ヵ所の**桝形**《ますがた》や、間口が狭く奥行きの長

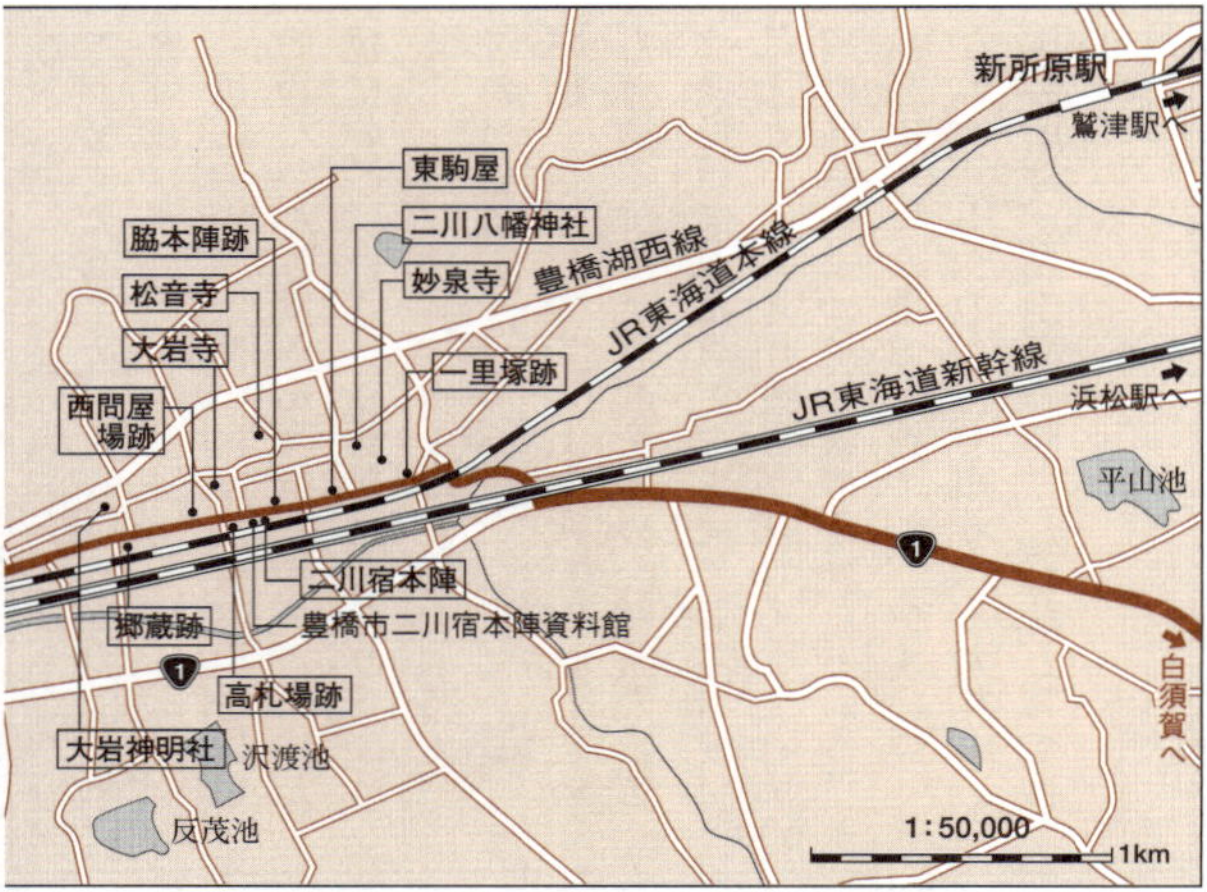

い宅地割がよく残っている。

白須賀宿から二川宿にいたる旧東海道は、現在の国道1号と重なる。**境川**《さかいがわ》をわたると、道は北西に向きを変える。しばらく歩き、一《いち》里山《りやま》交差点をすぎると、右側にこんもりとした森が見える。ここが**一里山（細谷《ほそや》）の一里塚**で、ここから二川宿までの道およそ四キロ、変化のとぼしい田畑のなかを行く。

やがて二川ガード南交差点を右折。国道1号を離れて東海道新幹線のガードをくぐり、東海道本線の踏切を越えると、二川宿の東の入口にいたる。

宿内に入ってすぐ右手の**一里塚跡**を通りすぎると、街道に面して**題目石**《だいもくいし》がたっている。

そこから一〇〇メートルほど右に入ったところに**妙泉寺**《みょうせんじ》がある。顕本法華宗《けんぽんほっけしゅう》の寺で、山門を入った左手奥に寛政《かんせい》一〇年（一七九八）、宿内の文人によりたてられた**紫陽花塚**《あじさいづか》があり、**芭**《ば》

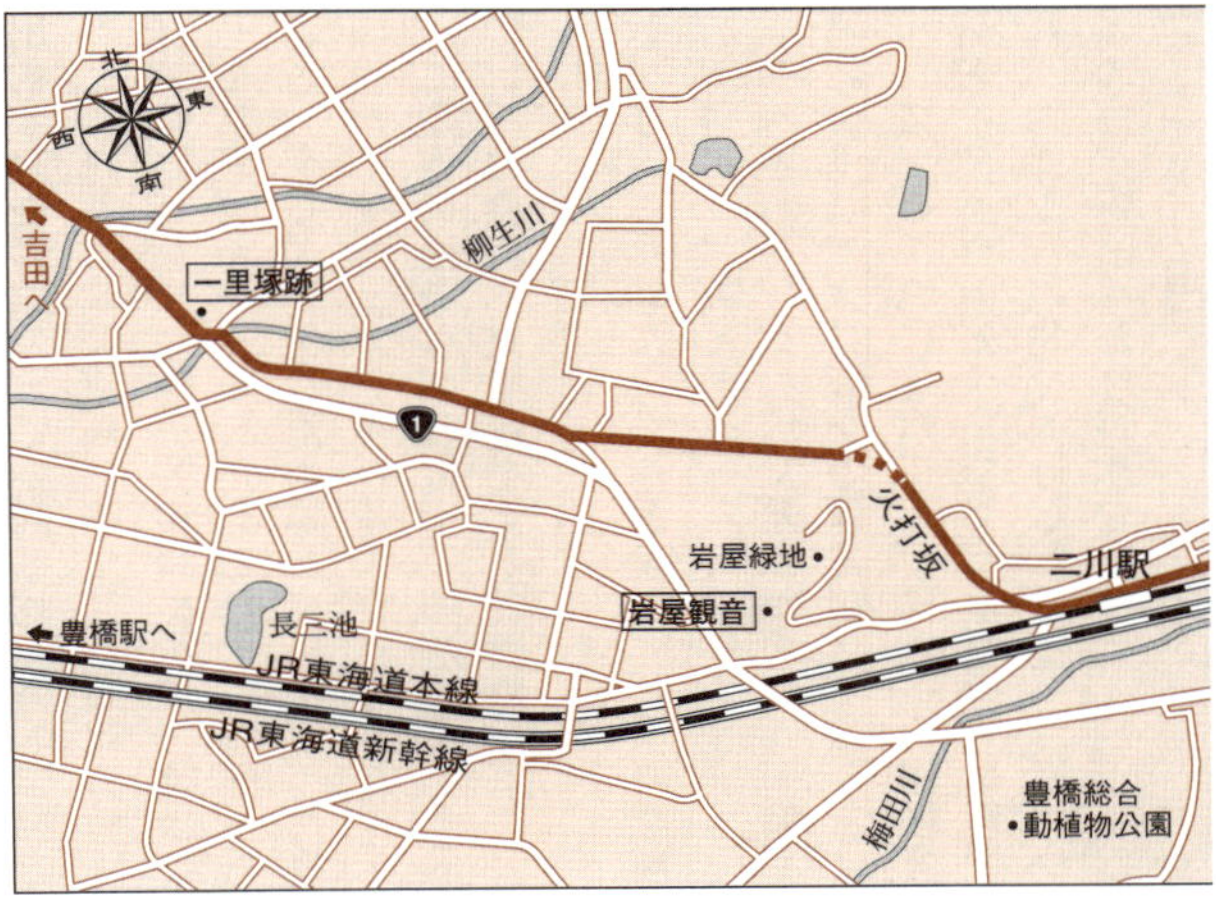

蕉《しょう》**の句**「あちさゐや藪を小庭の別《べつ》坐《ざ》敷《しき》」が刻まれている。また、毎年土《ど》用《よう》の丑《うし》の日におこなわれる「**ほうろく灸加持**《きゅうかじ》」でも、この寺は有名。逆さにした直径三〇センチのほうろく（素焼きの平たい土鍋）にもぐさをのせ、火をつけてから頭にのせるもので、暑気《しょき》除《よ》け、こどもの虫封《むしふう》じに効《き》くという。

さらに二〇〇メートルほど西へ歩くと、宿内に二ヵ所ある**枡形**のうちの一つがあり、その北側に江戸時代の商家、**駒屋**《こまや》の遺《い》構《こう》がある。

本陣跡は、そこから二〇〇メートルほど西に進んだ左手に残っている。後藤家、紅林《くればやし》家の後を継ぎ、文化《ぶんか》四年（一八〇七）から馬《ば》場《ば》家が務めていた本陣で、堂々たる門をはじめ母屋、玄関棟の大きな家屋、裏庭などの遺構からは、往時をうかがうことができる。昭和六三年（一九八八）から改修・復元工事がおこなわれ、併設された資料館とともに、**豊橋市二川宿本陣資料館**として公開されている。

このほど、本陣東隣に建つ江戸時代の旅籠《はたご》遺構「清明屋」の寄贈を受けたので、増改築して常設展示を一新した。これで、以前からある大名らが利用した本陣と庶民が泊った旅籠屋が、セットで見られるようになった。

二川宿の西のはずれは、本陣跡から約七〇〇メートル。**郷蔵**《ごうぐら》**跡**、**立場**《たてば》**跡**をすぎて道幅が急に広くなるところだ。ここを出るとおよそ三〇〇メートルでJR二川駅である。駅前に「是より岩屋江八丁」の道標が立つ。

西へ進むと、火打坂《ひうちざか》交差点があり、旧東海道は直進して火打坂をのぼるが、ここを左に折れておよそ八〇〇メートルほど行くと、**岩屋**《いわや》**観音**《かんのん》がある。火打坂をすぎると、街道は左に折れ、国道1号の北を並行したのち、合流。つぎの宿、吉田へとむかう。

【ちょっと寄り道】

●**豊橋市二川宿本陣資料館と旅籠「清明屋」**

平成一七年四月に、本陣と寄贈を受けた江戸時代の旅籠屋を併せて改修復元したので、当時の二川宿の全容や東海道の旅の様子を学ぶことができる。＊0532・41・8580／9時30分～17時／休館日　月曜（休日の場合はその翌日）、年末年始

●**岩屋観音**

岩屋山の山腹にあり、天平《てんぴょう》二年（七三〇）、行基がこの地におもむいたとき、その風景の美しさに魅せられて千手観音《せんじゅかんのん》像を刻み、岩穴に安置したのが起源とされる。

山上には、**聖観音立像《しょうかんのんりゅうぞう》**。また、岩屋山のふもと一帯は、緑地公園・ハイキングコースになっている。

【名物のうまいもの】

●**赤味噌《あかみそ》**

東駒屋《ひがしこまや》（0532・41・1181／土曜・日曜・祝日定休）は、江戸時代末から味噌、醤油を醸造しており、現在でも、この地方特産の赤味噌を製造販売している。本陣資料館から東に三〇〇メートル。

●**本陣饅頭《まんじゅう》**

こし餡《あん》を包んだ素朴《そぼく》で芳《こう》ばしい外皮《そとかわ》に「本陣」の二文字を焼き印。本陣資料館から西に二〇〇メートル、枡形南側の**中原屋《なかはらや》**（0532・41・0041／月曜定休）で。

歌川広重「東海道五拾三次之内　二川猿ケ馬場」

江戸より34番目の宿

吉田

よしだ

【最寄り駅】▼JR豊橋駅東口から市電に乗り、二つめの停留所「札木《ふだぎ》」で降りると、市電に直交して東西に走る通りが旧東海道。このあたりが旧吉田宿の中心。

【街道を歩く】

吉田宿は、現在の豊橋市のほぼ中心部にあたる。中世には「**今橋**《いまはし》」と呼ばれ、永正《えいしょう》二年（一五〇五）牧野古白《まきのこはく》が城を築いて以来、城下町として発展した。

宿場の設置は、慶長《けいちょう》六年（一六〇一）のことで、江戸時代は本陣二軒、脇本陣一軒、旅籠《はたご》六五軒、東海道に面した「表町十二町」と「裏町十二町」からなり、五十三次のなかでも大きな宿場の一つだった。

かつての宿の中心にあたる札木町には旅籠

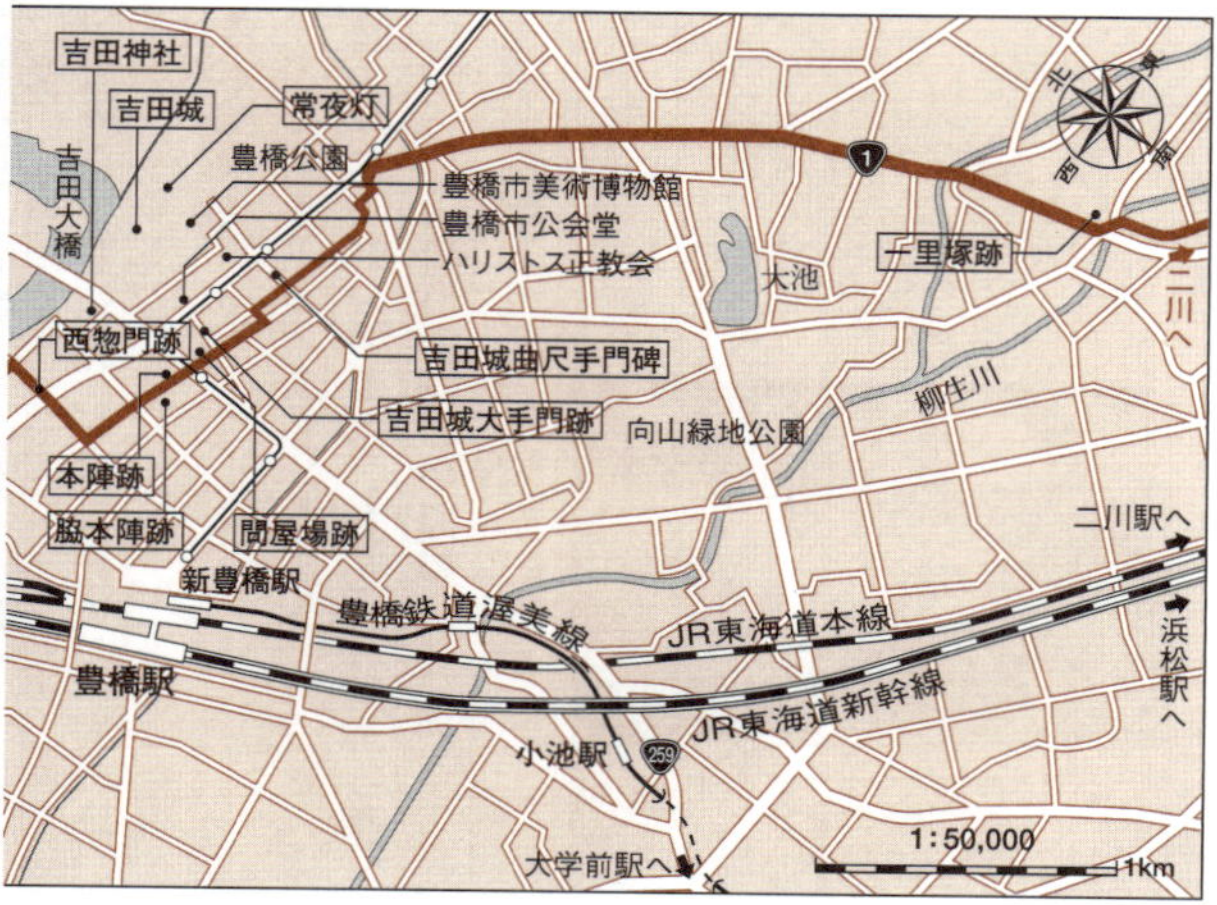

が軒を連ね、飯盛女《めしもりおんな》の多いことでも知られた。当時の里謡《りよう》に「吉田通れば二階から招くしかも鹿《か》の子《こ》の振《ふ》り袖《そで》が」とうたわれたほど。また、堺奉行《さかいぶぎょう》・土屋紀伊守《つちやきいのかみ》の内室《ないしつ》、斐子《いこ》の紀行『たびの命毛』に「鍛冶《かじ》どもあまたにて相打つ音左右にひゞきて、吉田の橋をわたる」とあり、鍛冶屋の多いことでも知られた。

二川宿を出た旧東海道は、**火打坂**《ひうちざか》をのぼりきると北西に曲がり、**飯村**《いむれ》**一里塚跡**のある地点で国道1号と合流。わずかながら田畑の残る郊外地をぬける。

旧東海道の国道1号は、東八町《ひがしはっちょう》交差点で左折。すこし進んで最初の道を右に折れる。現在その道路わきに、当時の東惣門の模型が造られており、**秋葉常夜灯**が豊橋公園内から江戸時代にあった場所に復元されている。このあたりの道は複雑に屈曲していたが、戦災後

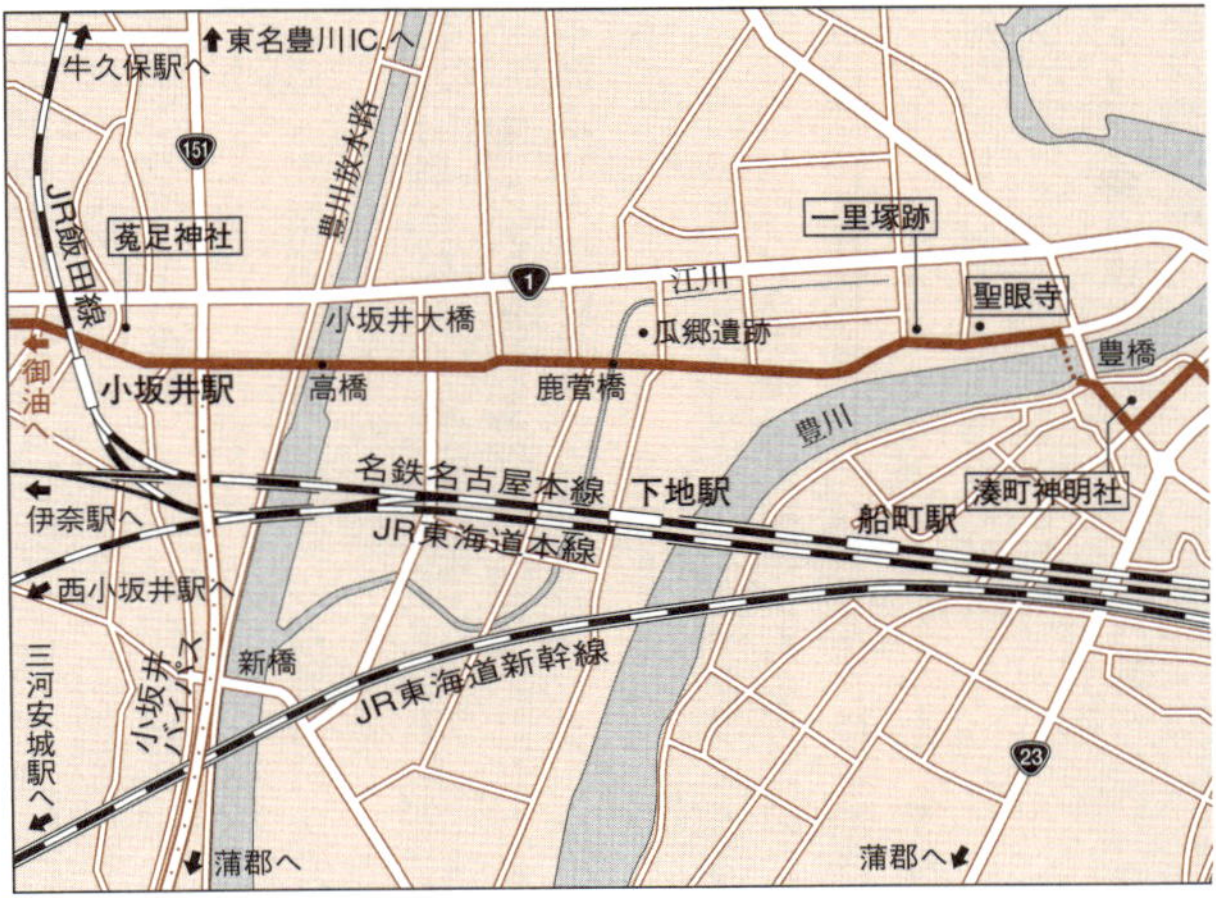

の区画整理で、ほぼ現在のかたちに整えられた。

さらに左折、右折をかさね、鍛冶町、曲尺《かねん》手《て》町をすぎると、曲尺手交差点に出る。その北側には**吉田城曲尺手門碑**がたっている。交差点をすぎて最初の、信号のない十字路を左折。つきあたりを右折して西へ進むと、呉服《ごふく》町《まち》、札木町にいたる。札木町交差点の一つ手前の十字路にかつて**高札場**《こうさつば》があり、北に折れたところが**吉田城大手門跡**で、いまは大きな標柱がたてられている。

吉田城の城地は、明治以降、陸軍歩兵《ほへい》第十八連隊《れんたい》の営地になったが、戦後は**豊橋公園**として整備された。

西へ進み、札木町交差点の手前、NTT豊橋の地点が**問屋場跡**《といやば》、交差点をわたった右手が**本陣跡**、ほどなく左手に**脇本陣跡**。それぞれ当時を示す小さな標柱がたっている。

旧東海道はこのさき、松葉《まつば》公園交差点を右折。上伝馬《かみでんま》町をぬけ、上伝馬交差点にいたるが、この付近に**西惣門**があった。

さらに北進して国道を横断し、二つ目の交差点を左折。つぎの船町《ふなまち》交差点を右折すると、**豊川**《とよがわ》にかかる**豊橋**《とよばし》にいたる。豊橋市の地名の由来となった橋。矢作橋《やはぎばし》（愛知県岡崎市）、瀬田《せた》の唐橋《からはし》（滋賀県大津市）とともに東海道三大橋の一つで、当時吉田大橋と呼ばれていた。わたって、豊橋北交差点を左折すると下地《しもじ》町で、右手に**芭蕉句碑**のある**聖眼**《しょうげん》**寺**《じ》、少し行くと**下地一里塚跡**がある。このさき旧街道はほぼまっすぐな一本道。伊奈《いな》地区に入り、右手にある太鼓《たいこ》店の前の**伊奈一里塚跡**を通り、豊川市白鳥町で国道1号にふたたび合流して、御油《ごゆ》宿にいたる。

【ちょっと寄り道】

●**豊橋公園**

豊川を背にした本丸跡には、刻印のある石垣や堀がよく残り、**鉄櫓**《くろがねやぐら》も復元されている。**十八連隊の記念碑**や、豊橋ゆかりの明治の作家・**小栗風葉**《おぐりふうよう》**の文学碑**もある。

●豊橋市美術博物館

豊橋公園内。国内外の美術、歴史資料のほか、吉田藩、吉田宿に関する展示も。＊0532・51・2882／9時〜17時／休館日　月曜、年末年始

●ハリストス正教会

豊橋公園の南側。大正二年（一九一三）建造のビザンチン様式で、木造下見板張りの白《はく》亜《あ》の聖堂内には、聖像画家・山下りんによるイコン（聖像画）が掲げられている。

【名物のうまいもの】

●うなぎ

三河地方は日本有数の養鰻《ようまん》産地。活きのいいうなぎは、古くからこの地方の名物。札木町の本陣跡にたつ老舗、**丸よ**《まる》（0532・52・4987／水曜定休）は、うなぎ懐石が人気。

●菜《な》めし田楽《でんがく》

豆腐田楽と大根菜の菜めしの組み合わせは、素朴でひなびた味わい。文政《ぶんせい》年間（一八一八〜一八三〇）創業の老舗、**きく宗**（0532・52・5473／水曜定休）は、新本町の街道沿い。

●ちくわ

豊橋名産として知られるちくわなどの練製《ねりせい》品《ひん》。その生産は、天保《てんぽう》年間（一八三〇〜一八四四）にはじまる。当時からつづく老舗、魚町の**ヤマサちくわ**（0532・53・2211）ほかで。

【泊まってみたい宿】

JR豊橋駅の周辺に数多くのホテルがあるが、和風旅館でという向きには、明治初年から営業する**松米**《まつよね》（0532・52・5058）がおすすめ。国道1号の南側、NTT豊橋の北側。

江戸より35番目の宿

御油
ごゆ

【最寄り駅】▼名鉄名古屋本線・国府《こう》駅。南進して国道1号を越えると、徒歩五分で街道に出る。そこから西へ五分で姫街道《ひめかいどう》分岐点。▼同・御油駅から、国道1号を国府駅方向に東進し、姫街道をへて東海道に入るルートも。こちらは徒歩一〇分。

【街道を歩く】

吉田宿を出て**豊川**《とよがわ》にかかる**豊橋**《とよばし》をわたり、左折して、御油宿までの道は長い。瓜郷町《うりごうちょう》、下五井町《しもごいちょう》を通りぬけ、豊川放水路をわたると、街道にむかしながらの松並木が残っている。歩けばさらに一時間、のどかな田畑のあいだをすぎ、国府町にいたる。

大社《たいしゃ》**神社**の白壁の塀を右に見て、さらに西へ進むと、信用金庫駐車場前に**御油一里塚**

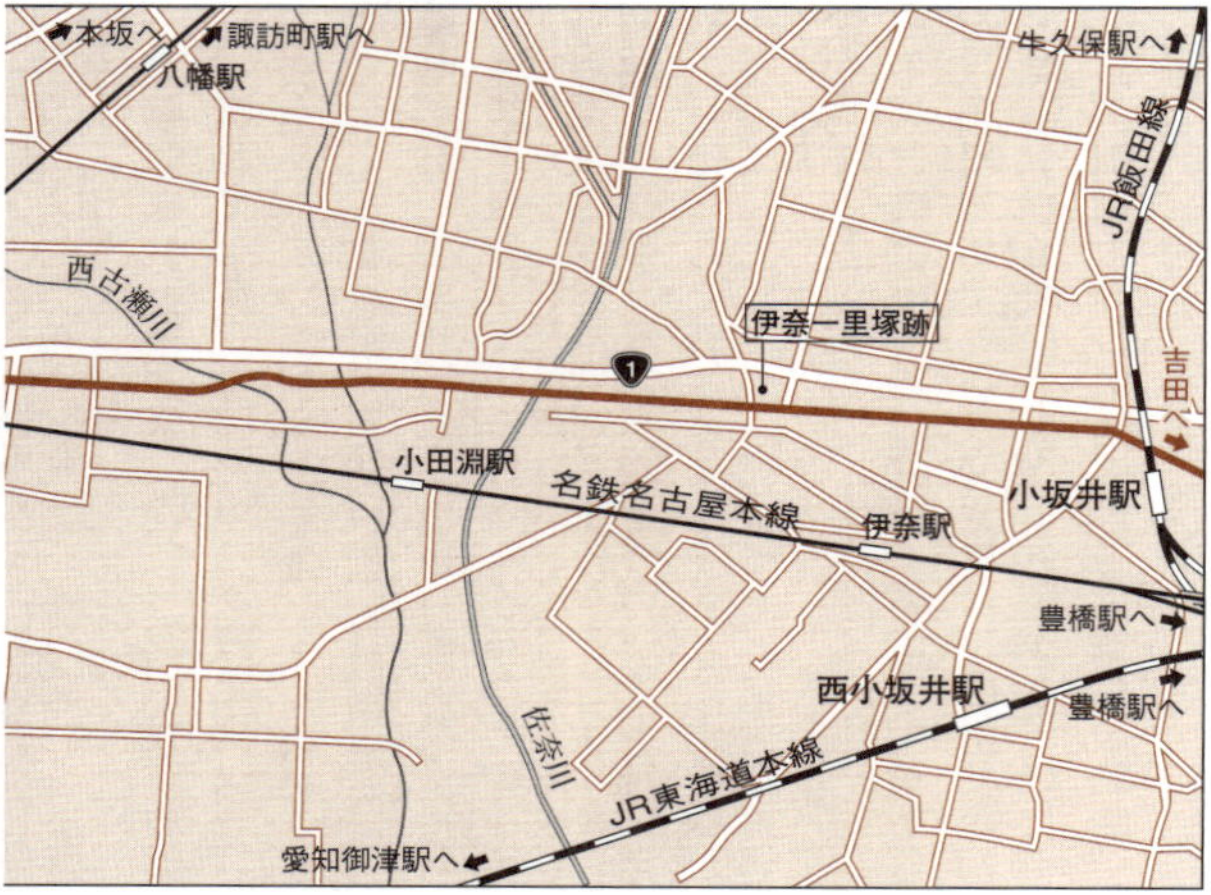

跡。やがて本坂越《ほんさかご》え（姫街道）への分岐点に出る。ここに壮大な常夜灯。「左ほうらいじ道」の文字。ほかに「砥鹿《とが》神社道」「秋葉三尺坊大権現」の二碑がある。

　この姫街道を北へ三〇〇メートルほど入ると、古戦場、鷺坂《さぎざか》。その中ほどの小高い松林のなかに西明寺《さいみょうじ》がたっている。

　東海道にもどって、音羽川《おとわがわ》にかかる五井橋《ごいばし》（旧御油橋）をわたると、こぢんまりとした町並がならんでいる。ここが御油宿だ。

　御油宿は当時、「五井」とも書かれ、宿内総戸数三一六軒、本陣三軒、旅籠《はたご》六二軒。城下町、吉田宿の騒がしさを避けて、ここまで足をのばした人々や、本坂越えで汗を流した人々でにぎわった。

　明治以降は、国鉄（現ＪＲ）や国道の建設からはずれ、また戦災など、大きな災害にもあわなかったため、江戸時代とほとんど変わ

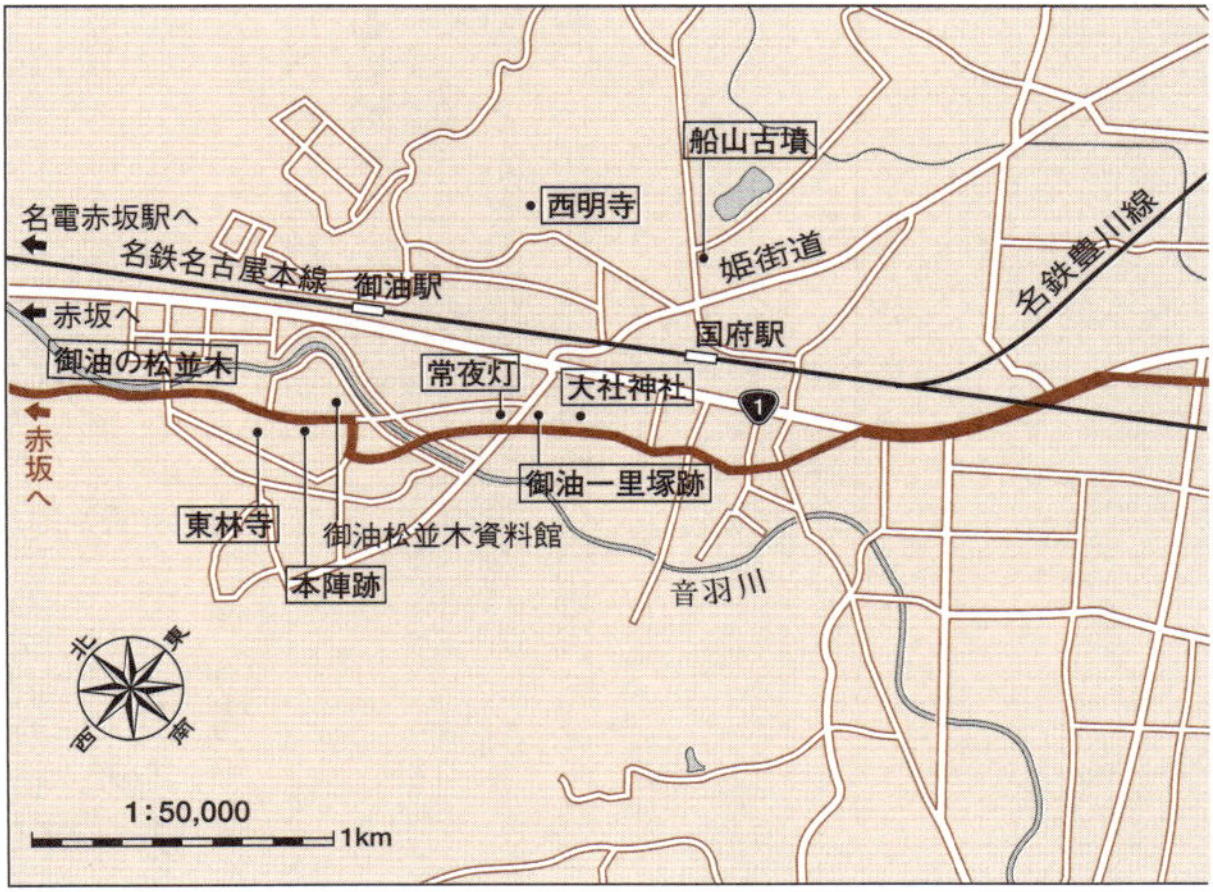

らない町並と連子《れんじ》格子《ごうし》の家々が数多く残っていたが、今は少なくなった。**本陣跡**を中心に旧家の風格をそなえた家々も見つかる。

　五井橋をわたり宿内に入ると、まもなく左手に**東林寺**《とうりんじ》があり、墓域の奥の塀ぎわに、**飯**《めし》**盛女**《もりおんな》**の墓**、五基がならんでいる。

　そこから西に進むと、やがて**御油の松並木**で知られるクロマツの並木が、およそ六〇〇メートルにわたってつづいている。昭和一九年（一九四四）に国の天然記念物に指定され、戦時中の松の供出もまぬがれたが、樹齢三〇〇年以上はごくわずかになり、現在は昭和五〇年（一九七五）に補樹した二一九本が大半で、全部で二七〇本ぐらいになっている。

　御油宿を出て、つぎの赤坂宿までは、わずか一・七キロである。

【ちょっと寄り道】

●西明寺

　名鉄線の線路をへだてて、御油駅の北西、松林のなかにある古刹《こさつ》。境内には、化粧水のベルツ水で知られる**エルウィン・ベルツ博士と妻ハナの碑**（ハナは御油宿の出身）、近くに**芭蕉**《ばしょう》**の句碑**がある。

●御油松並木資料館

　新御油橋のたもとにある。展示室の中央に御油と赤坂の両宿場と松並木の復元模型を設置、ほか地元に残る貴重な宿場資料を多数展示。＊0533・87・7214／10時〜12時30分、13時30分〜16時／休館日　月曜、年末年始

江戸より **36** 番目の宿

赤坂

あかさか

【最寄り駅】▼名鉄名古屋本線・名電赤坂駅。西南にまっすぐのびる道をおよそ四〇〇《メートル》で、宿の中心。

【街道を歩く】

御油の松並木をすぎて、赤坂宿の入口にかかると、すぐ左手に、宝暦《ほうれき》年間（一七五一〜一七六四）に建立《こんりゅう》された**関川《せきかわ》神社**がある。境内には**芭蕉《ばしょう》句碑**「夏の月御油よりいでゝ赤坂や」がある。御油宿のほうから出た夏の月が、時を置かずに赤坂宿を照らすさまは、この二つの宿場がとても近く、そして両宿のあいだの松並木がきわめて美しいことを、あらためて思い出させてくれる。

ここから一〇〇《メートル》ほどさきを左に折れると、**上臈石《じょうろうせき》**の伝えられる**長福寺《ちょうふくじ》**がある。

そのむかし、赤坂の長者の娘、力珠《りきじゅ》（力寿）が、三河守大江定基《みかわのかみおおえのさだもと》と愛しあう仲となった。定基が任期を終えて帰京することになったとき、力珠は、別離の悲しさから舌を噛《か》み切って死んでしまった。定基はその死を深くいたみ、遺骸《いがい》を七日間抱きつづけたが、異臭《いしゅう》がただよいはじめたため、やむなく埋葬した。定基は帰京後出家して、宋《そう》にわたった。力珠の魂は、愛執《あいしゅう》の念から石となりこの寺に残ったと伝えられる。

ほどなく、かつての宿内へ。本陣はそのほぼ中心部。街道沿いの左手に、もっとも格式が高いとされた**伊藤《いとう》本陣**があり、その手前とはすむかいに**平松彦十郎《ひらまつひこじゅうろう》本陣**と**平松弥一左ヱ《ひらまつやいちざえ》門《もん》本陣**の両平松本陣があったが、いずれも現存しておらず、標識を残すのみ。平松彦十郎本陣の門は、近くの**白鳥法雲寺《しらとりほううんじ》**に移築され、保存されている。

伊藤本陣跡のすぐ西隣には、むかしながらの連子格子《れんじごうし》を残す二階屋がたっている。江戸時代からほとんどそのままに営業をつづける旅籠《はたご》、**大橋屋**《おおはしや》である。

大橋屋の手前を、街道から左に折れた奥に、**浄泉寺**《じょうせんじ》がある。境内左手奥の大きなソテツは、筋むかいにあった旅籠、**清須屋**《きよすや》の庭から移されたものらしいが、広重の「赤坂」に描かれたものと伝えられる。境内には、石に彫られた**百観音**《ひゃくかんのん》がずらりとならんでいる。

大橋屋から三〇〇《メートル》ほど西に進んだ街道の右手には、かつて「鐘つき」で有名だった**向称寺**《こうしょうじ》がある。正保《しょうほう》年間（一六四四〜一六四八）の建立。往時の赤坂宿は、夜おそくまで騒がしかったため、毎夜決まった時刻になると、この寺の鐘をついて騒ぎをやめるよう合図したという。そのときの鐘は、戦争中に供出され、いまはない。

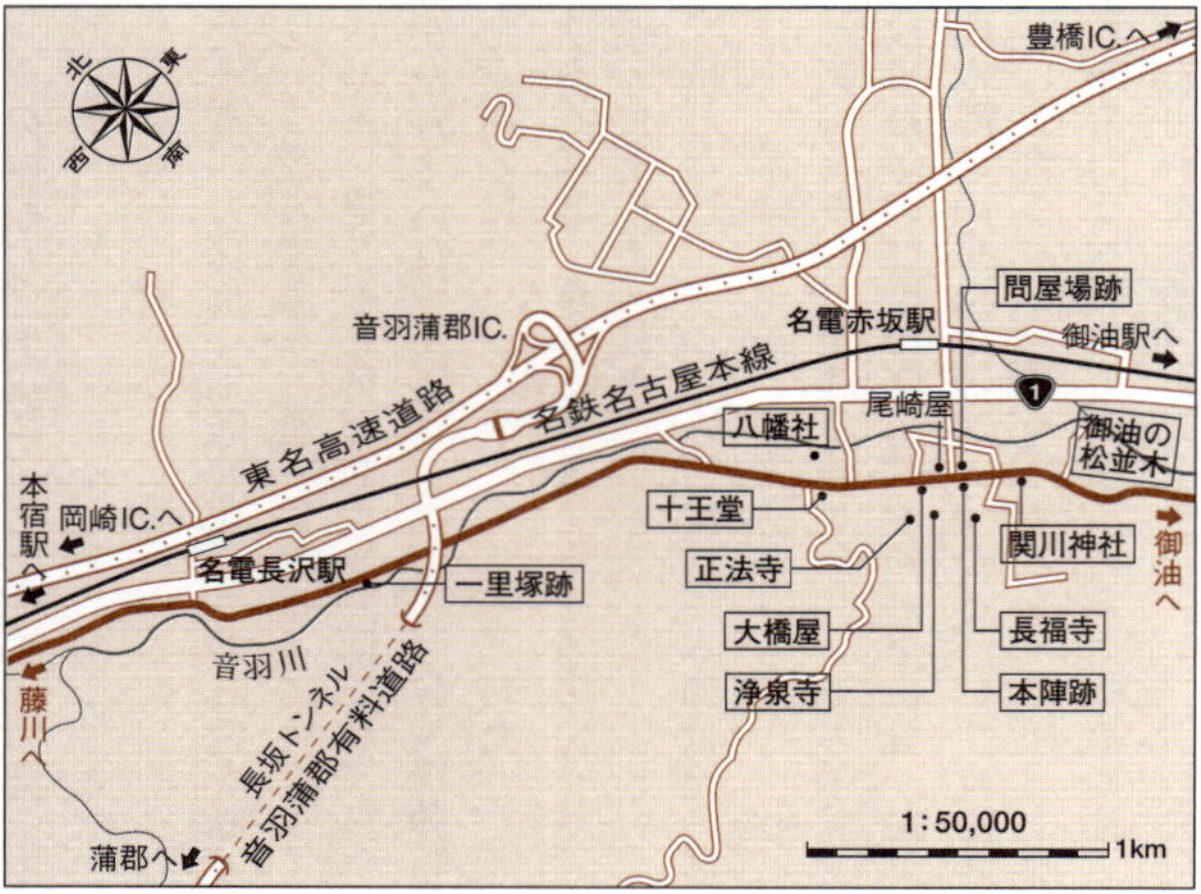

赤坂宿を西に出ると、田畑の多い一本道になり、やがて**音羽川**《おとわがわ》にかかる**唯心寺橋**《ゆいしんじばし》をわたる。そのさき左手土手上に、ぽつんと**長沢**《ながさわ》**一里塚跡**の碑がある。このあたりから東海道はふたたび国道1号と合流。つぎの宿場、藤川《ふじかわ》へむかう。

【ちょっと寄り道】

●**宮路山**《みやじさん》ハイキングコース

名電赤坂駅南西にそびえる標高三六二メートルの宮路山頂にいたる散策コース。宿の中心からコース入口まで約三〇分。山頂まで七〇分〜八〇分。付近は、天然記念物コアブラツツジの自生地《じせいち》として知られ、秋は紅葉《こうよう》で有名。

【気のきいたおみやげ】

●**尾崎屋**

赤坂宿の中ほどにある民芸品店。二階の連子格子に軒行灯《のきあんどん》がかかり、「東海道五十三次赤坂宿・曲物《まげもの》民芸品製造卸問屋」と記されている。**曲げわっぱ**の名で知られる木製の弁当箱ほか、木工芸品が並ぶ。＊05338・7・2581／8時〜20時

【泊まってみたい宿】

●**大橋屋旅館**（05338・7・2450）

もとは「伊《い》右ヱ《え》門鯉屋《もんこいや》」と称した旅籠。中に入ると土間、右手の広い板の間の奥に階段。のれんのかかる通路をくぐると抜け天井。すべてが往時のおもむきのまま、旅館として営業されている。二階の一室は松尾芭蕉が泊まった部屋。

江戸より 37 番目の宿

藤川

ふじかわ

【最寄り駅】▼名鉄名古屋本線・藤川駅の南側、藤川小学校の前の通りが旧街道。小学校角で左折して東へ約三〇〇《メートル》、藤川宿資料館のあたりが、かつての藤川宿の中心。

【街道を歩く】

赤坂宿《あかさかじゅく》から西へ三・五《キロ》ほどで東海道は国道1号と合流する。このあたり、左右に小高い山がせまり、すぐ右手の名鉄線と並行して、街道がつづく。赤い電車を横目に、街道はやがて、岡崎市本宿町《もとじゅくちょう》に入る。

一帯の国道1号はすっかり整備され、若い松並木がならぶ。建設省のプロジェクト「東海道ルネッサンス」で生まれた道で、「平成東海道」と土地の人はいう。

音羽町《おとわちょう》から岡崎市に入り最初の信号を渡る

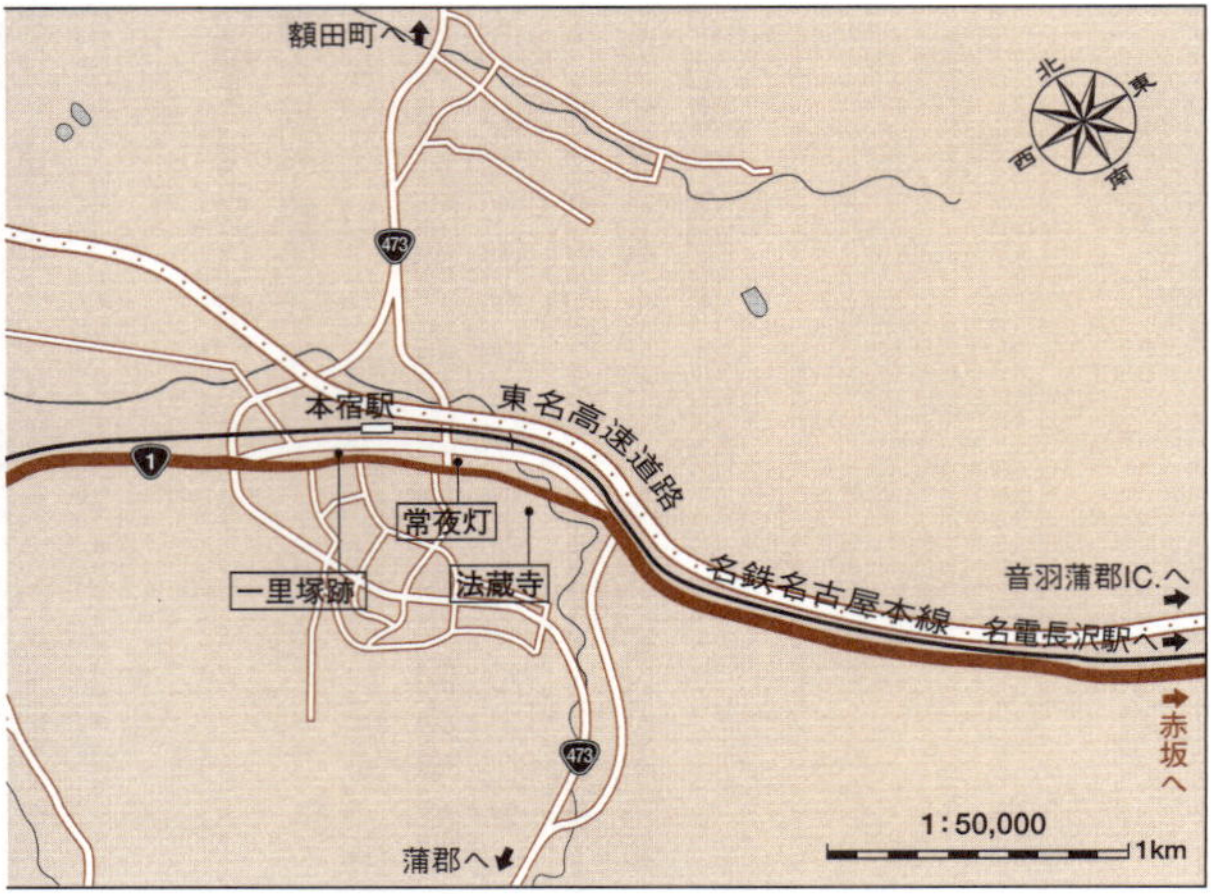

と、平成六年に建てられた**冠木門**《かぶきもん》がある。さらに約二七〇メートル西進した本宿駅手前の「右国道一号、左東海道」の道標に従い、旧道に入る。

やがて左手に**法蔵寺**《ほうぞうじ》。境内には、家康《いえやす》が手習いした紙をかけたという松、家康の先祖である**松平一族の墓**、新撰組《しんせんぐみ》隊長の**近藤勇**《こんどういさみ》**の首**《くび》**塚**《づか》がある。江戸《えど》板橋《いたばし》で処刑されて、京都でさらされた近藤の首を、同志が盗みだして、ここに葬ったが、その後また盗まれて不明であり、頭蓋骨も見つかっていない。墓碑と胸像は緑につつまれた静かな境内にある。

本宿駅を右に見て西進、右手に**一里塚跡**の標柱があり、やがて国道1号と合流、名鉄線に沿って進み、いったん右手の細道にはいって、ふたたび国道1号と合流する。

やがて**山中八幡**《やまなかはちまん》の標識。家康ゆかりの神社である。国道1号沿いの喫茶店の横のおいし

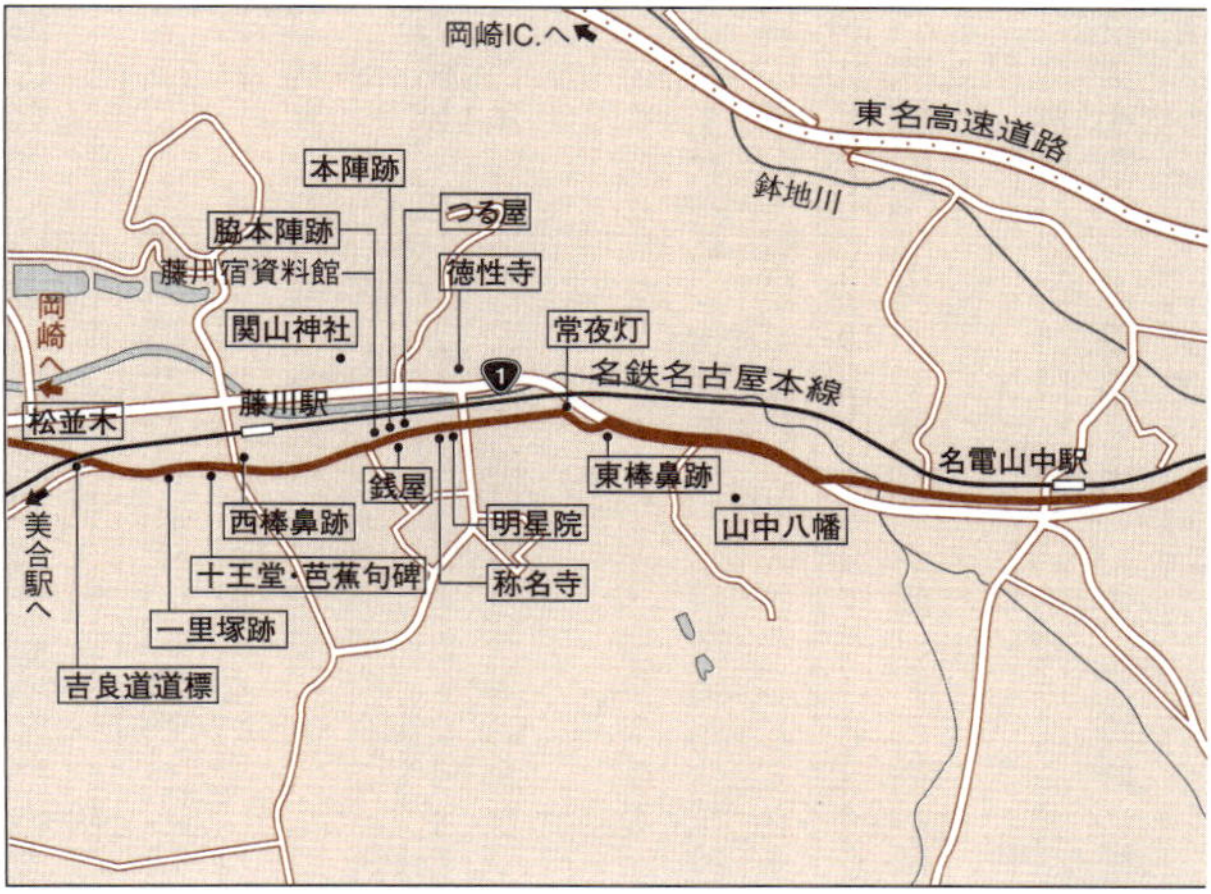

げる木立ちのなかの急な石段をのぼると、りっぱな社殿が見えてくる。三河一揆《みかわいっき》のとき家康が山腹の洞窟にひそんでいて、見つかりそうになったが、ハトが飛びたったおかげで難をのがれることができたと伝わる。

東海道は、国道1号をさらに五〇〇《メートル》ほど進んで、左へ鋭角に入ると、藤川宿の**東棒鼻**《ひがしぼうばな》。「棒鼻」とは、宿場の出入口のこと。広重が描いた五十三次版画を再現した、長い標柱がたっている。「是《これ》より西藤川宿」と墨色《ぼくしょく》あざやか。平成五年（一九九三）、京都の遷都《せんと》一二〇〇年プレイベントとしておこなわれた「茶壺道中《ちゃつぼどうちゅう》」に合わせて、東西の棒鼻を復元したもの。

五分ほど歩くと、左に**明星院**《みょうじょういん》。家康ゆかりの**片目**《かため》**の不動尊**《ふどうそん》があり、その本尊は、一二年に一度の酉年《とりどし》に開帳する。

さらに行くと、昔の脇本陣跡が**藤川宿資料館**になっている。享保《きょうほう》四年（一七一九）の大火後にたてたと書いてある門をくぐって中に入ると、街道の模型や高札などの実物が展示されている。入場は無料だが無人なので、見学者があけて見る形になっている。

資料館から約一〇分の藤川小学校前に、**西の棒鼻**。道をはさんでななめむかいに**十王堂**《じゅうおうどう》と**芭蕉**《ばしょう》**句碑**「ここも三河むらさき麦のかきつばた」。

句に残された、まぼろしの「むらさき麦」は、平成六年（一九九四）に県農業総合試験場の協力で栽培に成功。穂先までがむらさき色の、美しい麦が実った。奇しくも芭蕉三〇〇回忌の年。近くに栽培地を設け、名物が復活した。

東海道はそのさき「**吉良道**《きらみち》**道標**《みちしるべ》」のたつ二又道《ふたまたみち》を右へ。名鉄踏切をわたると、両側に松並木がつづき、街道は、岡崎へとむかう。

【ちょっと寄り道】

●**藤川宿資料館**

藤川宿脇本陣跡にたつ、めずらしい無人の資料館。一八〇〇年代初頭の宿のようすを再現した「藤川宿街道模型」が見もの。そのほか、岡崎市指定文化財となっている藤川宿高札や本陣文書などの古文書、各種歴史資料を展示。東隣の第二資料館は、本陣跡の建物を岡崎市が借り受けたもの。原寸大の朱印状《しゅいんじょう》や藤川宿を描いた浮世絵などが展示されている。

＊資料館管理委員会　0564・48・2021／9時〜17時／休館日　月曜、年末年始

★藤川宿のみやげものには、かつて、**からむし細工**と呼ばれるものがあった。「からむし」とは、桑《くわ》によく似た野生植物で、その繊維をつむいで袋や縄、かんざしなどをつくった。現在の藤川では、その生産はおこなわれていない。からむし細工は、いまでは福島県昭和村が日本唯一の生産地で、藤川宿資料館に、同地産のからむし製ハンカチが展示されている。

★旧宿場界隈には食事処がない。食事をすませての散策か、つぎの岡崎宿まで足をのばしての食事がおすすめ。

歌川広重「東海道五拾三次之内
藤川棒鼻ノ図」

江戸より38番目の宿

岡崎

おかざき

【最寄り駅】▼名鉄名古屋本線・東岡崎駅。北口から北進し、乙川《おとがわ》、国道1号を越え、伝《てん》馬《ま》通りに出たあたりが、かつての岡崎宿の中心。▼西大平藩陣屋《にしおおひらはんじんや》跡から散策するなら、名鉄名古屋本線・男川《おとがわ》駅から北進。▼宿の西はずれにあたる八丁味噌《はっちょうみそ》の蔵屋《くらや》敷界隈《しきかいわい》は、愛知環状鉄道・中岡崎駅から。

【街道を歩く】

藤川の松並木から西へ進むと左手に**岡崎源《げん》氏蛍《じぼたる》発生地碑**があり、かたわらに**芭蕉句碑**がある。そのさきには大きなエノキのある**大平《おおひら》一里塚**が見られる。

岡崎は、家康《いえやす》が浜松城に移るまで本拠にした**岡崎城**の城下町。宿場内の街道は「**二十七曲がり**」と呼ばれ、曲がり角の連続であるだが、曲がり角の多くに標石があり、進路が表示されているので、それをたよりに街道をたどることができる。

名鉄・東岡崎駅から若宮町《わかみやちょう》を通るバス（数系統あり）に乗って「若宮町」で下車する。進行方向に歩いて南進して欠町《かけまち》へ。この近くの三叉路の角にりっぱな**冠木門《かぶきもん》**と「岡崎二十七曲がり」案内図の石碑がある。ここが二十七曲りのスタート地点。石碑を見れば、東海道が市内をどのように通っているか一目瞭然である。

このあと、若宮町から両町《りょうまち》へとぬけて「両町角より伝馬町角」の標石にしたがい右へ折れ、また六〇《メートル》ほどで左へ折れる。

九〇《メートル》ほどでむかしの伝馬町、いまの伝馬通りに入り、しばらく行くと、右の角の生花店が**東本陣跡**である。

めがね店が**脇本陣跡**。映画館が**西本陣跡**

で、小さな標石がたっている。西本陣跡の反対側の「西本陣前角」の標石で、東海道は左に折れる。

五〇《メートル》ほどで、今度は右に折れると、左手角に明治二年（一八六九）建立《こんりゅう》の**道標**。しばらく進むと、左側に**伝馬公設市場**。ここが**御**《ご》**馳**《ち》**走**《そう》**屋**《や》**敷**《しき》**跡**で、幕府などの公的来客を岡崎藩が接待した場所。朝鮮通信使、茶壺道中《ちゃつぼどうちゅう》などの休泊に使用された。

反対側のレンガ造りの建物は**旧商工会議所**で、現在は**岡崎信用金庫資料館**。現存する大正時代の数少ない建築物の一つである。

問屋場跡から**籠田**《かごた》**総門**《そうもん》**跡**の石碑まで南北に、むかしは岡崎城の外堀があった。

ここからまっすぐ北へ、**籠田公園**をななめに進んで西に折れると、むかしの連尺町《れんじやくちょう》、いまの連尺通り。

連尺をさらに西へ進むと、左側のショッピングビル、シビコのあたりが岡崎城の大手門前になり、**対面所**《たいめんじょ》があった。岡崎藩の外来使節を受けたり、町人や農民の公事《くじ》、評定《ひょうじょう》をおこなった場所で、明治二年（一八六九）から**岡崎藩校允文館**《いんぶんかん》が置かれ、現在その位置を伝える石碑がたっている。

そこを右折、さらに二度ほど曲がって材木《ざいもく》町《ちょう》角を左折して西にむかう。道路北側に格子《こうし》のはまった古い造りの家があり、この一軒だけが街道筋のおもかげを残している。「唐弓《とうゆみ》弦《づる》」の看板は、江戸時代の店の名残。唐弓弦とは、綿打ちの道具である。

材木町から南に行くと、肴町《うおまち》。むかしは魚鳥類の専売権を城主から与えられ、伝馬町の本陣・旅籠《はたご》へ供給したことから、この名が残る。

田《た》町《まち》、板屋《いたや》町《まち》は文化《ぶんか》年間（一八〇四〜一八一八）から沼地を埋めて造成された場所で、茶屋女《ちややおんな》が置かれて繁盛した。

　板屋町を右折すると、国道248号。**松葉《まつば》総門《そうもん》跡**は、浄瑠璃《じようるり》姫《ひめ》と義経《よしつね》が待ち合わせをした場所との伝説がある。

　このあたり**八帖町《はつちようちよう》**（むかしは八丁村）といい、岡崎城から八丁（約八七〇メートル）離れていたことからこの名がつけられた。八丁味噌の老舗が二軒あって、味噌蔵がならび、狭い路地にはむかしの風情が残る。

　岡崎市内の東海道筋は戦災でほとんど焼失したが、この一帯だけが戦火をまぬがれ、格子《こうし》造りの家も見られる。

　直進して右折すると、国道1号の**矢作橋《やはぎばし》**。江戸時代には東海道で最長の木橋だった。

　橋の西岸には、日吉丸《ひよしまる》（秀吉の幼名）と蜂須賀小六《はちすかころく》の出会いにちなんだ「出合之像」がある。むかしは現在より八〇メートルほど下流にあったという。

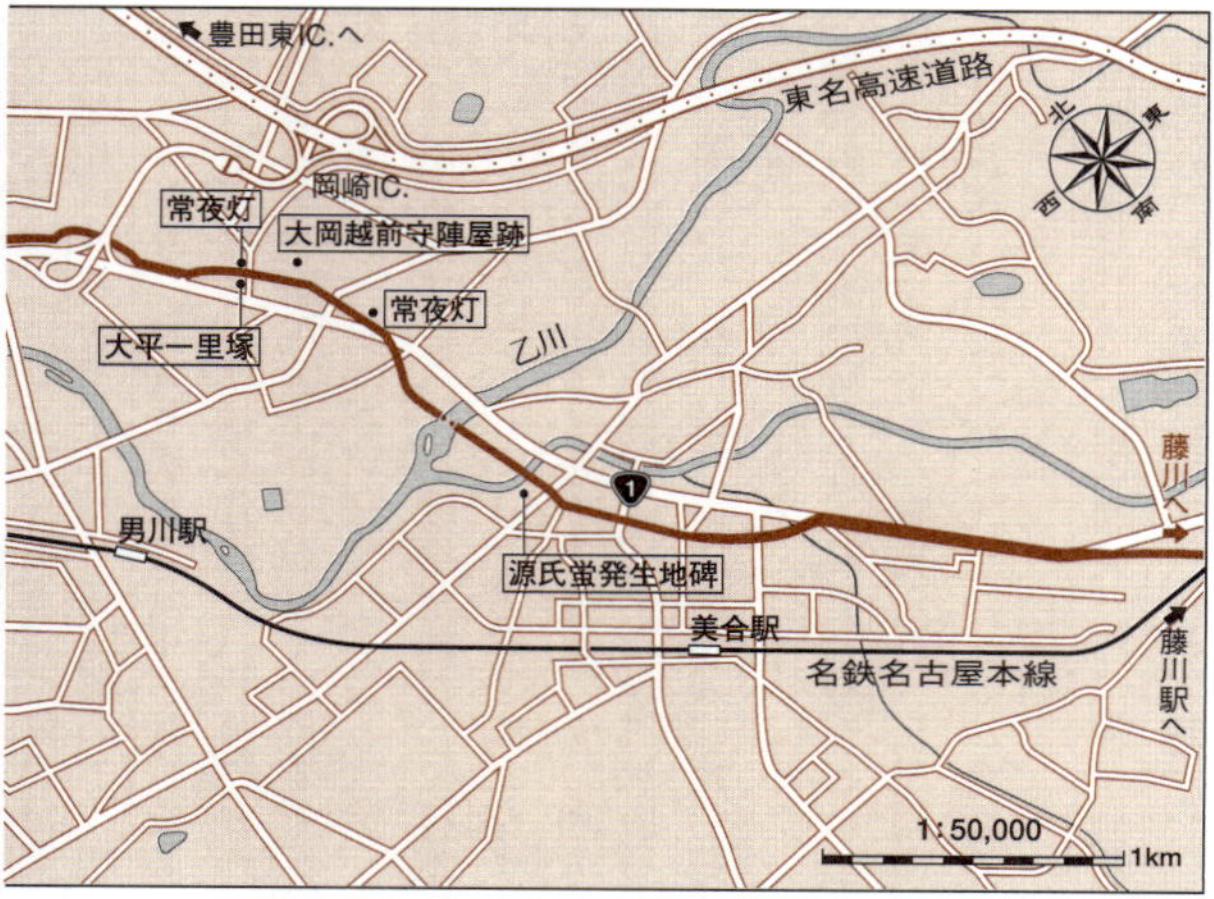

橋をわたって右折、すぐに左折すると、街道は、国道1号の北を西進。浄瑠璃姫の生誕地、**誓願寺**《せいがんじ》をへて、すぐに名鉄・矢作橋駅にさしかかり、知立《ちりゅう》へとむかう。

【ちょっと寄り道】

●**岡崎市郷土館**

名鉄・東岡崎駅北口から徒歩約一五分、国道1号沿いに目を引く旧建築。大正二年（一九一三）に額田郡《ぬかたぐん》公会堂としてたてられたもので、和洋折衷《わようせっちゅう》の意匠《いしょう》は一見の価値がある。

縄文・弥生時代の出土品や考古資料、江戸時代の古文書《こもんじょ》などを常時展示。企画展では、宿駅《しゅくえき》関係の古文書なども紹介。＊0564・23・1039／9時〜17時／休館日　月曜、祝日の翌日、年末年始

●**岡崎信用金庫資料館**

東岡崎駅北口から徒歩約一〇分、旧街道に面した赤レンガ造りの外観が目印。大正六年（一九一七）に岡崎銀行本店としてたてられ

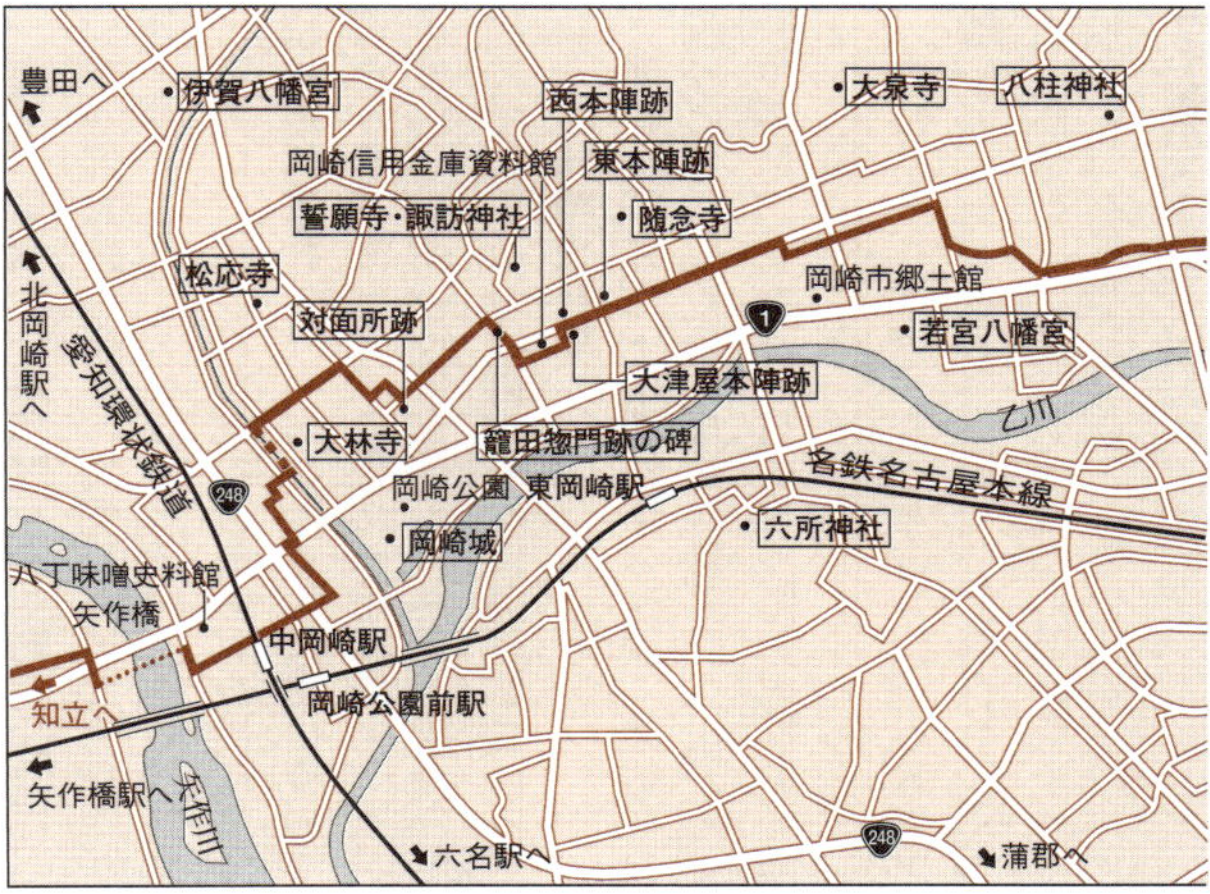

たルネッサンス様式の建造物で、保存管理も行き届き、岡崎の人々に親しまれている。

　岡崎信用金庫の歴史にはじまり、愛知の地場産業の紹介コーナー、江戸時代の岡崎のくらしと商業などを展示紹介。＊0564・24・2367／10時〜17時／休館日　月曜、祝日、年末年始

●岡崎公園

　東岡崎駅の北西に位置する岡崎城跡をほぼ中心に、乙川と国道1号にはさまれた広大な公園。敷地内には、現在は資料館となっている**岡崎城**のほか、日本庭園、茶室、能楽堂が配され、遊歩道で回遊できる。

　徳川家康や三河武士にまつわる歴史資料を展示した**三河武士のやかた家康館**（9時〜17時／休館日　年末年始）と**岡崎城資料館**（9時〜17時／休館日　年末年始）が敷地内にある。＊岡崎市観光課0564・23・6216

●西大平藩陣屋跡（大岡越前守《おおおかえちぜんのかみ》陣屋跡）

　大平一里塚から東海道を東へ約一〇〇《メートル》、路地を北に入ってすぐ右側に立派な高麗門が見えてくる。ここが西大平藩陣屋跡で、藩主は名奉行で知られた大岡越前守。八代将軍吉《よし》宗《むね》に重用され、大名となって西大平に陣屋を置き、廃藩置県まで七代にわたって大岡家が治めた。平成一四年（二〇〇二）、庭園を整備して案内板も設置、一般に開放している。

●八丁味噌史料館

　愛知環状鉄道・中岡崎駅の西側、岡崎宿の西のはずれにあたる八帖町界隈は、八丁味噌の生産地。ひときわ目をひく大正末期の洋館は、老舗の一つ**カクキュー**の本社である。

　史料館として復元された古い仕込み蔵や稼働中の工場などを、係の人が案内してくれる。試食コーナーや八丁味噌製品の売店も。＊0564・21・1355／9時〜18時

【名物のうまいもの】

●八丁味噌

良質の大豆と矢作川の伏流水《ふくりゅうすい》でつくられる名産、八丁味噌の歴史は古く、戦国時代には兵士の糧食《りょうしょく》としても珍重された。

旧街道に面し、創業およそ六五〇年の老舗、もと大田商店の**まるや**（0564・22・0222）では、来訪客に味噌こんにゃくをふるまい、団体見学も多い。また**カクキュー**（0564・21・1355）の銘柄もおすすめ。両銘柄とも、市内各所で求めることができる。

●八丁味噌田楽《でんがく》

香ばしく焼いた豆腐に八丁味噌ベースのたれをぬった八丁味噌田楽と、素朴《そぼく》な菜飯《なめし》の組み合わせ。散策後、岡崎公園内の茶店、**桜茶屋**《さくらぢゃや》（0564・21・5985）か、**いちかわ**（0564・22・2479）でご賞味を。

●銘菓あわ雪

かつての岡崎宿には、**淡雪豆腐**を名物とする茶屋がならんだ。淡雪にみたてたあんかけ豆腐は、宿の名物として東海道を行きかう旅人に親しまれたという。その名物を模した和菓子あわ雪は、岡崎の郷土銘菓。卵白、寒天、砂糖を泡立てたもので、冷やして食べると美味。伝馬町の**備前**《びぜん》**屋**（0564・22・0234）、シビコ前の**旭軒元直**《あさひけんもとなお》（0564・22・0414）で。

歌川広重「東海道五十三次 岡崎」

江戸より 39 番目の宿

知立《ちりゅう》

【最寄り駅】▼名鉄名古屋本線・知立駅。北口から北へ徒歩五分で宿場の中心地。なお、知立宿から鳴海宿《なるみしゅく》にかけて、旧街道はほぼ名鉄名古屋本線に沿う。途中、新安城《しんあんじょう》、知立以外は特急、急行が停まらないのでご注意を。

【街道を歩く】

矢作橋《やはぎばし》から旧道を一キロ歩き、さらに国道1号を西に進むと、名鉄・宇頭《うとう》駅の北で東海道は右に分かれる。熊野神社の前に尾崎一里塚跡の石碑があり、そこからおよそ〇・七キロで、右側に**永安寺**《えいあんじ》のみごとな雲竜《うんりゅう》の松が目に入る。

やがて、十字路の角、西北に明治用水の通水を記念する**明治用水碑**。用水は暗渠《あんきょ》になって、この下を流れている。碑のむかい側の森

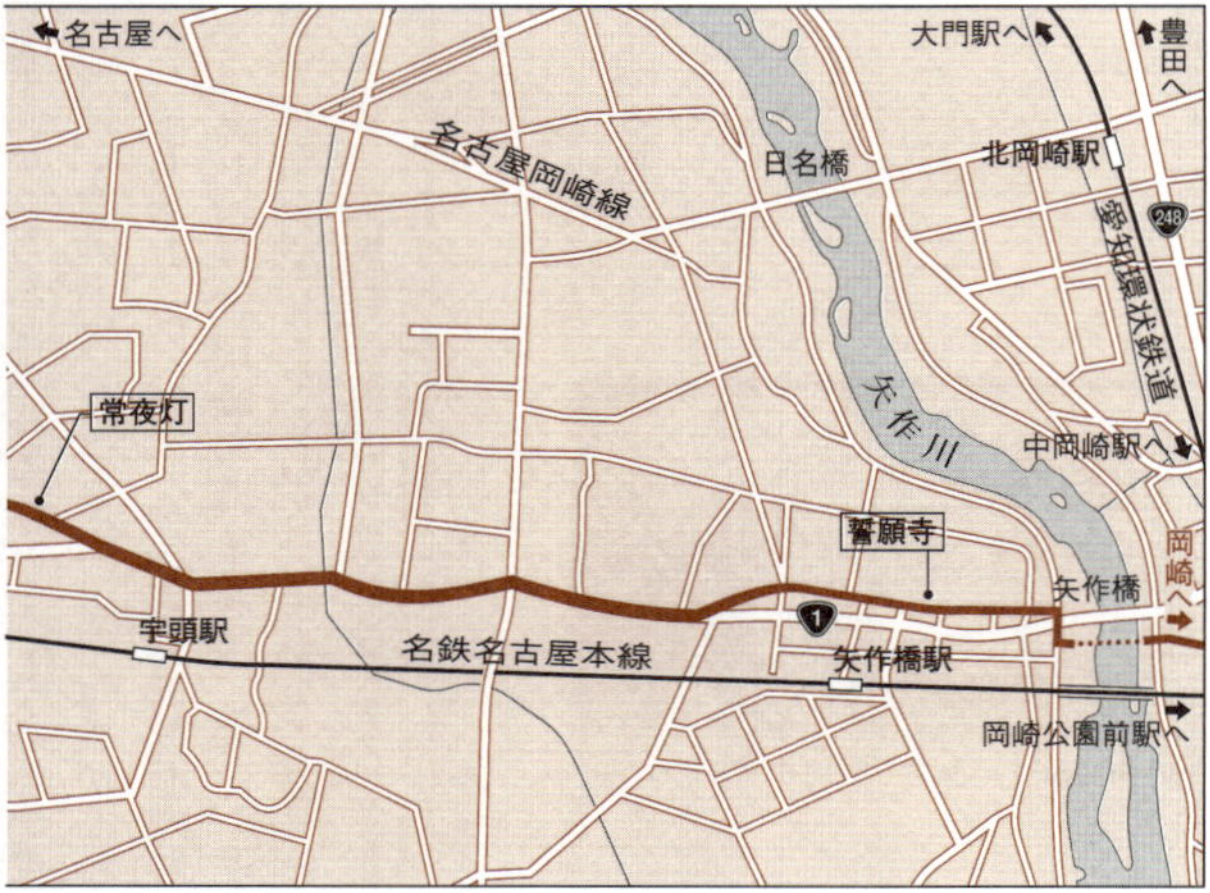

が**明治《めいじ》川《がわ》神社**である。

このあたりから西にかけて松並木がたびたびあらわれたり途切れたりする。ここから二キロほどの**猿渡橋《さるわたりばし》**をわたってしばらく行くと、来迎寺《らいごうじ》町信号の十字路の角に、元禄《げんろく》九年（一六九六）建立《こんりゅう》の道標がある。

そこを右に折れると、つきあたりが**無量寿《むりょうじゅ》寺《じ》**。境内右に**杜若池《かきつばたいけ》**、正面に本堂。本堂の裏手から右手にかけて**八橋《やつはし》かきつばた園**が広がる。見ごろは五月中旬である。

無量寿寺の手前、東海道にもどる途中、八橋信号で交差している道が鎌倉街道。右折して行くと左手に尼寺の**在原寺《ありわらでら》**。つづいて名鉄三河線踏切の手前左側に**根上《ねあ》がりの松**。線路をわたってすぐ右手が**八橋伝説**の地で、**在原《ありわらの》業平《なりひら》の歌碑**や宝篋印塔《ほうきょういんとう》の**業平塚《なりひらづか》**がある。

さらに北へ入ると**落田《おちた》中《なか》の一松《ひとつまつ》**が八橋団地内の公園にある。八橋周辺には伊勢物語や業

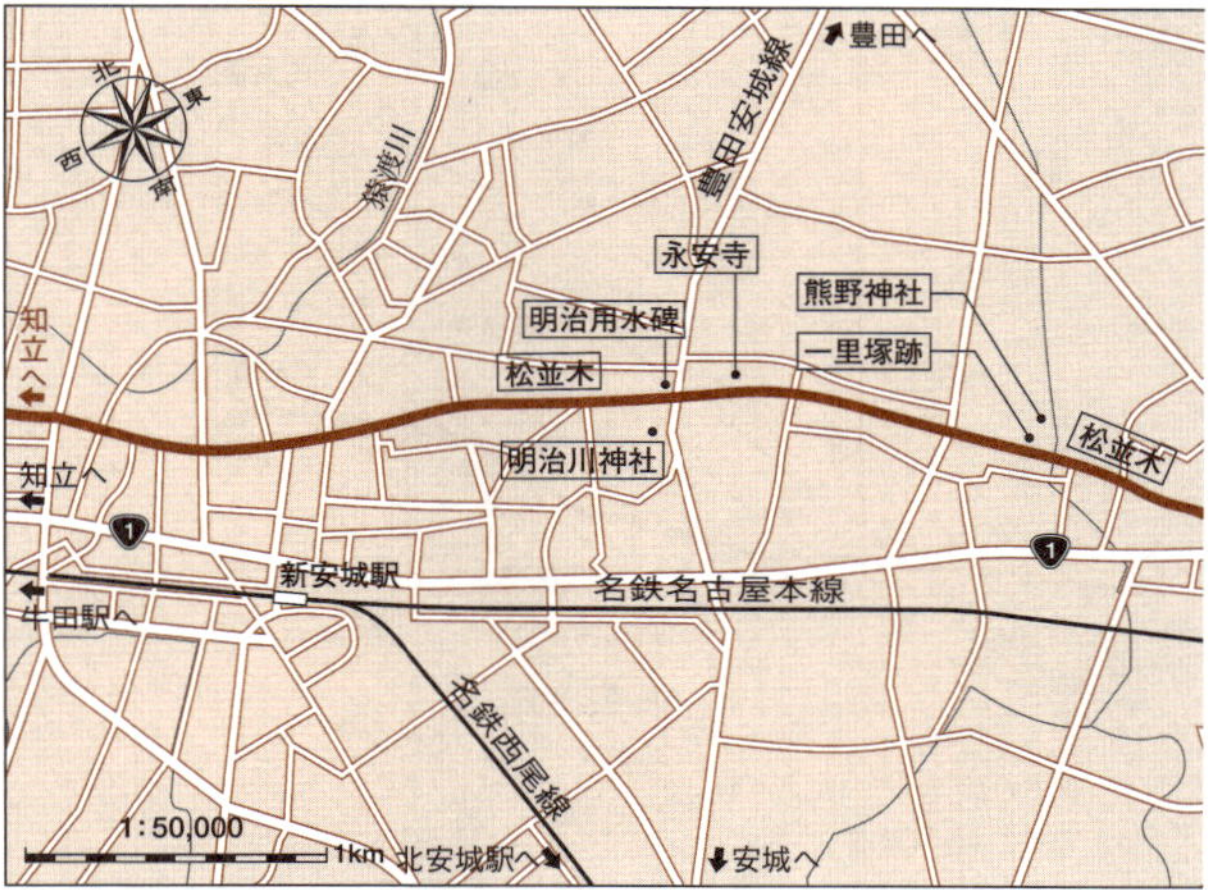

平をしのばせる史跡が数多く残っている。

来迎寺信号にもどって東海道を西に進むと、左右一対の**来迎寺一里塚**がある。やがて古木がよく残っている松並木。これが**知立の松並木**で、並木が終わる手前、左手に**馬市之**《うまいちの》**跡碑**、**引馬野爾**《ひくまのに》の歌碑がならんでたっている。知立の松並木は、両側に側道がついているのが特徴。馬市のとき、馬をつなぐためだったと推測される。

東海道はすぐに国道1号の地下道を通り、名鉄三河線をわたると、商店街になる。米屋の角を右折すると、山町《やままち》交差点のすぐ北が**慈**《じ》**眼寺**《げんじ》。入口に「馬頭《ばとう》観世音《かんぜおん》菩薩《ぼさつ》及《および》家畜《かちく》市場《いちば》」と彫《ほ》られた**馬市の碑**。東海道は、中町信号で旧国道1号をななめに横切って、当時の知立宿の中心、現在の銀座商店街に入る。

じき右に、巨大なマンションが目につくが、その前に**知立問屋場**《といやば》**跡**の石碑。すこし歩

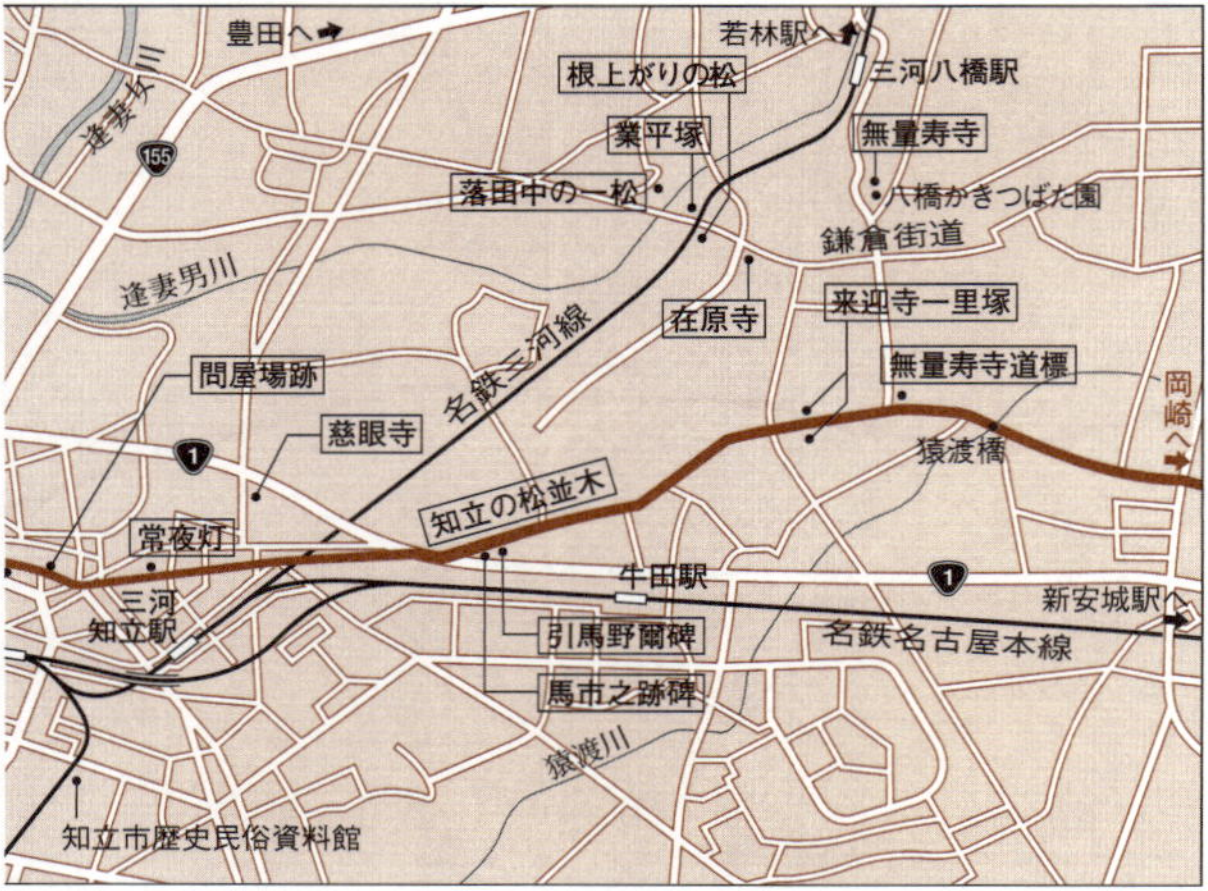

くと、左側、雑貨の村瀬商店の裏手、うなぎの今川屋の貯水槽の横に、**池鯉鮒《ちりう》宿本陣跡**の石碑がある。

街道にもどりT字路を右に曲がると、西町公園で**知立城跡碑**、突きあたりの**了運寺《りょううんじ》**の前を左折、すぐに国道155号の下の地下道。その入口の右手に**総持寺《そうじじ》跡大イチョウ**の標示板がある。

地下道を出てすこし行くと**延喜式内《えんぎしきない》知立神社**の石柱。そこを右に行くと、突きあたりが**知立神社**。永正《えいしょう》三年（一五〇六）再建の多宝《たほう》塔《とう》が美しい。

知立神社の西を北に行くと、左手に「流汗《るかん》不動《ふどう》」または「知立不動」の名で知られる**総持寺**がある。徳川秀康《とくがわひでやす》の生母、お万《まん》の方《かた》の生誕地で、その碑がたっている。

東海道は、じきに**逢妻川《あいづまがわ》**の堤にぶつかり、南に折れて旧国道1号と合流、**逢妻橋**をわた

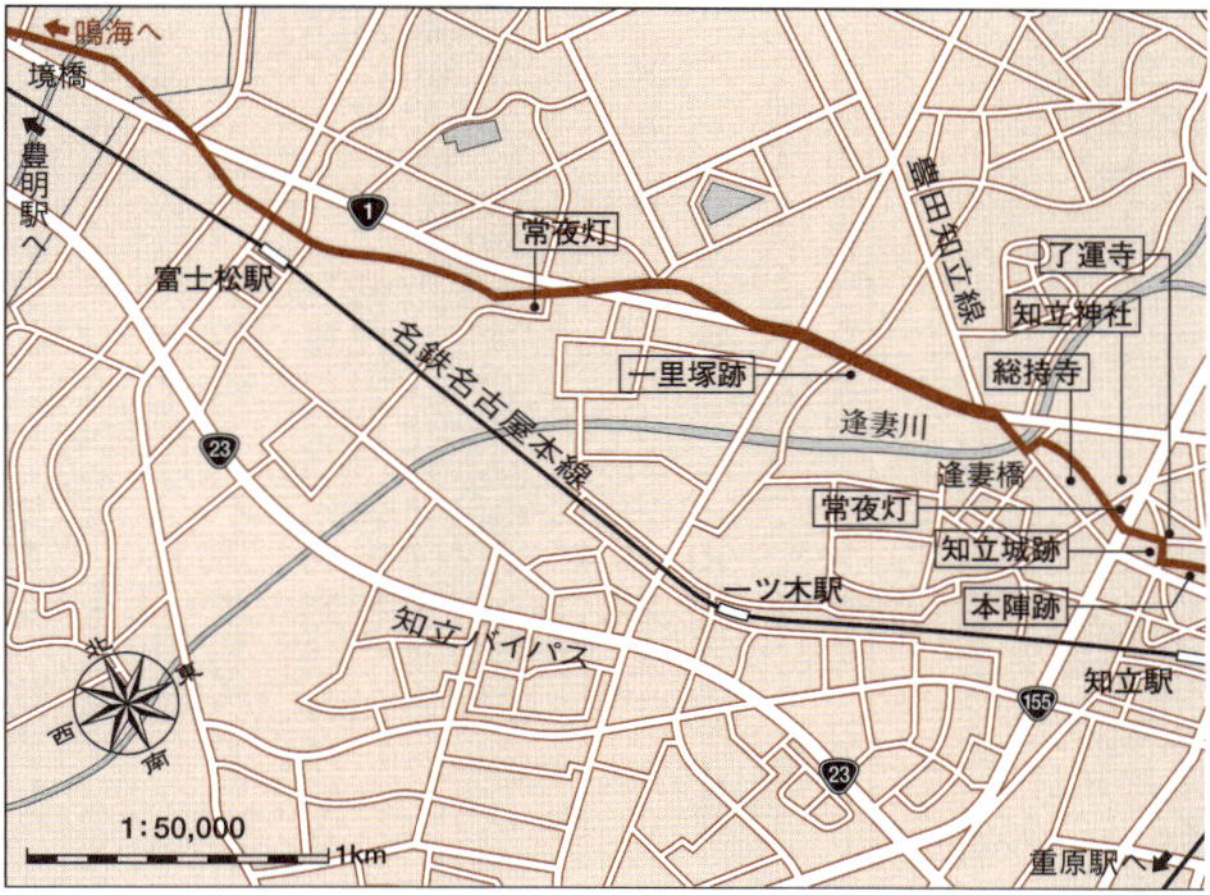

ると、すぐに国道1号のバイパス道路に合流する。そのさき左手歩道橋の下に一**里塚跡**の案内板がある。たえずトラックの行きかう道を歩くこと、およそ二〇分、東海道は左手に分かれ、農家風の落ちついた家並がつづく。

今川町《いまがわちょう》信号で、ふたたび国道を横切ると、東海道は一本道になり、三河《みかわ》と尾張《おわり》の境界に新しくかけかえられた**境橋**《さかいばし》に到着する。これをわたれば、もとの尾張の国。道は、鳴海《なるみ》へとむかう。

【ちょっと寄り道】

●無量寿寺・八橋かきつばた園

名鉄名古屋本線・牛田《うしだ》駅から旧東海道を東に約一〇分、来迎寺町交差点で北進して、さらに約一〇分（または、名鉄三河線・三河八《みかわやつ》橋《はし》駅から徒歩五分）。三河八橋は、かきつばたの名勝地として古くから知られ、平安の歌人在原業平が同地に立ち寄った際、「からころも　きつつなれにし　つましあれば　はるばるきぬる　たびをしぞおもふ」と、「かきつばた」の文字を句頭《くとう》に入れて詠んだことでも知られる。その業平の木像を安置した無量寿寺は、寺のまわりを取り囲む池全体が、五月には一面、紫色の花でおおわれる。

●知立神社

知立宿の西のはずれにあり、マムシ除けで知られた。五月二日、三日は当神社の祭礼である**知立まつり**が開かれる。二年に一度の本祭では、山車《だし》が練り歩き、**山車文楽**《ぶんらく》や**山車からくり**が上演される。

外苑の**花しょうぶ園**では、毎年六月に「花しょうぶまつり」が開催される。九月（旧暦八月二四日に近い日曜日）の秋葉《あきば》祭りには**手**《て》**筒花火**《づつはなび》が奉納《ほうのう》される。

●遍照院《へんじょういん》

弘仁《こうにん》年間（八一〇～八二四）に弘法大師《こうぼうだいし》が

当地に滞在、自座像三体を彫って本尊《ほんぞん》にしたと伝わる。別れを惜しんでやや右をむいた姿から「**見返《みかえり》弘法大師**」と呼ばれる。毎月旧暦二一日の縁日には露店三〇〇店がならび、五万人を超す参拝者がある。参拝のみやげものには、露店で売られる**心願《しんがん》だるま**が人気。

●知立市歴史民俗資料館

名鉄・知立駅の南方、ユニーの東、三河線踏切を越えた右手、**新地《しんち》公園**の一角。東海道からすこしはずれるが、知立宿のあらましを知るのにいい。国の無形文化財指定の「山車文楽とかしら」や東海道にかかわる町の資料を、実物や模型、ビデオを使って展示。＊0566・83・1133／9時〜17時（6〜8月は18時まで）／休館日 月曜、第4金曜、年末年始

【名物のうまいもの】

●うなぎ

遍照院周辺にはうなぎ屋が多く、縁日には蒲焼《かばや》きの露店が多数出店される。新鮮なうなぎが安価で楽しめる。

●名物大あんまき

黒餡《くろあん》、白餡をたっぷりとはさんで焼いた菓子で、明治二〇年代から親しまれている知立名物。了運寺の西側角、知立神社への参道の入口の**小《こ》松屋《まつや》本家**が元祖を名乗る。昔ながらの手焼き。

歌川広重「東海道五拾三次之内
池鯉鮒首夏馬市」

江戸より 40 番目の宿

鳴海 なるみ

【最寄り駅】▼名鉄名古屋本線・鳴海駅。駅前から北進すると本町《ほんまち》交差点。旧宿場の中心にあたり、すぐ左手が誓願寺《せいがんじ》。▼桶狭間古戦場《おけはざまこせんじょう》は、名鉄・中京競馬場前駅のすぐ南。▼間《あい》の宿《しゅく》・有松《ありまつ》は、名鉄・有松駅のすぐ南。ただし、鳴海駅以外は各駅停車駅なので、ご注意を。

【街道を歩く】

境川《さかいがわ》にかかる境橋をわたると、東海道はすぐに国道1号と合流。名鉄・豊明《とよあけ》駅前の信号をすぎると、また国道から左に分かれる。五分ほどで**阿野《あの》一里塚**。めずらしく、道の両側の塚が、ほぼ往時のままに残っていて、国の史蹟に指定されている。

しばらく歩くと、前後町《ぜんごちょう》の右手の丘の上

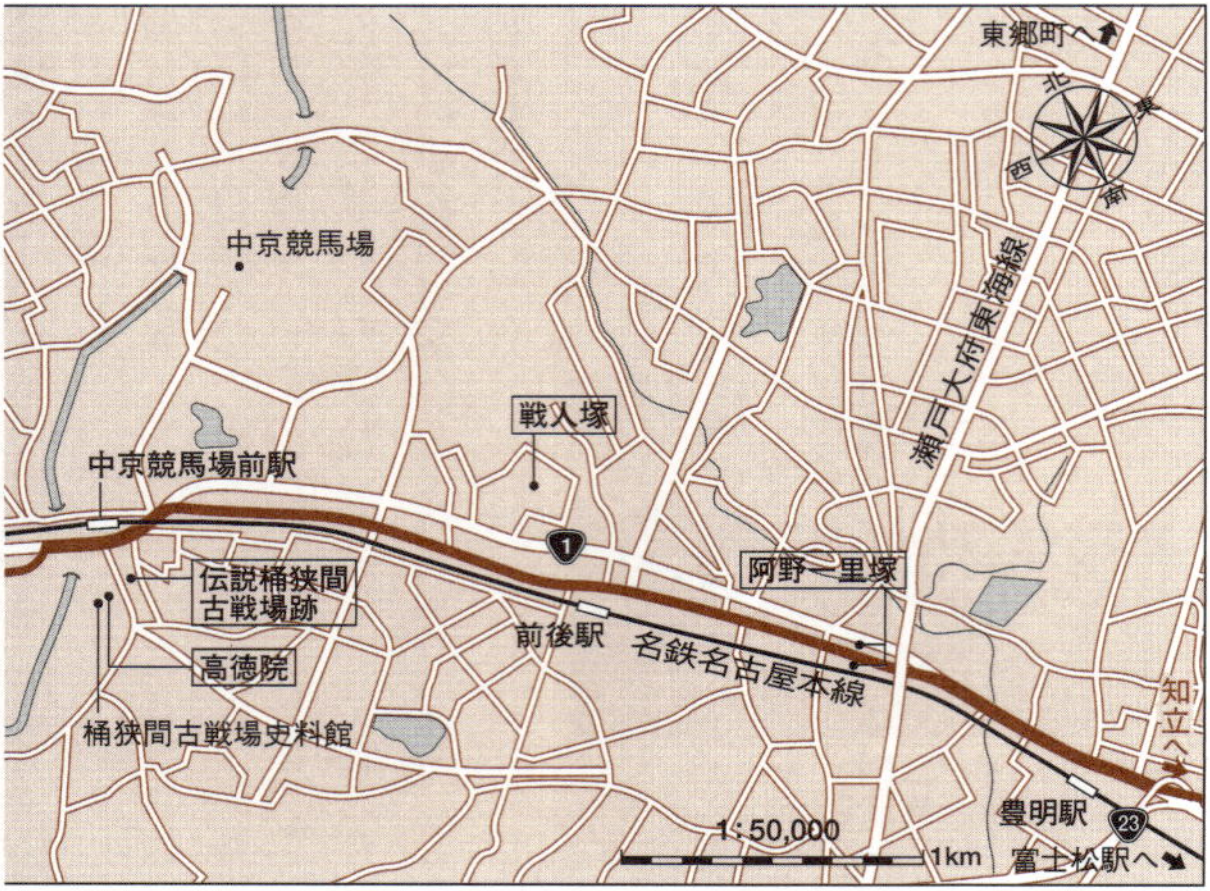

に、**戦人塚**《せんにんづか》がある。桶狭間合戦で戦死した兵を葬ったものといわれている。

街道は、名鉄線と並行し、名鉄・中京競馬場前駅の手前で国道と合流する。

名鉄ガードをくぐってすぐ、ガソリンスタンドとおにぎり店のあいだを左に入ると**伝説桶狭間古戦場跡**と伝えられる史跡公園。**今川**《いまがわ》**義元**《よしもと》**の墓**などがある。道路をへだてて右の石段の上に、新しい山門のある**高徳院**《こうとくいん》。**桶狭間古戦場史料館**もあり、**義元木像**などが展示されている。

なお、ここから西へ約二キロにも**桶狭間古戦場跡**の公園と、義元ゆかりの品が残る**長福寺**《ちょうふくじ》がある。

国道を西に進み、大将ケ根《たいしょうがね》信号で国道から分かれてななめ右に入ると、知立《ちりゅう》と鳴海の**間の宿・有松**。尾張藩《おわりはん》の庇護《ひご》をうけてつくられた有松絞《しぼり》の産地として繁栄、三八〇年の伝統

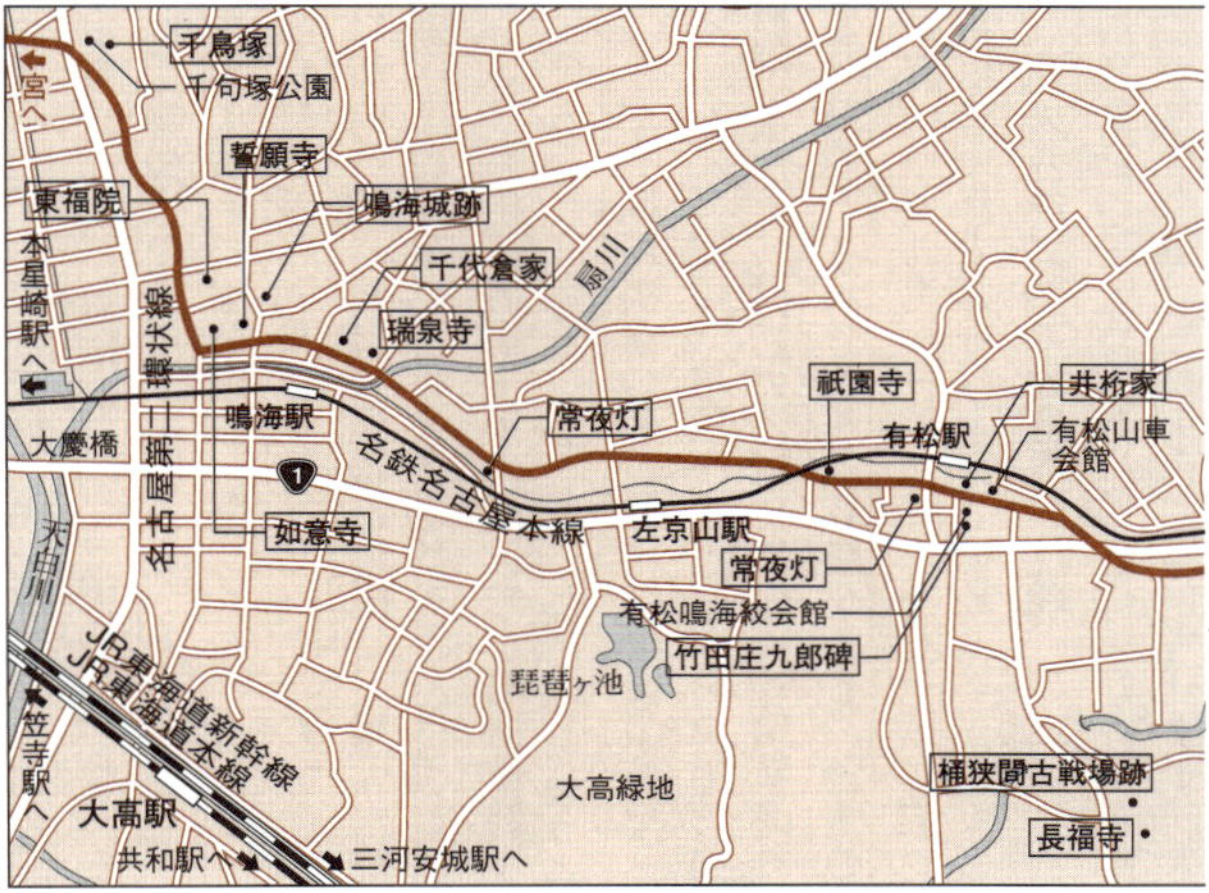

の技法を伝える。豪華なたたずまいの町屋《まちや》が連なって、市の町並保存地区になっている。

街道右側に、白い土蔵造りの**有松山車会館**《ありまつだしかいかん》。名古屋市文化財指定のからくり人形を乗せた山車が見られる。

そのならびには県指定文化財の**服部邸**（**井桁屋**《いげたや》）。むかい側には、**有松鳴海絞会館**《ありまつなるみしぼりかいかん》。

会館のすぐ左手、駐車場の奥には、絞りの開祖・**竹田庄九郎**《たけだしょうくろう》**の碑**。

ここから西へ古い商家が残る家並がつづく。大火にあった教訓から、塗籠《ぬりごめ》造り、なまこ壁の防火建築のどっしりとした町屋十数軒が軒を連ねている。左手の岡《おか》家、竹田邸（笹加）、小塚《こづか》家の住宅は、市の指定文化財。

やがて右に、**仏足石**《ぶっそくせき》、**豪湖**《ごうこ》**歌碑**のある**祇園寺**《ぎおんじ》。街道は有松を出て、名鉄の踏切を越えると、小さな川にかかる**鎌研橋**《かまとぎばし》がある。そこからおよそ一キロで、大きな信号交差点。それをすぎると、左に**常夜灯**《じょうやとう》。民家がならぶ道を、さらに西へ。**扇川**《おうぎがわ》にかかる**中島橋**《なかじまばし》をわたると、鳴海宿である。

すぐ右手に**瑞泉寺**《ずいせんじ》。一段高く立つ山門は、宇治《うじ》の万福寺《まんぷくじ》総門を模したという、めずらしい黄檗《おうばく》様式。庫裏《くり》の屋根の煙出《けむりだ》し、雄大な柱組みなど、禅宗《ぜんしゅう》独特の建築がみごとだ。すこしさき右手に**名家・千代倉**《ちよくら》**氏宅**、**鳴海城跡**などがある。

やがて**問屋場**《といやば》**跡**の名古屋市緑社会教育センターを左に見て、名鉄・鳴海駅からの道と交差する本町《ほんまち》信号を右に入ると、**誓願寺**がある。最古とされる**芭蕉供養塔**《ばしょうくようとう》がある。芭蕉の没年、元禄《げんろく》七年（一六九四）一〇月が、自然石に刻まれている。

宿の西端にある**如意寺**《にょいじ》の住職、如風《じょふう》が、鳴《なる》海《み》六俳仙《ろくはいせん》の一人だった縁から、如意寺で芭蕉三十五日忌がいとなまれ、供養塔はまず同寺境内にたてられ、そののち、この誓願寺に移された。

供養塔の隣には、こぎんまりとした**芭蕉堂**。安政《あんせい》五年（一八五八）の建立《こんりゅう》で、安置されている**芭蕉像**は、芭蕉手植えの杉の古木を彫ったものとされる。

誓願寺の前を北に行くと、丘の上に**根古屋《ねごや》城（鳴海城）跡**。

本町交差点にもどって、下町風情の街道を西へ。**如意寺**をすぎると、道は北西に曲がる。しばらく進んで右手の路地を入ると、根古屋城の廃材でたてた山門の**東福院《とうふくいん》**がある。

さらに北に進むと、右に、柵《さく》で囲った**鉾《ほこ》の木《き》貝塚**。そのすぐさきの「正一位緒畑稲荷《しょういちいおばたいなり》神社」の標柱を右に入り、一〇〇《メートル》ほど坂をのぼると、左手の大エノキの下に、芭蕉ゆかりの**千鳥塚《ちどりづか》**がある。

碑文にある「星崎《ほしざき》の闇を見よとや啼《な》く千鳥」は芭蕉自筆で、存命中にできた唯一の翁塚とされている。付近には芝生の広場、休憩施設もでき、**千句塚《せんくづか》公園**として整備された。

鳴海町三王山《さんのうやま》交差点の広い道（名古屋第二環状線）をすぎると、天白橋《てんぱくばし》はもうすぐ。わたると、街道は名鉄・本笠寺《もとかさでら》駅方面へ、つぎの宿、宮へとむかう。

【ちょっと寄り道】

●有松鳴海絞会館

有松絞は、有松町で四〇〇年近い歴史をもつ木綿絞りの伝統工芸。すべての工程が手づくりで、おなじ柄を絞っても、職人の力加減で微妙な差が生まれ、その風合《ふうあい》が魅力となっている。

ここでは、有松絞の歴史資料や実物見本を展示、解説。また絞り技法の実演を見ることもできる。売店には、ゆかたや小物などの絞り製品を販売している。＊052・621・011

1／9時～16時／休館日　水曜（祝日の場合は翌日）

●有松山車会館

毎年、春と秋におこなわれる有松の祭りは、豪華な山車が名物。精巧なからくり人形をのせた三台の山車は、名古屋市の文化財に指定されている。平成元年（一九八九）にオープンした有松山車会館では、そのうちの一台を常時展示。解説を聞きながら見学できる。＊052・621・3000／9時30分～16時30分／休館日　水曜（祝日の場合は翌日）、年末年始

●桶狭間古戦場跡

旧東海道沿い、有松の東のはずれにある有松郵便局から南に入り約二〇分。永禄《えいろく》三年（一五六〇）、大軍を率いる今川義元を小勢《こぜい》の織田《おだ》信長《のぶなが》軍が奇襲した桶狭間の合戦地跡。昭和六三年（一九八八）、公園として整備された。一方、中京競馬場前駅の南には「伝説桶狭間古戦場跡」があり、付近の高徳院に「桶狭間古戦場史料館」がある。

【名物のうまいもの】

●食事処

旧東海道沿い、有松鳴海絞会館のむかいにある手打ちうどんの**寿限無《じゅげむ》茶屋《ぢゃや》**（052・624・5006／11時～21時／木曜定休）は、古い商家建築の遺構をそのまま残し、店内のみ改装して営業している。

神半邸《かみはんてい》の竈《くど》は、昭和初期の絞り問屋の邸宅を改装して、数年前から和食（自然食）の料理屋として営業している。昼の食事も五〇人くらいまで引き受けられるので、団体の食事処としても喜ばれている。＊052・626・0300／11時～14時、17時半～23時／定休日　第3月曜

江戸より **41** 番目の宿

宮《みや》

【最寄り駅】▼地下鉄・伝馬町《てんまちょう》駅。下車すぐ。▼名鉄名古屋本線・神宮前《じんぐうまえ》駅。南へ徒歩七分で、伝馬町。「旧東海道」の標柱のある旧道に出る。▼名鉄名古屋本線・本笠寺《もとかさでら》駅。宿の東のはずれから散策をという向きは、ここからスタート。笠寺一里塚は、駅から東へ徒歩一〇分。

【街道を歩く】鳴海宿《なるみしゅく》から宮宿まで、約六キロ。東海道は天《てん》白橋《ぱくばし》から西へ赤坪《あかつぼ》交差点を直進、やがて右に**笠寺《かさでら》一里塚**。老エノキは枯れかけたが、平成六年（一九九四）春、市が二〇〇万円をかけて幹に空いた穴をふさぐ手術をしてよみがえり、周辺も整備された。

しばらく行くと、正面に**笠寺観音**（**笠覆《りゅうふく》寺《じ》**）**多宝塔《たほうとう》**が見えてくる。**太鼓橋《たいこばし》**をわたって仁王門《におうもん》をくぐると本堂、宝暦《ほうれき》一三年（一七六三）建造。聖武天皇の時代に呼続浦《よびつぎうら》に漂着した霊木《れいぼく》を禅光上人《ぜんこうしょうにん》が彫《ほ》ったと伝わる十一面観音《じゅういちめんかんのん》が本尊《ほんぞん》。寺が荒れて、雨に濡れていた観音に、美しい娘が笠をさしかけた。鳴海長者《なるみちょうじゃ》の下女で虐《しいた》げられていたが、このやさしさが縁で、藤原兼平《ふじわらのかねひら》の妻に。のちの玉照姫《たまてるひめ》で、兼平の死後に観音堂《かんのんどう》や僧坊《そうぼう》を寄進した。笠をかぶるご本尊は八年ごとにご開帳。

玉照姫をまつる**泉増院《せんぞういん》**は道をへだてて南に。このシンデレラ物語にあやかって、縁結び祈願をする人も多い。隣には安産のご利益の**西方院《せいほういん》うすさま明王《みょうおう》**。一〇〇メートルほど南に入った**東光院《とうこういん》**は宮本武蔵《みやもとむさし》ゆかりの寺で、境内に**出世神酒天神《しゅっせみきてんじん》**（**笠寺天神**）、**筆塚《ふでづか》**もある。観音の北東の高台は**見晴台《みはらしだい》遺跡**、**考古資料館**。弥生時代の住居を復元した**観察舎《かんさつしゃ》**にも立ち寄りたい。

　東海道は笠寺観音西門から商店街を直進、名鉄本笠寺駅を左に見て、踏切を越え二叉路《にさろ》を右へ（左に入ると**戸部城主《とべじょうしゅ》の碑**）。やがて左に**名古屋十名所碑**。広大な森は、弘法大師《こうぼうだいし》創建の寛蔵寺《かんぞうじ》を継いで再興された**稲荷山長楽寺《いなりさんちょうらくじ》**。**弘法堂《こうぼうどう》**、**清水稲荷《しみずいなり》**の奥の森に本堂。**呼続公園**につづく深い森には巨木が残る。境内に**名犬サーブ碑**がたつ。その裏手には**富部神社《とべじんじゃ》**。本殿は桃山様式を伝えるもの。名鉄線路沿いには、桜古墳のある**桜神明社《さくらしんめいしゃ》**がある。

　約五〇〇《メートル》さき、米穀店の角の小道が鎌倉街道。右折すると**湯浴地蔵《ゆあみじぞう》**と**弘法堂《こうぼうどう》**。この道を西へ三〇〇《メートル》ほど行くと**白毫寺《びゃくごうじ》**、境内に**年魚市潟勝景《あゆちがたしょうけい》の碑**。かつては知多の浦をのぞむ名勝の地で、万葉歌人の**歌碑**や**芭蕉《ばしょう》句碑**がある。いま、海は数キロさき。家々の屋根が見えるばかりである。

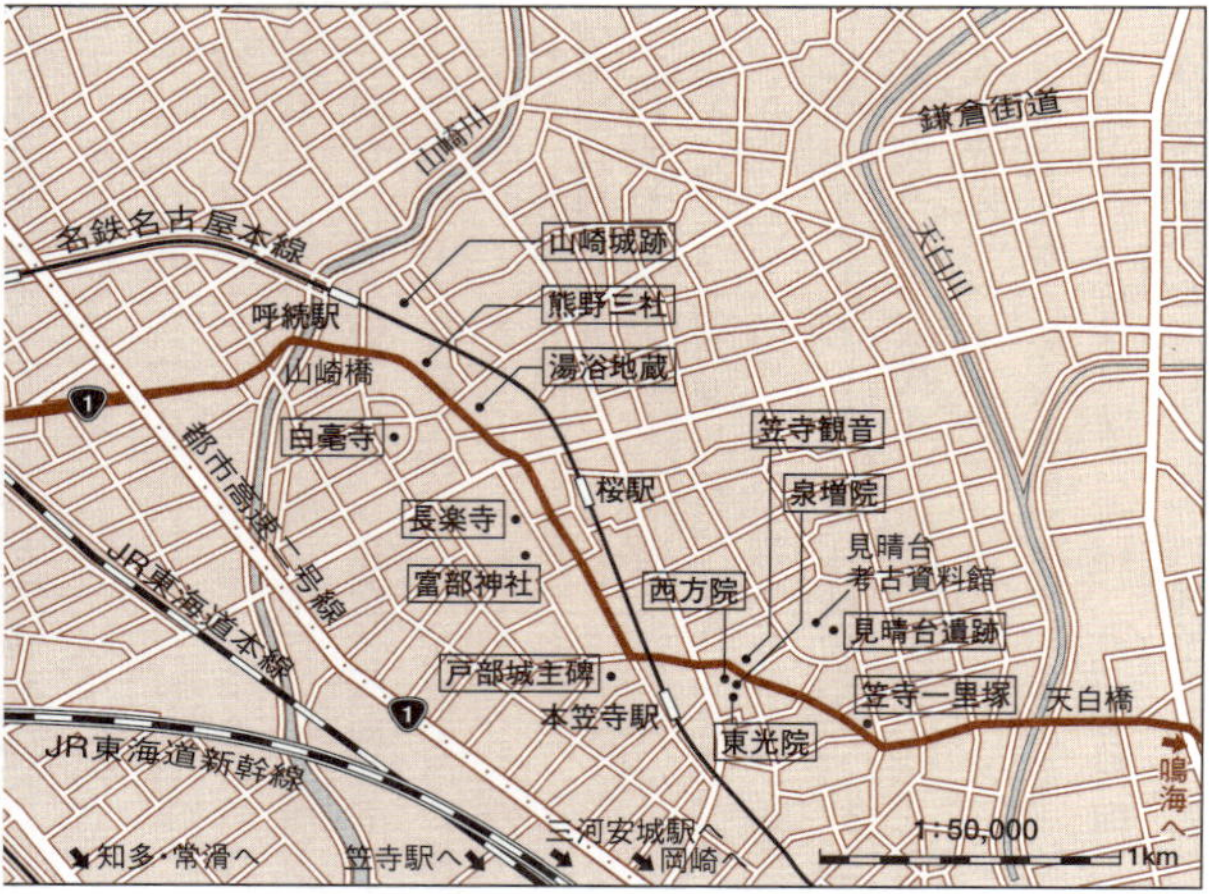

東海道にもどり北へ。クスノキがしげる**熊《くま》野《の》三社《さんじゃ》**。「松巨嶋」と彫った手洗鉢。七夕には「輪くぐり」行事がある。

名鉄線の北の高台に**安泰寺《あんたいじ》**、**山崎城《やまざきじょう》跡**。三社前から長い坂をくだり山崎橋をわたり、ブラザー工場横を西へ。国道1号の陸橋のわき道あたりからが伝馬町《てんまちょう》。JRの踏切と名鉄のガードをくぐると**一里塚**が復元されている。

このあたり、かつては熱田神宮《あつたじんぐう》の門前町《もんぜんまち》、桑名への海路の要衝《ようしょう》としてもにぎわったが、商店街はひっそりとして、あちこちに史跡の立て札がたつだけ。宿場のにぎわいをしのぶことさえむずかしい。

左に**裁断橋《さいだんばし》**、**姥堂《うばどう》**と**どどいつ発祥地**の**碑**がある。その裏手に、竹千代《たけちよ》（家康《いえやす》の幼名）をかくまった**加藤図書助館《かとうずしょのすけやかた》跡**がある。

幹線道路に分断された東海道を、迂回して歩き継ぐ。西の行き止まりに、**ほうろく地**

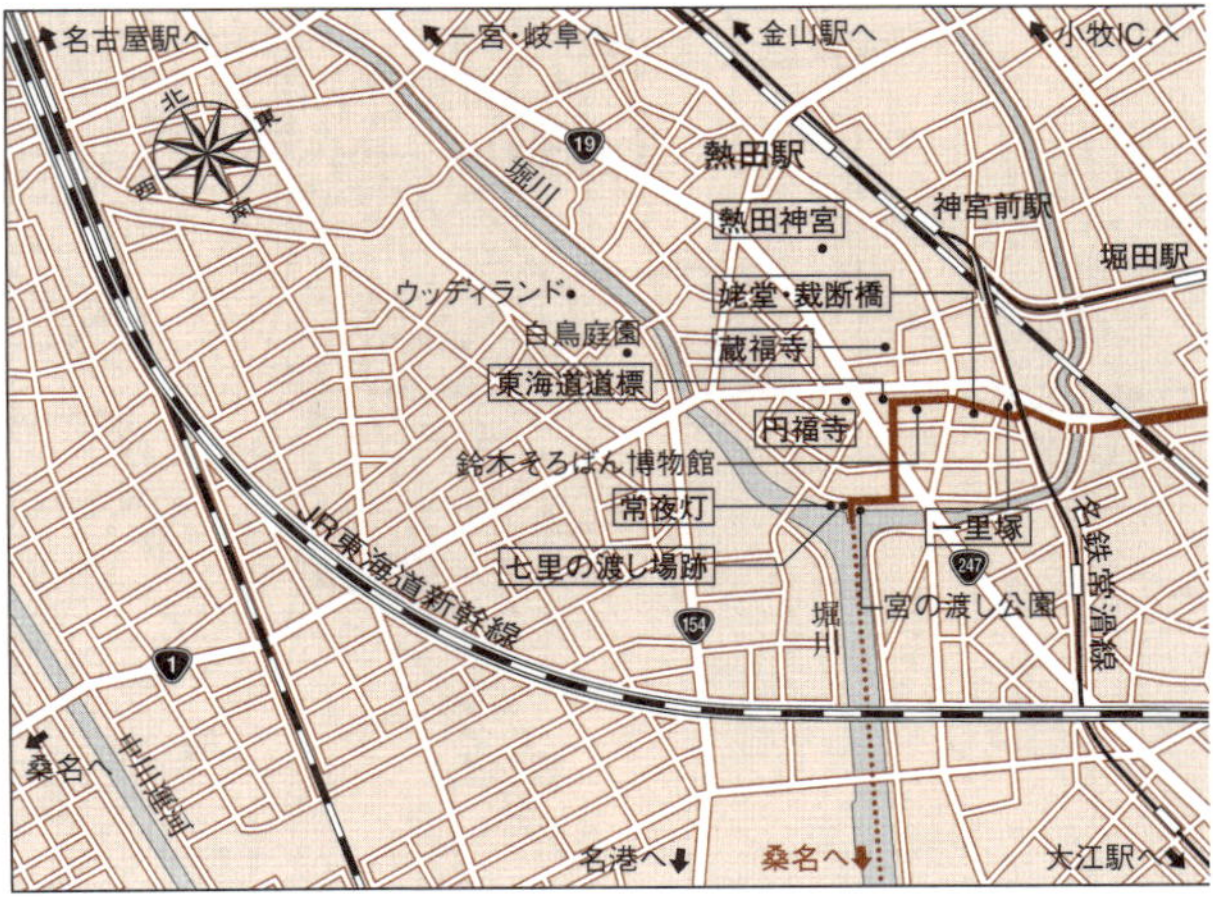

蔵。角に**東海道道標**があり、**佐屋《さや》街道**との分岐点。右に熱田神宮の鳥居が見える。**熱田神宮**は、三種の神器《じんぎ》の一つ、草薙剣《くさなぎのつるぎ》をまつり、参拝客は年間一千万人。本宮、別宮のほか摂社八つ。そのうちの**上知《かみち》我《か》麻《ま》神社**は初えびすで知られる。

左へ曲がり、二〇〇メートルで**宮の渡し公園**。桑名への**七里の渡し場跡**で、**常夜灯《じょうやとう》**と蔵福寺《ぞうふくじ》の鐘を復元した**時《とき》の鐘《かね》**がならぶ。埋め立てが進んで、名古屋港ははるかさき。周辺に**旅籠《はたご》跡**、**熱田魚市場跡**。また、熱田神宮周辺には、北《きた》の湖《うみ》横綱昇進記念の仁王がたつ**法持《ほうじ》寺《じ》**、尾張ではじめて芝居興行があった**円福寺《えんぷくじ》**など、由緒ある寺社が散在する。

桑名まで、むかしなら渡しで七里（約二七キロ）。いまは陸路。船嫌いが利用した桑名への佐屋街道は、熱田神宮西門から北へ、**金山《かなやま》の道標《どうひょう》**を左折して西進。岩塚《いわつか》宿、万場《ばんば》の渡

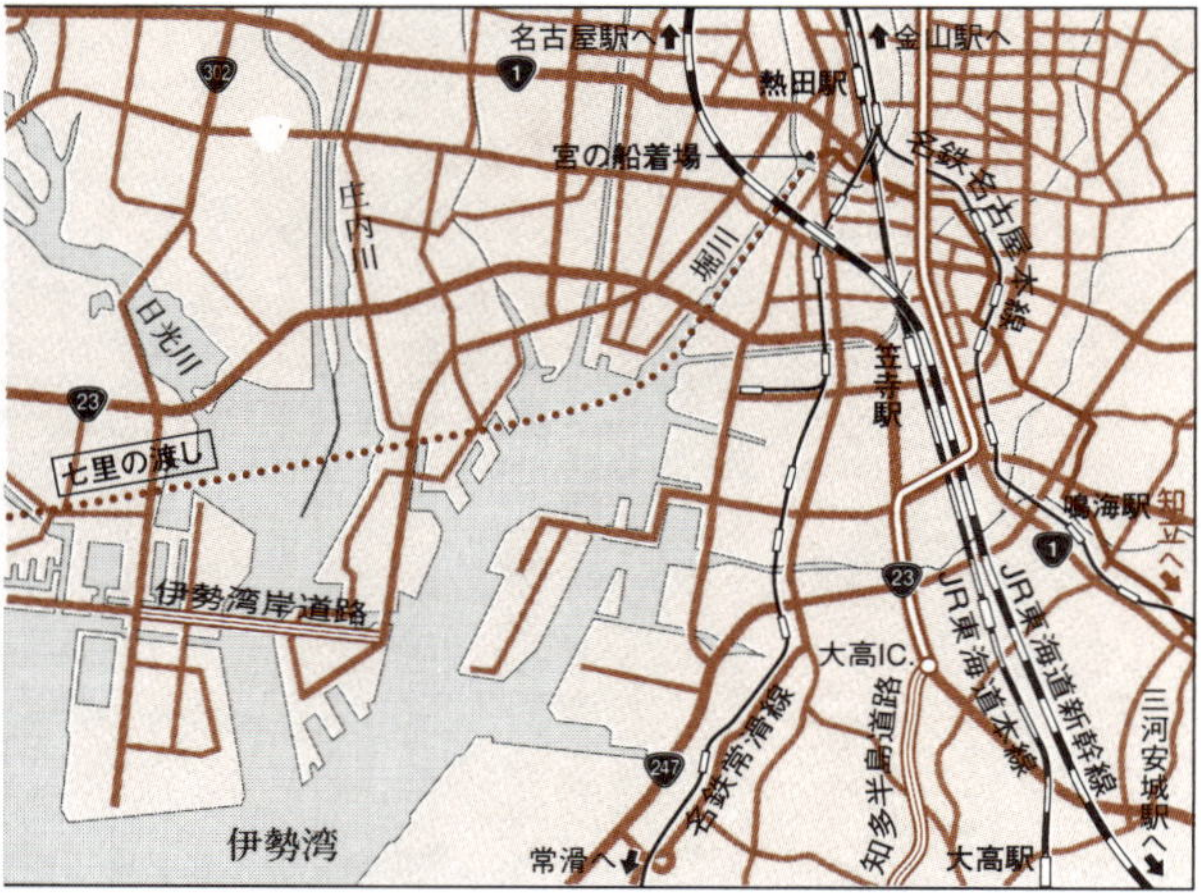

し、神守宿《かもり》を経て、佐屋宿まで五里。木曽川を船で約三里くだって桑名に入った。

【ちょっと寄り道】

●名古屋市見晴台考古資料館

笠寺観音の北東にある小高い丘をのぼれば、**見晴台遺跡**。弥生時代から古墳時代の集落跡で、多量の土器や陶磁器、自然遺物が出土している。敷地内には市営の資料館があり、常時発掘資料展が開かれている。＊052・823・3200／9時15分～17時／休館日　月曜（祝日の場合は翌日）、第4火曜（祝日の場合開館）、年末年始

●白鳥庭園《しろとりていえん》

熱田神宮の西、堀川《ほりかわ》をわたった約三・七ヘクタールの敷地に名古屋市が昭和五八年（一九八三）から整備した池泉《ちせん》回遊式日本庭園。汐入庭《しおいりてい》はハイテクを駆使して池の干満を演出する。数寄屋《すきや》建築の**清羽亭**《せいうてい》は、茶会《ちゃかい》などに開放されている。＊052・681・8928／9時～16時

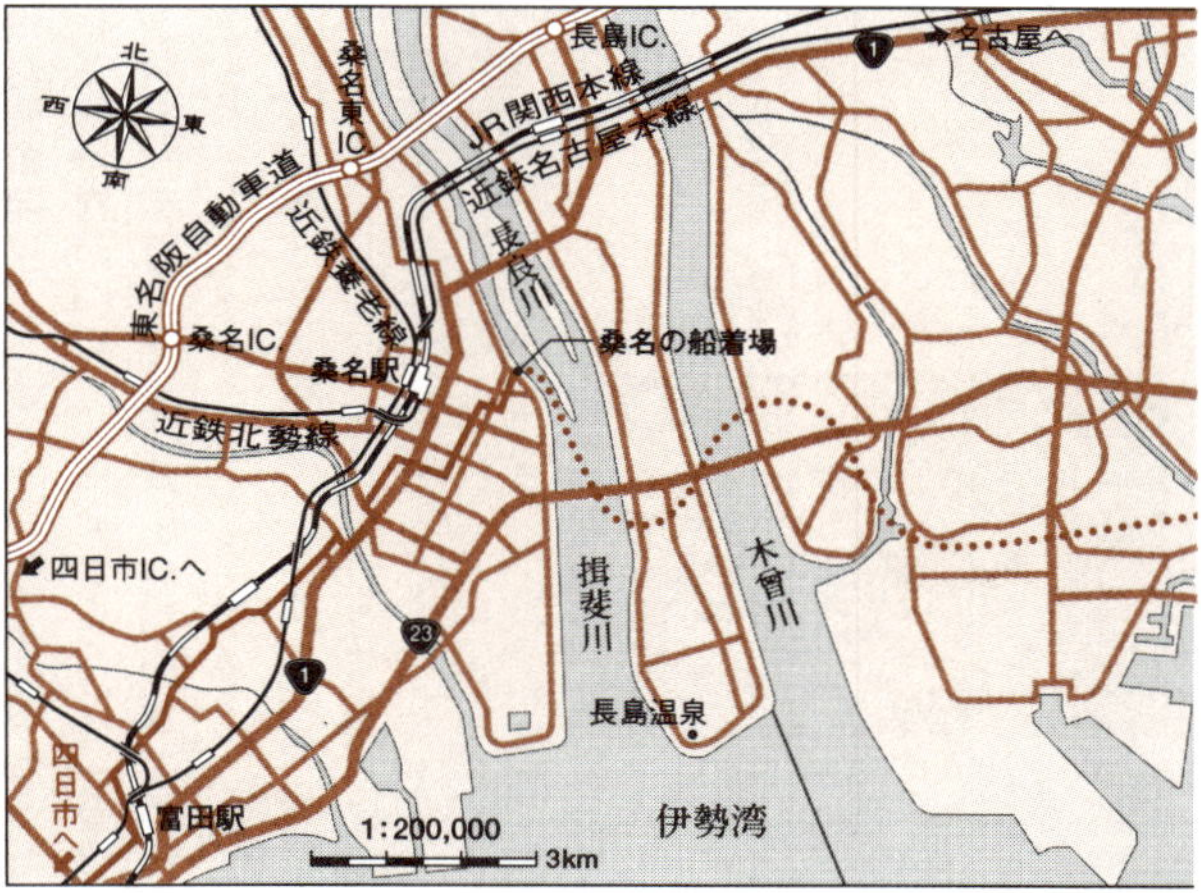

30分／休園日　月曜（祝日の場合は翌日）、第3水曜（祝日の場合は翌週）

●ウッディランド

　国際会議場の南側、白鳥庭園の北隣。名古屋築城のための資材を運搬した堀川に面し、大貯木場だった。現在は縮小され、名古屋営林支局の一角。木材に関する展示館があり、木工品のみやげものコーナーには、宮の渡し常夜灯をかたどった置物もある。＊052・681・1700／10時～16時30分／休場日　水曜、年末年始

【名物のうまいもの】

　名古屋全般でいえば、**味噌煮込みうどん**、**きしめん**、**名古屋コーチン料理**。みやげものでは、**ういろう**、**守口漬《もりぐちづ》け**などが有名。名古屋市街の各地の繁華街、名店街で。

　熱田神宮内では、**宮きしめん**（本社052・671・6000）が賞味できる。熱田名物として**鰻ひつまぶし**があり、七里の渡し場跡近くのあつた**蓬莱陣屋《ほうらいじんや》**（052・671・8686）やあつた**蓬莱軒《ほうらいけん》神宮南門店**（052・682・5598）などが有名。和菓子では、熱田名物の**きよめ餅《もち》**（本社052・681・6161）。ぎゅうひでこし餡《あん》をつつんだ菓子。旧街道沿いの**亀屋芳広《かめやよしひろ》**（本店052・682・0025）の**七里の渡し**は、渡し場の風情《ふぜい》をただよわせる、かわいい竹かごに入った菓子。みやげによい。

歌川広重「東海道五拾三次之内　宮熱田神事」

◆渡船（とせん）と船会所（ふなかいしょ）

旧東海道の道行きには、航路、つまり渡船を必要とする箇所がある。その一つが、舞坂宿と新居宿のあいだ、浜名湖《はまなこ》を横断する部分で、ここが「今切《いまぎれ》の渡《わた》し」である。また、宮宿と桑名宿のあいだ、伊勢湾をわたる航路が「七里《しちり》の渡し」である。

今切の渡しは、海上およそ一里（約三・九㌔）。新居の側に船会所《ふなかいしょ》が置かれ、渡船を管理した。

七里の渡しは、文字どおり七里（約二七㌔）の道のり。ただし、これは通常時の距離で、干潮《かんちょう》のときには、船が進むことのできる深みをもとめて大きく沖に迂《う》回《かい》することになり、十里（約三九㌔）の渡しになったという。いずれにせよ三時間以上の船旅だった。

かつての宮の渡し場にたつと、名古屋港の埋め立てが進んだせいで、目前には運河がのびるばかり。しかし、周辺は宮の渡し公園として整備され、灯台の役目もはたした常夜灯や、船出の時刻を告げた「時《とき》の鐘《かね》」も移設され、当時をしのばせる。

一方、宮から海路をわたった桑名宿の渡し場は、この付近を中心に宿場が栄えていた。

なお、東海道には、この二ヵ所以外にも、六郷川《ろくごうがわ》（多摩川《たまがわ》）、相模川《さがみがわ》、天竜川《てんりゅうがわ》などの川に船渡しがあった。

江戸より 42 番目の宿

桑名　くわな

【最寄り駅】▼JR関西本線および近鉄名古屋線・桑名駅。東口に出て八間《はちけん》通りを東へ直進。約一五分。柿安《かきやす》本店の角を北に曲がると、丹羽《にわ》本陣跡の近く。

【街道を歩く】

桑名宿の中心は**七里《しちり》の渡し場跡**である。昭和三四年（一九五九）の伊勢湾台風のあと、大きな堤防がつくられたため、いまは、道路と渡し場跡とは、高い防波壁《ぼうはへき》によってさえぎられている。渡し場としての機能は失われたが、防波壁の上からは、広々とした**揖斐川《いびがわ》**をのぞむことができる。

数年前から、揖斐川の堤防沿いに、国土交通省の手で、「スーパー堤防」の整備工事がおこなわれている。広場は「吉野丸コミュニティーパーク」という公園になっていて、「蟠龍櫓《ばんりゅうやぐら》」が建っている。

ここは伊勢国《いせのくに》の東の入口。天明《てんめい》年間（一七八一～一七八九）以来、**伊勢一《いち》の鳥居《とりい》**がたてられている。

常夜灯《じょうやとう》もあるが、街道筋の鍛冶町《かじまち》から戦後に移転されたもの。渡し場の西には高級料理旅館の**山月《さんげつ》**（**船番所《ふなばんしょ》・脇本陣駿河屋《するがや》跡**）と**船《ふな》津屋《つや》**（**大塚《おおつか》本陣跡**）がならんでいる。

渡し場跡から、東海道は南にのびている。**船会所《ふなかいしょ》**、**伝馬問屋《てんまといや》**、**丹羽本陣**がならんでいたが、いまは標示碑のみがたっている。平成三年（一九九一）に修景がなされ、路面は博物館前まで石畳《いしだたみ》風になっている。

八間通りの広い道路を横断し、しばらく行くと、西側に大きな**青銅製の鳥居**。桑名は古くから鋳物《いもの》業の町として栄えたが、この鳥居はそのシンボル的な存在として、寛文《かんぶん》七年

（一六六七）からたっている。

さらに南に行くと、東側は**桑名城**の堀となっている。この堀の一部が埋め立てられ、**歴史を語る公園**となっている。江戸日本橋から京都三条大橋までの東海道を模した公園。

ここで東海道はつきあたりとなる。東へ行くと、南大手橋《みなみおおてばし》から桑名城内への道。東海道は西へ曲がる。北側に**石取**《いしどり》**会館**、南側に**桑名市博物館**がある。

旧道はここから博物館角の京町《きょうまち》交差点を横断して、北側にある**毘沙門堂**《びしゃもんどう》のところを吉津《よつ》屋町《やちょう》商店街の方へ南に曲がる。この付近は**京**《きょう》**町見附**《まちみつけ》があった場所。ここは枡形《ますがた》道路になっていたが、いまは枡形はなくなっている。

商店街のはずれの中央通りを横断すると、**吉津屋見附跡**がある。このあたりには東海道の枡形道路が残っているが、標示がないので、注意が必要。桑名市適応指導教室の角を西へ、すぐ南へ、さらにすぐ東へ、枡形に沿って曲がる。

さらに**鍛冶町常夜灯跡**をすぎて、玩具店イモヤの角を南に曲がる。ここから新町《しんまち》、伝馬《てんま》町《ちょう》にかけては、街道の西側に北から**教宗寺**《きょうしゅうじ》、**光明寺**《こうみょうじ》、**光徳寺**《こうとくじ》、**十念寺**《じゅうねんじ》、**寿量寺**《じゅりょうじ》と寺がならぶ。光徳寺前にある**泡洲崎**《あわすさき》**八幡社**《はちまんしゃ》には道標があるが、これはほかから移したもの。広い道路を横断すると、**長円寺**《ちょうえんじ》、**報恩寺**《ほうおんじ》があり、消防車庫前で広い道路に合流する。

東海道は道路の反対側にある日進小学校へつづくが、いまは道がなくなっているため、すぐさきの信号を西へ曲がって進む。**広瀬鋳物工場跡**、**天武**《てんむ》**天皇社**《てんのうしゃ》、**本願寺**《ほんがんじ》**跡**などを左右に見て、さらにいくと**一目連**《いちもくれん》**神社**の前に道標がある。もとは道路の反対側にあったもの。

国道1号を横断すると、**善西寺**《ぜんさいじ》がある。このあたりは矢田《やだ》立場《たてば》跡で、戦災をまぬがれた古い家並が残っている。牛をつないだ鉄環がある家も見られる。

　つきあたりの角には火の見櫓《やぐら》が復元され、標示板もある。ここから旧道は南へ曲がる。了順寺《りょうじゅんじ》の黒い塀に沿って行くと、西側に日立金属工場がある。このあたりは江《え》場《ば》松原《まつばら》跡で三〇年ほど前までは松並木があったが、いまは両側とも家と工場になっている。

　城南《じょうなん》神社、晴雲寺《せいうんじ》などがある付近から安永《やすなが》立場《たてば》跡で、古い家が残っている。高架がかかる国道258号で家並は中断。高架下の信号機は自動車専用で、徒歩は地下道を通る。

　東海道は、西側にある常夜灯と明治の里《り》程《てい》標《ひょう》の下を直進し、町屋《まちや》川《がわ》につきあたる。しかし、いまは橋がないので、常夜灯のところから東に曲がり、国道1号に出て、町屋橋をわたる。

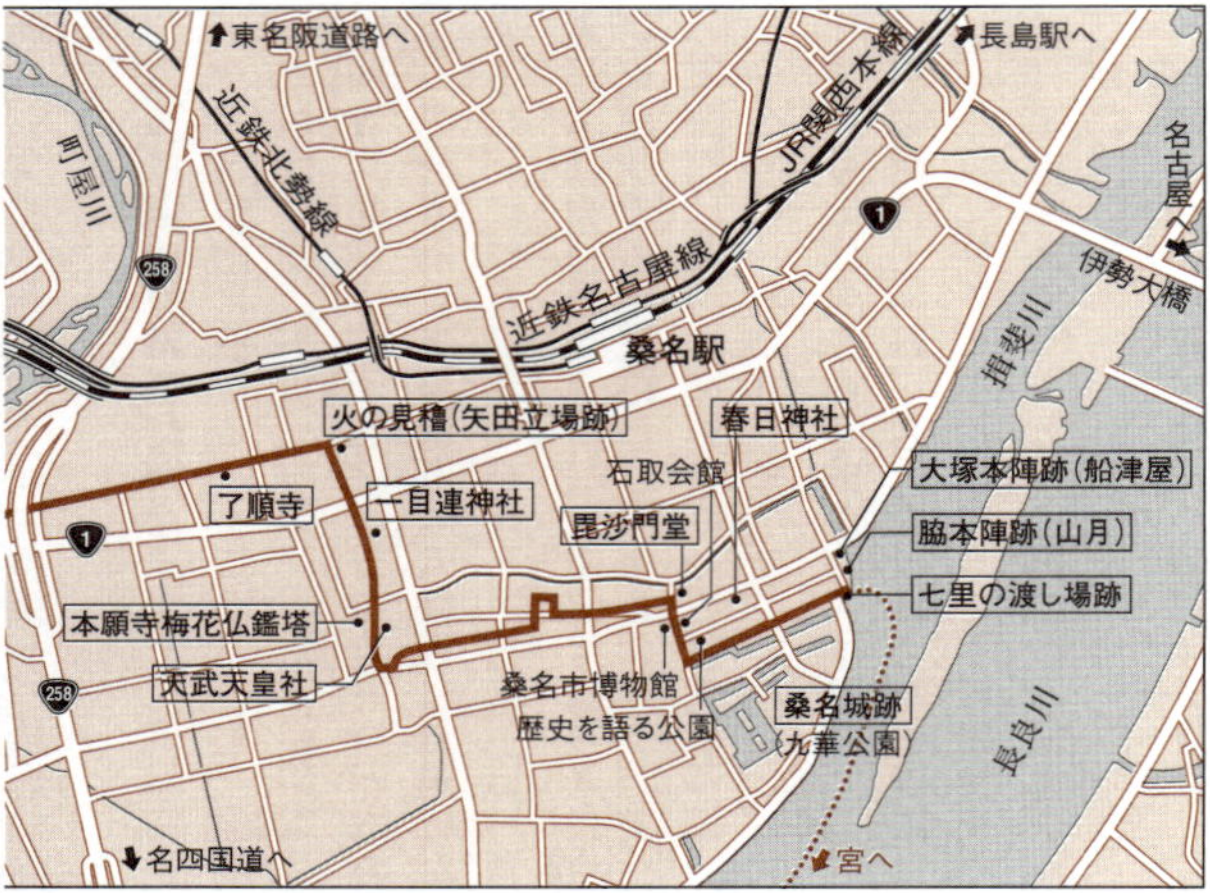

橋をわたり、堤防《ていぼう》の上を西へ曲がり、東芝ポンプ場の角を南に曲がると、東海道にもどり、古い家並がつづく。タバコ屋の前には**山《やま》口誓子《ぐちせいし》の句碑**。

やがて近鉄電車の踏切。わたると、道の東は伊勢《いせ》朝日《あさひ》駅。西は東芝三重工場の入口だ。このあたりからが**小向立場跡《おぶけたてば》**で、往時は茶店《ちゃみせ》がならび、焼蛤《やきはまぐり》を売っていたが、いまは一軒も残っていない。

古い家並のなかを通り、**小向神社の石碑**がある角を東へ曲がると**朝日町資料館**がある。旧道を南へ進むと、東に**橘《たちばな》守部《もりべ》誕生地の碑**、西に**浄泉坊《じょうせんぼう》**、さらに、西に朝日郵便局がある。道は柳屋酒店の前で三叉路《さんさろ》となるが、ここを東へ曲がって桜並木をすぎると、**朝明《あさけ》川《がわ》**の旧堤防に出る。

堤防の上には、ぽつんと**常夜灯**。**朝明橋**をわたり、近鉄と三岐鉄道のガードをくぐる

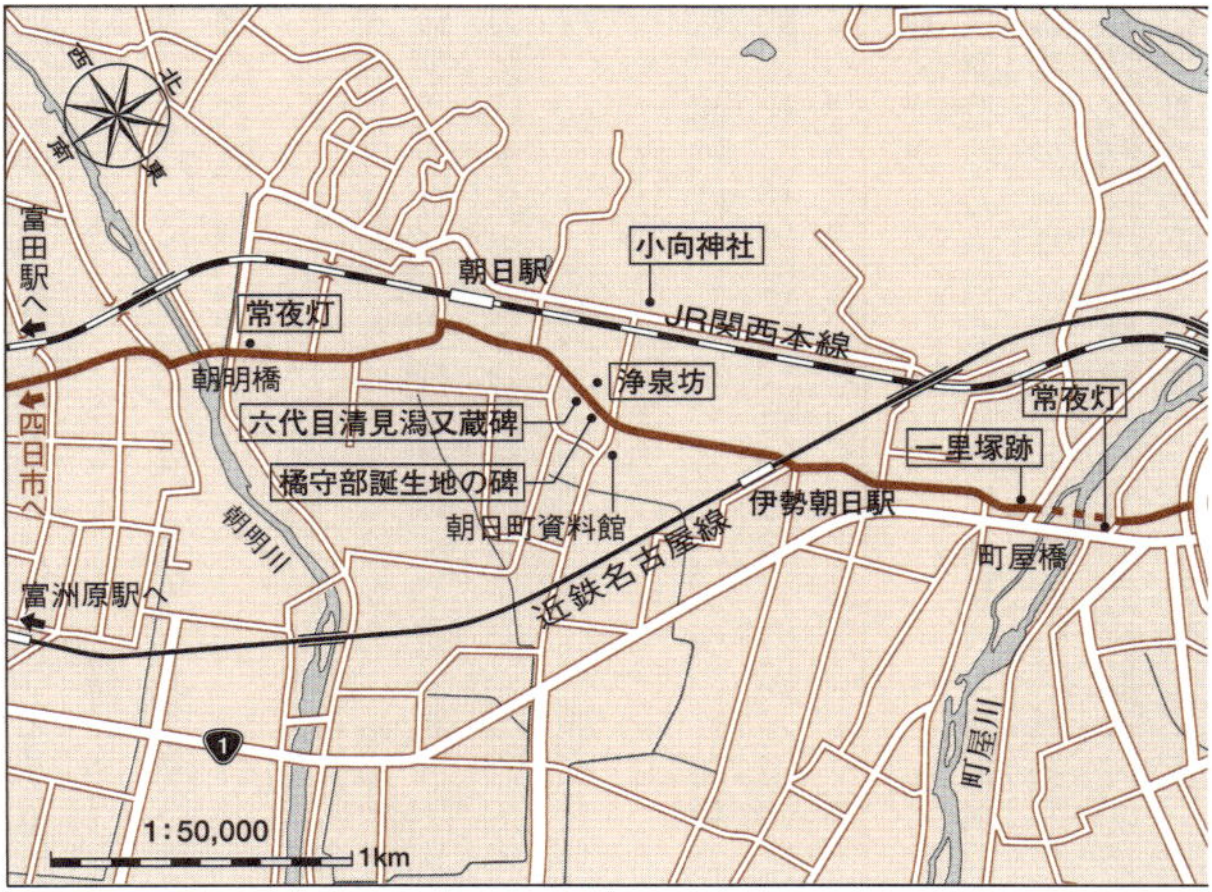

と、右側工場入口に**富田《とみた》一里塚跡碑**が見られる。しばらくは静かな細い曲りくねった道がつづき、海蔵《うみくら》川手前の**多度《たど》神社**を左手に見ながら土手に突き当たると、土手上には平成一三年に造られた**三《み》ツ谷《や》一里塚碑**。そのさき海蔵橋をわたり、四日市市街に入っていく。

【ちょっと寄り道】

●石取会館

町屋川で石を拾い、祭車《さいしゃ》にのせて春日神社に奉納する**石取祭**が毎年八月第一土曜日と日曜日におこなわれる。それに使われる祭車の一台が展示されている。東海道沿い、**歴史を語る公園**を右折して右側。＊0594・24・6085／9時～17時（入館は16時30分まで）／休館日　月曜（祝日の場合は翌日）、年末年始

●桑名市博物館

石取会館の数メートルさき、左手角にある。入口はその角を左折したところ。松平定信《まつだいらさだのぶ》公ゆかりの品や桑名宿関係の品を多数所蔵。＊0594・21・3171／9時30分～17時／休館日　月曜（祝日を除く）、祝日の翌日、年末年始、展示入れ替え期間

●桑名城

広重の画にも描かれている桑名城は、二方を海に囲まれ、その優美な姿から「**扇城《おうぎじょう》**」とも呼ばれた。一柳右近《ひとつやなぎうこん》が築城。関ケ原《せきがはら》の合戦《かっせん》の後は本多忠勝《ほんだただかつ》が城主となり、その後、（久松）松平氏、（奥平）松平氏が代々城主をつとめ、明治維新に幕府方について敗北したのち、建物はすべて撤去された。現在は**九華《きゅうか》公園**として整備され、市民の憩いの場となっている。

●六華苑《ろっかえん》

鹿鳴館の設計で有名なイギリス人建築家ジヨサイア・コンドルによる四層の塔屋をもつ木造二階建ての洋館、池泉《ちせん》回遊庭園などがあり、国の重要文化財。もとは実業家・諸戸清

六の邸宅で、桑名市に寄贈され、平成五年から「六華苑」として公開されている。七里の渡しから歩いて約一〇分。＊0594・24・4466／9時〜17時／休館日 月曜

【名物のうまいもの】

●時雨蛤《しぐれはまぐり》

桑名の沖合は、揖斐川《いびがわ》、長良川《ながらがわ》、木曽川《きそがわ》が伊勢湾《いせわん》にそそぐ合流地。ハマグリの生息に適した水質と水温のため、上質のハマグリがとれる。

焼きハマグリが有名だが、保存食としては時雨煮にしたものが古くから食されてきた。**新左衛門貝新《しんざえもんかいしん》**、**新之助《しんのすけ》貝新**、**新九郎《しんくろう》貝新**、**新《しん》七《しち》貝新**、**貝繁《かいしげ》**、**貝藤《かいふじ》**、**貝増《かいます》**などがあり、市内各所に店がある。

●食事処

七里の渡しの近くにあった大塚本陣は、現在の**船津屋**（0594・22・1880／11時30分〜14時、16時30分〜21時）。高級料亭として営業。泉鏡花『歌行燈《うたあんどん》』の舞台にもなった。

かつてはたくさんとれたハマグリだが、昨今は環境の変化で漁獲量が減少した。桑名産のものは高級料亭でしかお目にかかれない。手頃な値段で焼きハマグリが食べられるのは、桑名駅東口を出てすぐ、八間通りに面した**はまぐり食道**（0594・22・0852／11時〜20時）。

【泊まってみたい宿】

七里の渡し場跡の横にある**山月**（0594・22・3451）は、広々とした川を縦にながめる景観がみごと。また、川面に映える朝日が美しい。

町屋川の畔にあるのが**すし清《せい》**（0594・22・0166）、その近くにあるのが**玉喜亭《たまきてい》**（0594・22・0158）。ともに安永立場の茶店であった。いずれも藤棚《ふじだな》が名物。

◆広重の東海道五十三次

「東海道五十三次」といえば、広重《ひろしげ》の同名の作品をまっさきに思い浮かべる人も多いはず。

江戸後期の浮世絵師《うきよえし》、歌川《うたがわ》（安藤《あんどう》）広重が、東海道を旅したのは天保《てんぽう》三年（一八三二）。そのときのスケッチを、連作版画として出版、五三宿に日本橋、三条大橋を加えた全五五枚が完成したのは、旅から二年後の天保五年のことであった。

この作品はすぐさま大好評を博し、以後、広重は「近江八景《おうみはっけい》」「木曾街道六十九次《きそかいどうろくじゅうきゅうつぎ》」などの道中画シリーズを描いていくこととなった。

◆弥次喜多の珍道中

十返舎一九《じっぺんしゃいっく》が書いた滑稽本《こっけいぼん》の代表作、それが「東海道中膝栗毛《とうかいどうちゅうひざくりげ》」である。

伊勢参りのため、江戸から東海道をのぼる弥次郎兵衛《やじろべえ》と喜多八《きたはち》の道中を、軽妙なタッチでつづったこのシリーズ、初編が享和《きょうわ》二年（一八〇二）に出版されると、たちまち江戸のベストセラーとなり、以降、一九は、二十余年にわたって弥次喜多のシリーズを書きつづけることとなる。

弥次喜多の滑稽なやりとりや、さまざまな人々との出会い、各地でのアクシデントなど、庶民の旅の風景は、いまもむかしも変わらない。

江戸より **43** 番目の宿

四日市

よっかいち

【最寄り駅】▼近鉄名古屋線・近鉄四日市駅。東口から中央通りを徒歩五分。スワ栄《さかえ》アーケードが東海道。宿の南端、諏訪《すわ》神社近くに出る。

【街道を歩く】

四日市は、宮宿《みやじゅく》へ海上一〇里（約四〇キロ）。桑名宿と同様、港をもった宿駅《しゅくえき》で、しかも伊《い》勢《せ》参宮道《さんぐうどう》への追分《おいわけ》をひかえていたため、旅人の往来が多く、いつもにぎやかだったという。

江戸時代の宿内は、現在の**三《み》滝川《たきがわ》**を西へわたったあたりから、諏訪神社の手前まで。宿内総戸数一八一一軒、本陣二軒、脇本陣一軒、旅籠《はたご》九八軒と伝えられる。

戦災や戦後の区画整理、工業化のため、宿場の様相は激変。コンビナートを擁し、工場の煙突が立ちならぶ街になってしまった。とはいえ、街をほぼ北から南にぬける旧道沿いには、旧家、古い商店などがいくらか残っており、宿場の歴史を感じることができる。

桑名宿方面から南へ、川にかかる**三滝橋**をわたると、すぐ左手にあるのが「日永《ひなが》のなが餅」で知られた**笹井屋《ささいや》**。

旧道を進むと、かつての宿場の中心地、中部町の一角に、**道標**がたっている。文化《ぶんか》七年（一八一〇）の建立《こんりゅう》（昭和二四年再建）で、本来は二〇〇メートル江戸寄りにあった。正面には「すぐ江戸道《えどみち》」、片面には「すぐ京いせ道」の文字。その下で、指の絵が方向を示している。

宿内に本陣や旅籠などは、残念ながらまったく残っていない。かつての**黒川《くろかわ》本陣跡**は現在の黒川農薬店、**帯《おび》や脇本陣跡**は近藤建材店、**問屋場跡**《といやば》は福生医院、そして**高札場跡**《こうさつば》は吉川産婦人科前にあたる。

道標のたつ地点から進んで、国道1号をわたると、右手に**諏訪神社**。右手奥が諏訪公園となっている。

さらに南に進むと、右手奥に**浜田城跡**。そこをすぎて旧家の残る道を歩いていくと、**落合橋**《おちあい》、**鹿化橋**《かばけ》と橋がつづき、**天白橋**《てんぱくばし》をわたると、右手に**日永神社**がある。ここは伊勢七福神霊場にもなっており、その一角にたつ大聖院には、像高九五センチ、ヒノキ一木造りの**不動明王立像**《ふどうみょうおうりゅうぞう》が安置されている。そのさき右手の民家と倉庫の間に、**日永一里塚跡**の標柱がある。

道はそこからまもなく**日永の追分**にいたる。右手が旧東海道、左手が伊勢参宮道で、分岐点には小さな緑地帯がつくられ、神水が湧き、**道標**や**常夜灯**《じょうやとう》が保存されている。

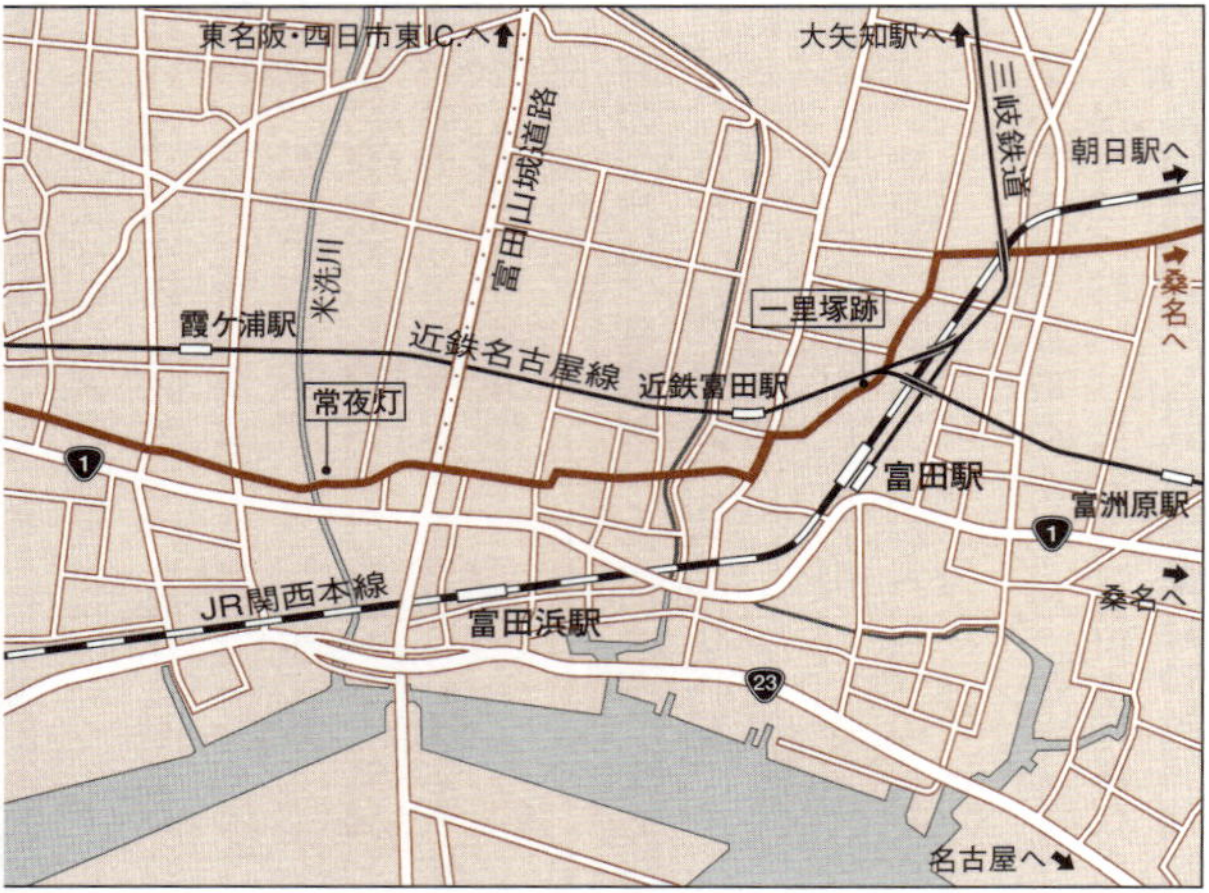

ここから東海道を進むと、**内部川**《うつべがわ》にさしかかる。国道の橋をわたり、左手に入る道を行くと、古い建物の残る集落にいたり、そのさきが**杖衝坂**《つえつきざか》ののぼり口になる。日本武尊《やまとたけるのみこと》が剣を杖がわりにして越えたという故事が伝わっているほどの急な坂道。坂の途中に、**石碑**にならんで**芭蕉**《ばしょう》**句碑**「歩行《かち》ならば杖つき坂を落馬かな」がたっている。

芭蕉は、江戸から故郷の伊賀《いが》へ帰る途中、馬でここにさしかかったが、急な坂道のため落馬したという。刻まれた句は、そのとき詠《よ》んだもので、芭蕉の句としてはめずらしく季語のないことで知られる。

坂の上の左手には、**血塚社**《ちづかしゃ》がある。日本武尊が、坂でけがをして足から流れ出た血を封じたところだという。小さな祠《ほこら》のうしろに石碑がたっている。

東海道はそのあと、国道1号と合流したり

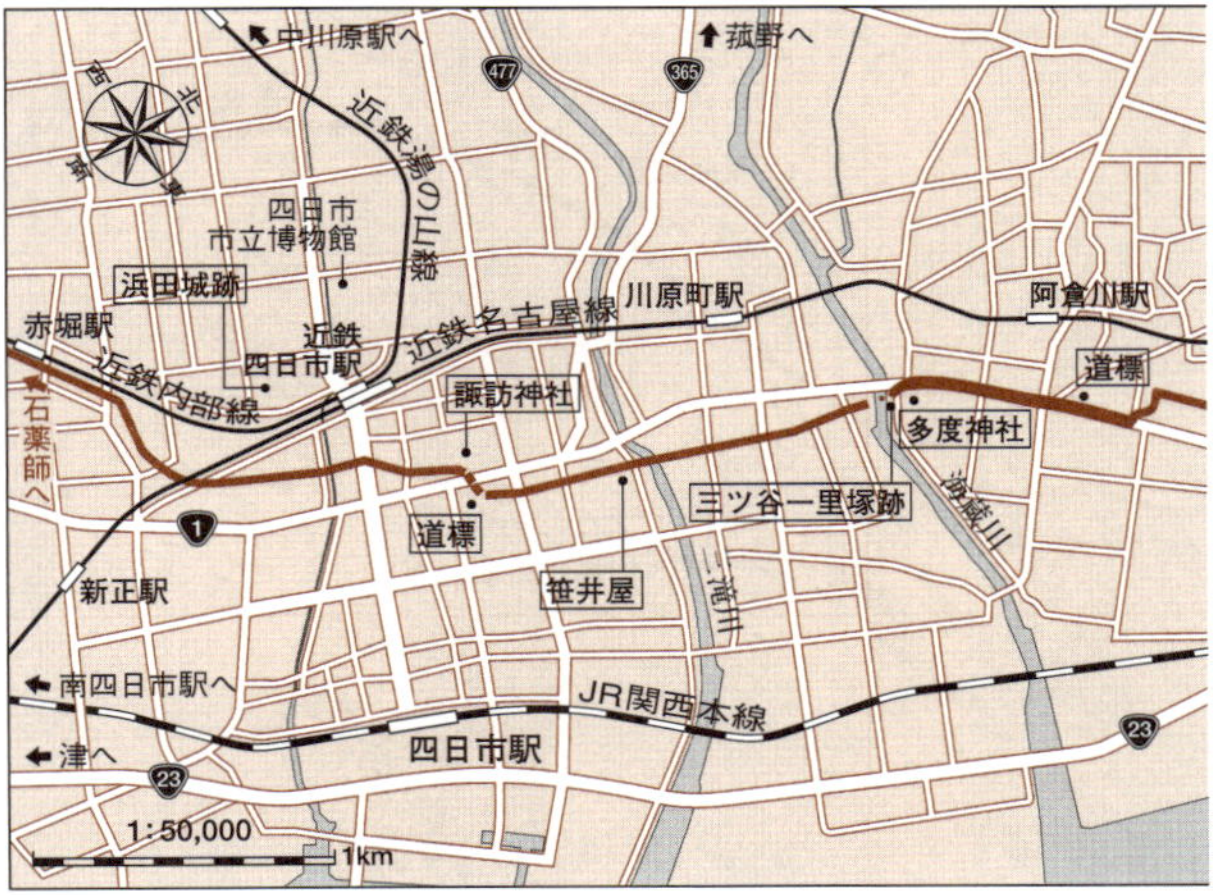

分かれたりをくりかえす。途中国道1号線沿いガソリンスタンドの前に、**采女《うねめ》一里塚跡**の石碑を見ながら、つぎの宿場、石薬師《いしやくし》へとむかう。

【ちょっと寄り道】

●四日市市立博物館

地質時代から現代までの各種資料を展示。また、プラネタリウムをはじめとする天文資料もある。近鉄四日市駅西口からまっすぐ西へ徒歩五分、松坂屋《まつざかや》のある一角にある。駅を出てすぐにプラネタリウムのドームが見えるので、それを目印に。＊0593・55・2700／9時30分〜17時／休館日　月曜（祝日の場合は翌日）、年末年始

【名物のうまいもの】

●なが餅《もち》

創業天文《てんぶん》一九年（一五五〇）の老舗**笹井屋**（0593・53・3318／8時30分〜18時30分）で販売。

関ケ原合戦ののち、伊勢の津三六万石の城主

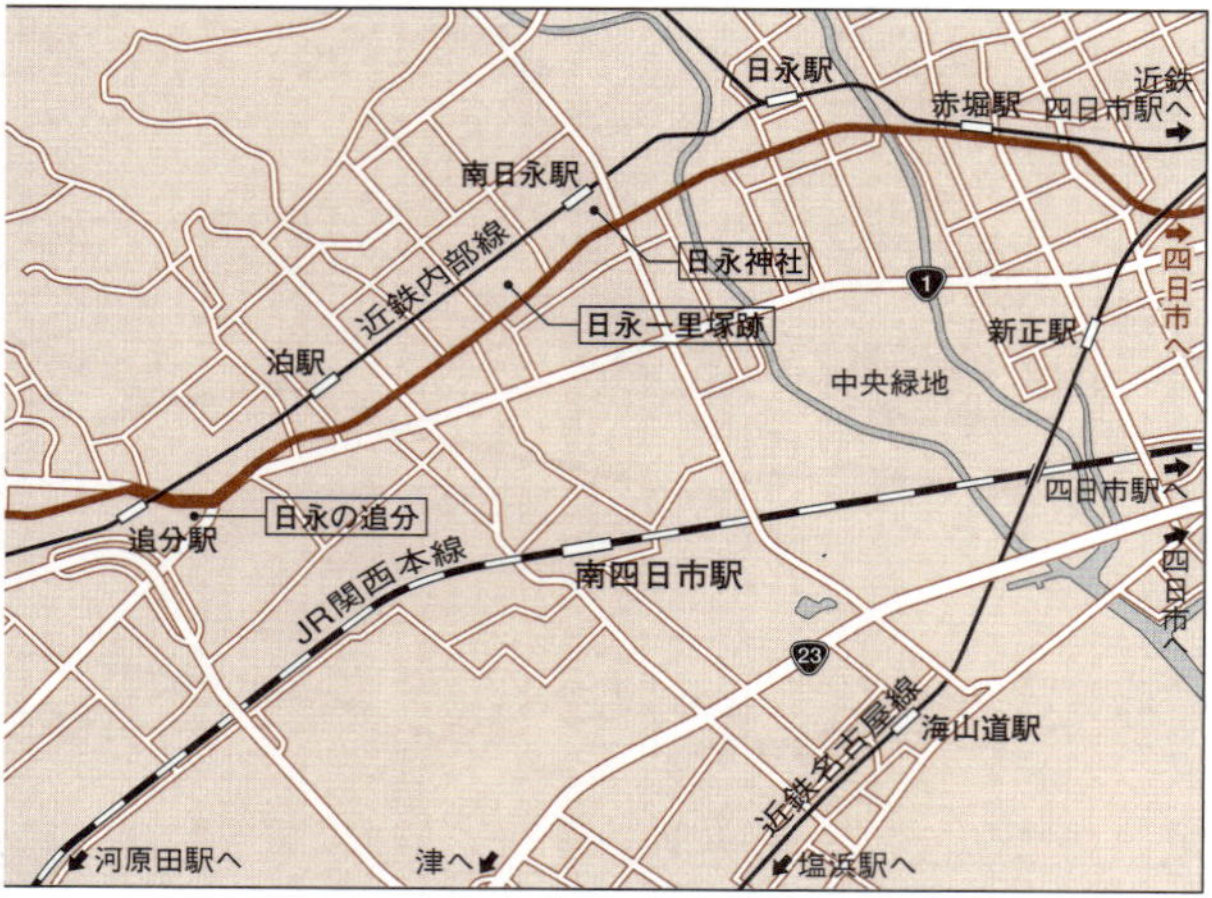

となった藤堂高虎《とうどうたかとら》が参勤交代《さんきんこうたい》の際にかならず立ち寄ったと伝えられる。餅は細長く、軽いこげめがついており、中に餡《あん》が入っている。その形から、「武運の長きは幸先《さいさき》よし」と縁起をかついだもの。

●妥女の杖衝

つぶ餡のなかに、ぎゅうひを入れた最中《もなか》。杖衝坂に近い国道1号沿いにある**菊屋本店**（0593・45・5037／水曜・第3火曜定休）で。

【泊まってみたい宿】

●大正館《たいしょうかん》（0593・52・5118）は、その名のとおり大正時代の創業。近鉄四日市駅東口から諏訪公園方面へ、歩いて六分～七分。

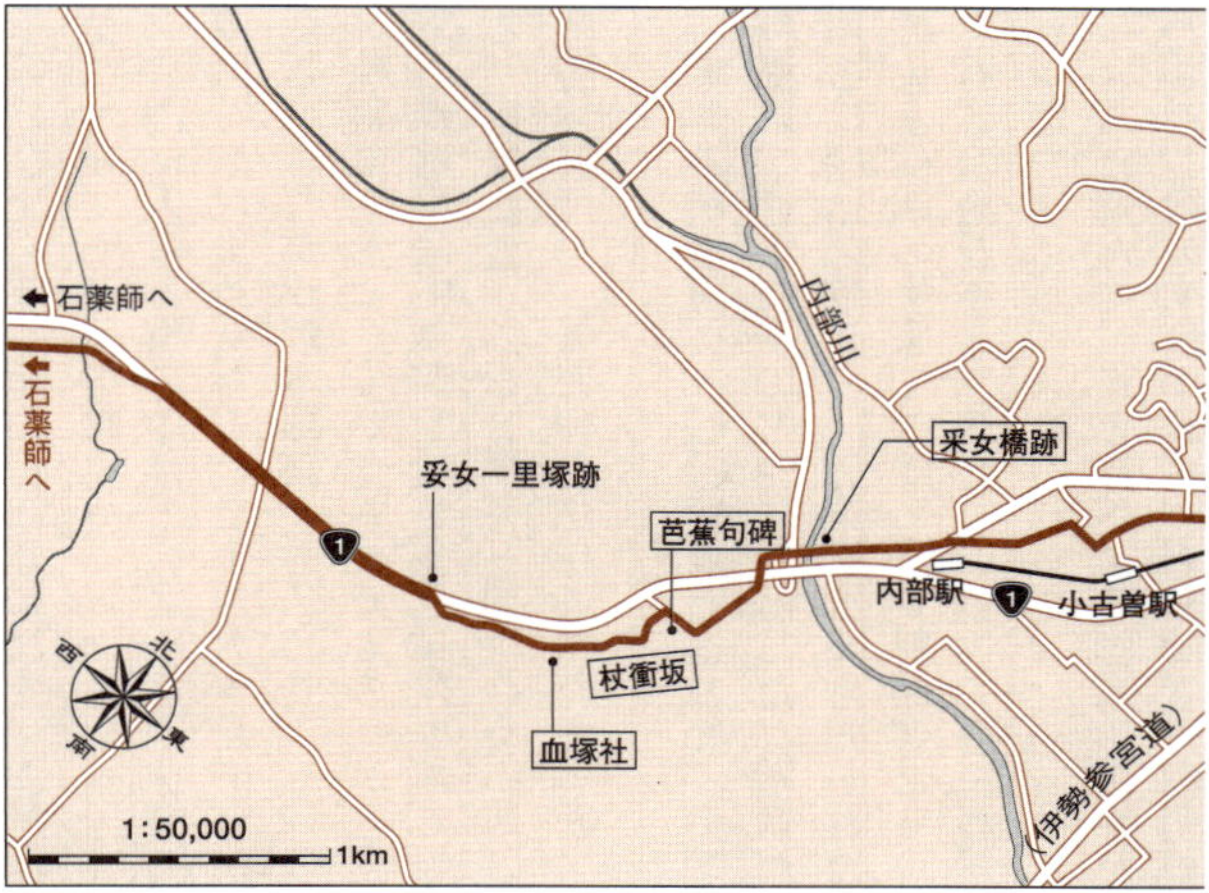

江戸より44番目の宿

石薬師　いしやくし

【最寄り駅】近鉄名古屋線・近鉄四日市駅からバス（平田町《ひらたちょう》駅行き、または佐佐木記念館行き）二〇分、「自由ケ丘」下車。宿の東の入口付近に。

【街道を歩く】

石薬師は、宿場の南はずれにある石薬師寺の門前に開けた町。宿駅となってからは、宿内総家数二四一軒、本陣三軒、旅籠《はたご》一五軒の、街道でもっとも小さな宿場の一つだった。

現在の地名は、鈴鹿市石薬師町。ところどころに古い家が軒《のき》を出す、静かな町並を残している。

四日市方面からは、**杖衝坂**《つえつきざか》をあとに、農家と田畑のつづく道を行くと、旧東海道は国道1号と合流。ほどなく右に分かれて、また合流。やがて石薬師の宿にさしかかる。

宿内に入ると町の中ほどの右手に、往時の威風をただよわせた、ひときわ大きな旧家がある。これが**小沢**《おざわ》**本陣跡**。

建物は明治にたてかえられたものだが、当時の貴重な宿帳や調度品が多数保存されている。宿帳には、「忠臣蔵《ちゅうしんぐら》」で知られる赤穂《あこう》の浅野内匠頭《あさのたくみのかみ》や、まだ伊勢山田《いせやまだ》の奉行だったころの大岡越前守《おおおかえちぜんのかみ》の名もある。

本陣跡から南に一〇〇㍍ほど進むと、小学校横に、連子格子《れんじごうし》のどっしりとした二階家がある。明治の歌人で、万葉研究でも知られた**佐佐木信綱**《ささきのぶつな》**の生家**で、隣には**資料館**がある。信綱は明治五年（一八七二）ここで生まれ、幼少期をすごし、東京へ移った。

さらに進んで、道と交差する国道の橋をわたると、宿の南はずれに、**石薬師寺**。山門の前の道を東へ行った左側にある小さな祠は**御**《おん》**曹子**《ぞうし》**社**《しゃ》（蒲冠者範頼之社《かばのかんじゃのりよりのやしろ》）。鳥居の前の道を、南へすこし行った右側に**蒲桜**《かばざくら》がある。

寿永《じゅえい》の頃（一一八二〜一一八五）、源《みなもとの》範《のり》頼《より》が平家《へいけ》追討《ついとう》のため西へむかう途中、石薬師寺に戦勝祈願をし、鞭《むち》にしていた桜の枝を地面に逆さにさした。それが芽をふいて育ったという。そのため「逆《さか》さ桜《ざくら》」とも呼ばれ、ヤマザクラの変種として植物学上からもめずらしいものとされる。

ここに、**信綱の歌碑**「ますらをのその名とどむる蒲さくら更にかをらむ八千年の春に」もある。

旧道にもどり、古い町並の坂をくだる。**蒲川橋**をわたって、すこし行くと、**石薬師一里塚の碑**。

そのさき東海道は、国道と関西本線で寸断されながら、庄野《しょうの》へとむかう。

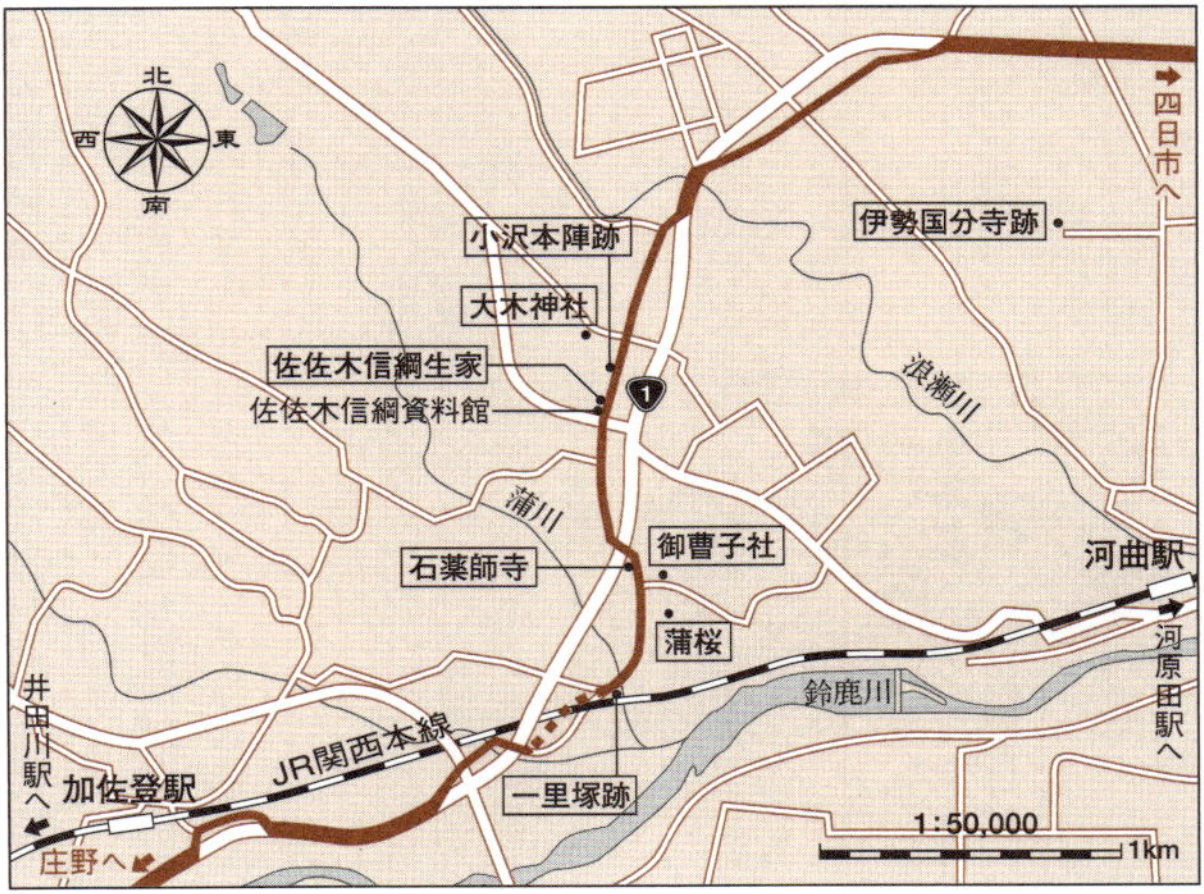

【ちょっと寄り道】

●石薬師寺

由来書《ゆらいしょ》によれば、神亀《じんき》年間（七二四〜七二九）、泰澄《たいちょう》という高僧が、森の中に霊光《れいこう》を放つ巨石を見つけ、草堂《そうどう》をたててこれを供養した。その後、弘法大師《こうぼうだいし》が薬師《やくし》如来《にょらい》像を彫り、開眼供養《かいげんくよう》したという。浅い線彫りの像は高さ一九〇センチ、幅一一〇センチ。平素は秘仏だが、一二月二〇日の「おすす払い」には檀家《だんか》の人たちの手で洗いきよめられる。本堂は、慶長《けいちょう》年間（一五九六〜一六一五）に神戸《かんべ》城主、一柳《いちやなぎ》監物直盛《けんもつなおもり》が再建したものと伝えられる。

●佐佐木信綱資料館

短冊、色紙、書簡、原稿、書籍など、信綱の遺愛品や御下賜品《ごかしひん》を収蔵、展示。＊0593・74・3140／9時〜16時30分／休館日　月曜、第3火曜（祝日の場合は翌日）、年末年始

★平田町駅、鈴鹿駅周辺ともに、鈴鹿サーキットで自動車レースが開催される週（特にF1グランプリが開催される一〇月末）は、宿をとるのがむずかしく、料金も特別料金になるところが多い。レースウィークはさけての旅がおすすめ。

歌川広重「東海道五拾三次之内
石薬師石薬師寺」

江戸より 45 番目の宿

庄野 しょうの

【最寄り駅】▼JR関西本線・加佐登《かさど》駅。南へ六〇〇㍍で東の入口へ。▼近鉄四日市駅からバス（平田町《ひらたちょう》行き）三〇分「国道庄野《こくどうしょうの》」下車。そこが東の入口。

【街道を歩く】

石薬師《いしやくし》から蒲川橋をわたった左手の**石薬師一里塚**をすぎ、たんぼの中をくねって、いったん国道1号へ出る。ガソリンスタンドと工場にはさまれた地点だ。

宮戸橋《みやとばし》付近で芥川《あくたがわ》の土橋《どばし》をわたり、鈴鹿川《すずかがわ》堤防に沿ってゆるやかに左にカーブするあたりが、広重《ひろしげ》の「庄野の白雨《はくう》」の題材になったところといわれる。六〇〇㍍ほど国道を行き、「国道庄野」バス停と手前の横断歩道を目印に右に曲がる。その道の正面がJR加佐登駅になる。そこから一〇〇㍍と歩かずに、庄野宿の北端にぶつかる。

入口両側に、二階が通《とお》し手《て》すり、階下は格子《こうし》という典型的な旅籠屋《はたごや》造りの家がたっているので、すぐにもとの宿場とわかる。無人で表札《ひょうさつ》のない家もあるが、表札に記された姓が各戸さまざまであるのも、農村集落と異なり、宿場という、人工的につくられた集落であることを示している。

案内の標識は、庄野集会所前の「**本陣跡**」の石柱だけだったが、東海道四〇〇年の平成一三年に、庄野宿石標が江戸口と京口に、また案内板が街道筋の**問屋場跡**、**脇本陣跡**、**会所跡**、**高札場跡**の四ヵ所に設置された。

宿の東入口で見たような連子《れんじ》格子《ごうし》の旅籠、店屋《みせや》形式の建物は、いまはせいぜい一〇軒ほどといったところ。しかし、道幅は多少拡幅《かくふく》された程度で、むかしとそれほど変わらない。街道から東西にのびた路地は、往時のままである。なにが消えたかにこだわるよりも、残っているものをいとおしんで歩きたい。車の通行もなく静かな道である。

街道から路地をのぞくと、奥行きの長い家の側面、さらにその奥に土蔵、菜園が見られる。**常楽寺**《じょうらくじ》と**式内川俣**《しきないかわまた》**神社**も、そうした路地を入ったところにある。

本陣を中心にした一帯が宿駅《しゅくえき》業務を負うのはほかの宿とおなじだが、庄野の場合、この区間はいたって短く、約六〇〇メートルにすぎない。

常楽寺からさきの家並は、畳屋《たたみや》、油屋《あぶらや》、大《だい》工《く》、風呂屋《ふろや》といった職人や店屋だった。

やがて、街道は国道につきあたる。そのあたりは、かつて八〇〇メートル近くにわたってつづく松並木のあったところで、村で維持管理されて、それはみごとなものだったという。い

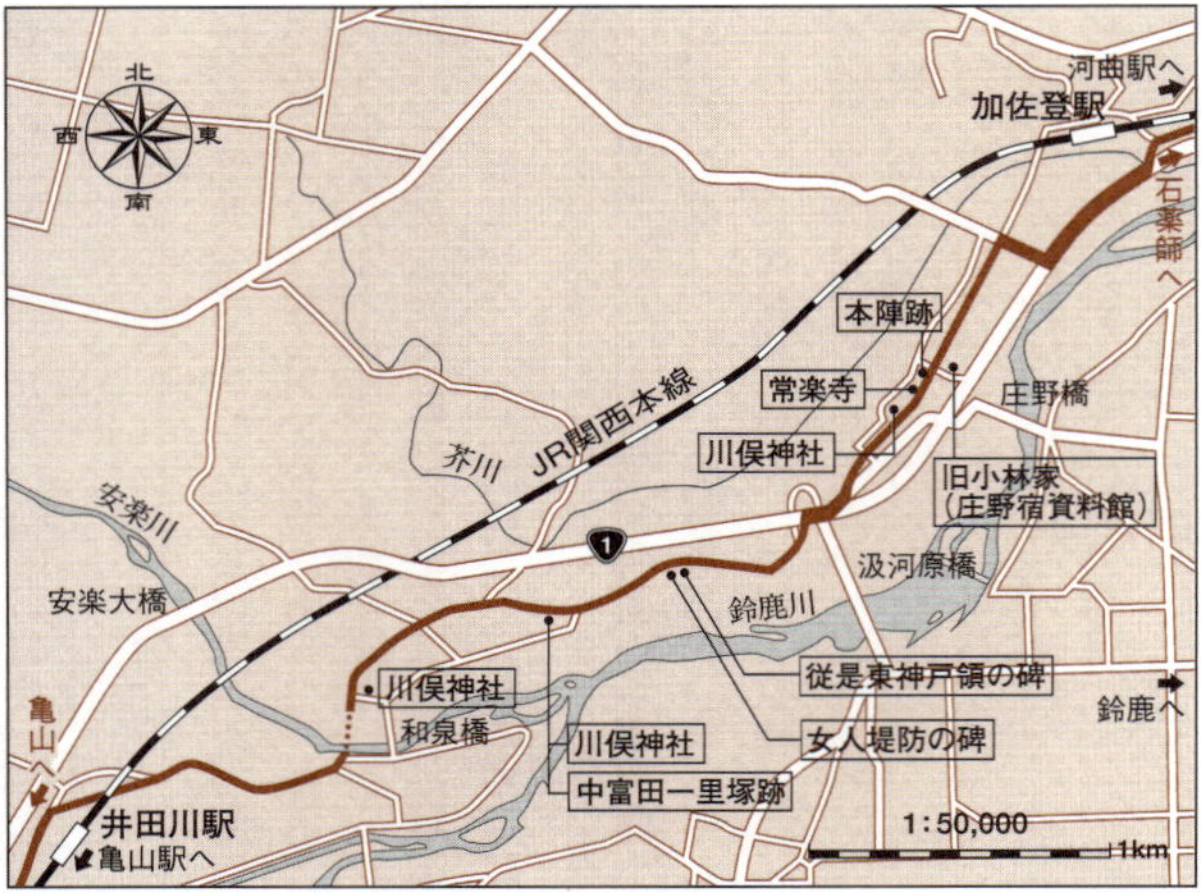

まはトラックのごう音と排気ガスがはげしいばかりである。

そののち街道は、国道1号と合流。数メートルで左に折れ、民家のあいだを行く。そのさき、農村地帯をくねるように道がのび、おだやかな街道風景が広がる。

やがて「**従是東神戸領**《これよりひがしかんべりょう》」の碑。すぐに**女人**《にょにん》**堤防**《ていぼう》の碑。公式には禁止されていた堤防建設を、夜間ひそかに女性の手でおこなった記念の標石である。

庄野には、**川俣**《かわまた》**神社**が三つある。二つ目の神社前には平成一三年に建てられた**中富田一里塚跡**の碑がたつ。やがて道は**安楽川**《あんらくがわ》にさしかかる。**和泉橋**《いずみばし》をわたって、街道は、亀山《かめやま》へとむかう。

【ちょっと寄り道】

●庄野宿資料館

鈴鹿市では、庄野町に残る膨大な宿場関係資料の活用と、油問屋だった旧小林家の保存のため、母屋の一部を創建当時の姿に復元し、平成一〇年四月に庄野宿資料館として開館した。

館内には本陣・脇本陣文書をはじめ宿場関連資料や絵画、めずらしいものでは三二〇年前の高札《こうさつ》や江戸時代の土産「焼米」のサンプルなどが展示されている。＊0593・70・2555／10時〜16時／休館日 月曜、第3火曜（祝日の場合は翌日）、金曜、年末年始

江戸より 46 番目の宿

亀山《かめやま》

【最寄り駅】▼ＪＲ関西本線・亀山駅。北へ徒歩八分で問屋場《といやば》跡付近。▼庄野宿《しょうのじゅく》寄りから歩きたいなら、ＪＲ関西本線・井田川《いだがわ》駅。駅の北西側が旧東海道。

【街道を歩く】

庄野宿から歩けば、およそ一時間半で東海道は亀山市に入る。ＪＲ関西本線の踏切を越え、二叉路《にさろ》を左に折れると井田川駅前に出る。駅のむかいあたりに**海善寺**《かいぜんじ》がある。

この一帯にあった松並木は戦時中に松根油《しょうこんゆ》を採るため傷《いた》められ、いまは一本も残っていない。

線路沿いに南西へ、田畑のあいだを進み、国道1号のさきの信号を越え、**法悦供養塔**《ほうえつくようとう》への木製の案内のある角を左折。**西信寺**《さいしんじ》の前を

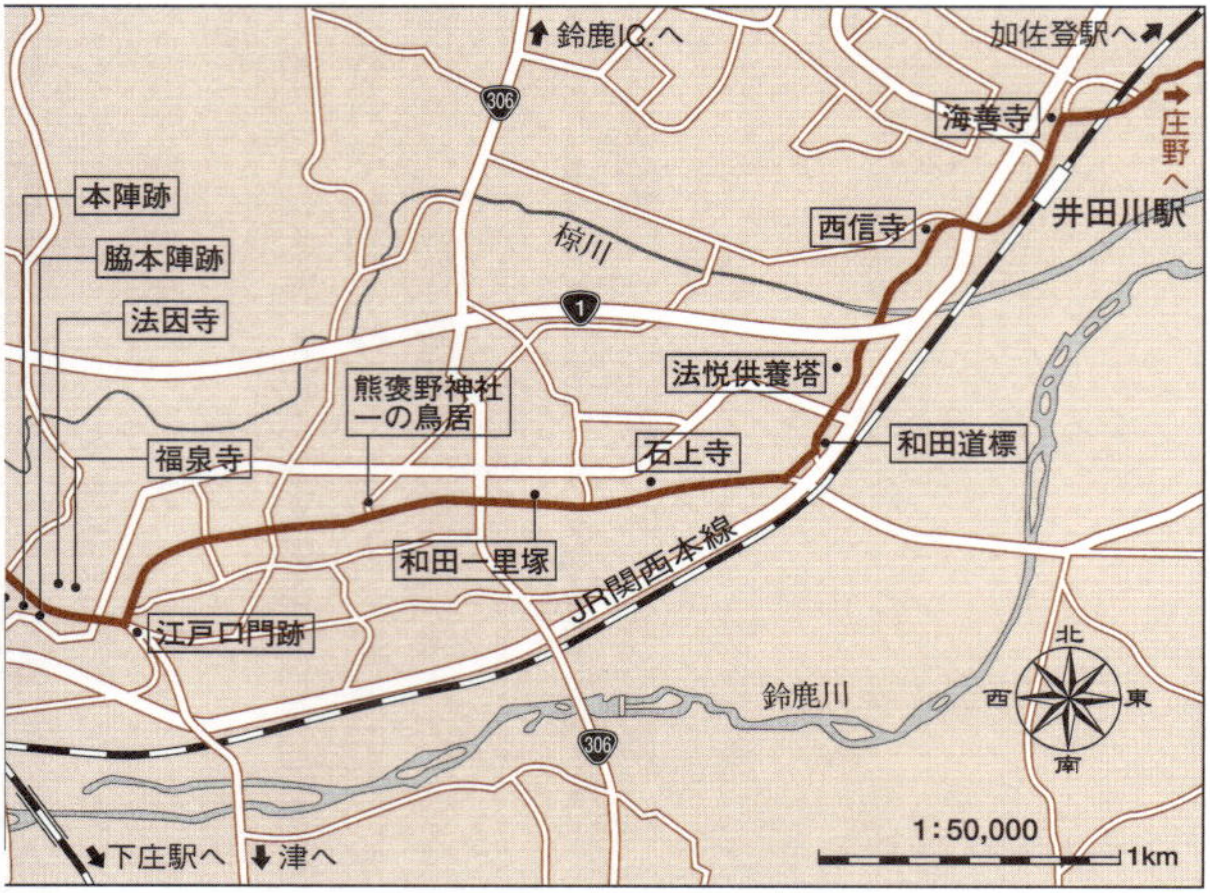

すぎ、民家のあいだをぬって**椋川**《むくがわ》をわたると、「**南無妙**《なむみょう》 **法蓮華経**《ほうれんげきょう》」の**石碑**。元禄《げんろく》年間（一六八八〜一七〇四）に、**谷口法悦**《たにぐちほうえつ》が刑場跡に供養のためにたてたもの。

和田町《わだちょう》に入ると、元禄三年（一六九〇）に建立《こんりゅう》された**和田の道標**。その二叉路を、旧国道には出ないで右へ行く。

石上寺《せきじょうじ》の前をすぎ、長い坂道をのぼったところに、**和田一里塚**がある。平成五年（一九九三）に復元されたもの。亀山市の「江戸の道」事業の標示板がある。

栄町《さかえまち》に入ると、ロウソクで有名な**亀山**の本社工場のさきに、**能褒野神社**《のぼのじんじゃ》の一《いち》の鳥居《とりい》と**露心庵跡**《ろしんあんあと》の標柱。本町あたりには、連子格子《れんじごうし》の家も見つかる。婦人服店と銀行の角あたりが**江戸口門跡**《えどぐちもんあと》。

街道はそこを右折。百五《ひゃくご》銀行の筋《すじ》むかいあたりに、**脇本陣跡**、**本陣跡**、**問屋場跡**《といやばあと》があ

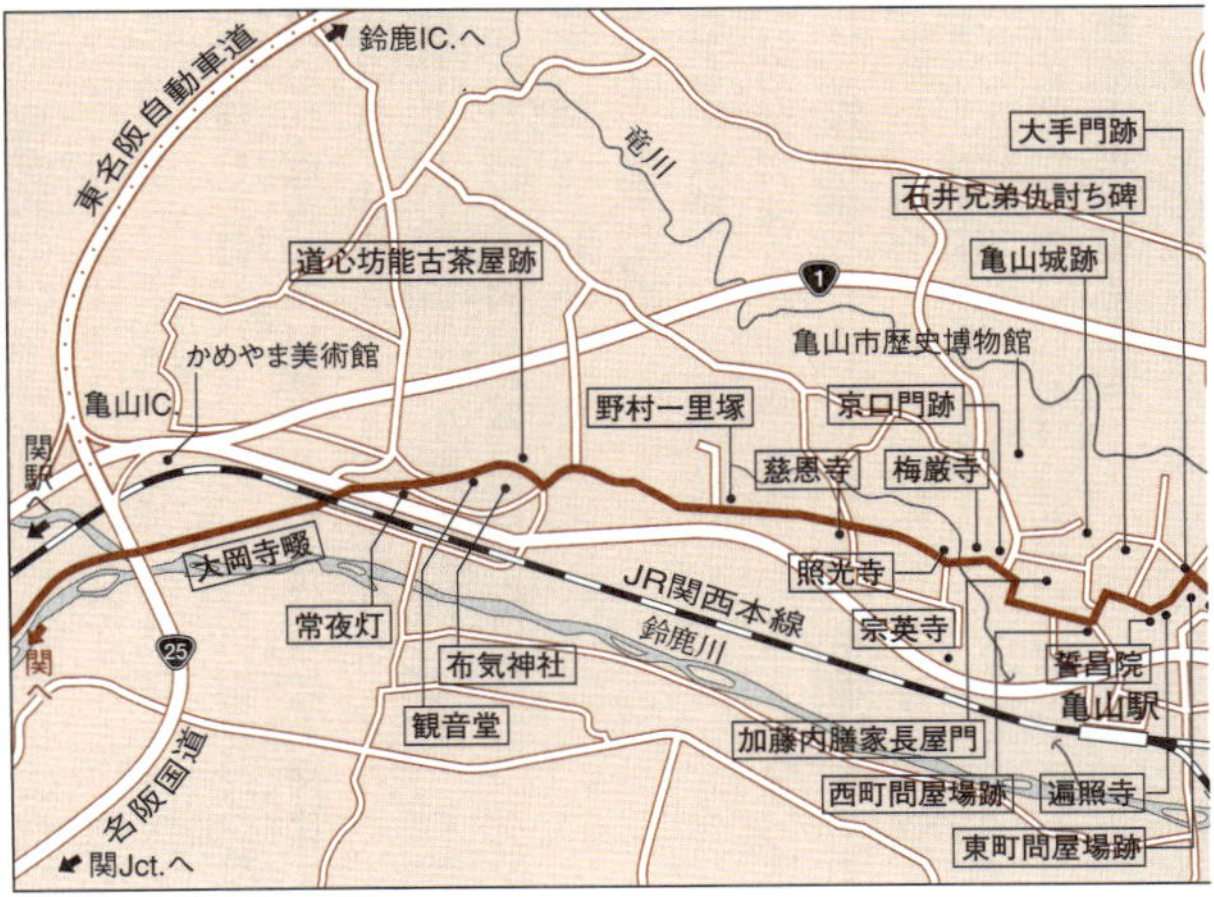

る。つきあたりが、関《せき》の小万《こまん》の仇討《あだう》ちがあった**大手門跡**で、城下町らしく鋭くジグザグに曲がった細い道に沿って町並がつづく。**遍照寺《へんじょうじ》**、**誓昌院《せいしょういん》**をすぎると、亀山駅から城への広い道とぶつかる。**石井兄弟仇討ち碑**は、城内、石坂池のそばに。街道は、そのまま直進して、小さな坂をのぼる。

西町に入ると、すぐ左手に、**問屋場跡**と**会《かい》所《しょ》跡**の標柱、幕末の植物学者、**飯沼慾斎《いいぬまよくさい》の生誕地標柱**がある。

道標のある四辻から北に二〇〇メートル歩くと、**青木門跡**。その奥に平成三年（一九九一）春に復元された**侍屋敷《さむらいやしき》・加藤内膳家長屋門《かとうないぜんけながやもん》**がある。

街道をさらに行くと、**梅厳寺《ばいがんじ》**の境内《けいだい》に**京口《きょうぐち》門《もん》跡**の説明パネルがある。**照光寺《しょうこうじ》**、大イチョウのある**宗英寺《そうえいじ》**、阿弥陀如来立像《あみだにょらいりゅうぞう》をまつる**慈《じ》恩《おん》寺**をすぎ、やがて**野村一里塚**。幹回《みきまわ》り六メートル、樹齢四〇〇年のムクの巨木がそびえる。

さらに、およそ八〇〇メートル西進すると、道が三つに分かれるが、そのいちばん右が東海道。進むとほどなく右に、芭蕉《ばしょう》の親友だった**道心坊能古《どうしんぼうのんこ》の茶屋《ちゃや》跡**。左に**布気皇舘大神社《ふけこうたちだいじんじゃ》**、**観音堂《かんのんどう》**。観音坂をおり、**常夜灯《じょうやとう》**をすぎると、ほどなく旧国道1号と関西本線の陸橋《りっきょう》。それをわたって**大岡寺畷《たいこうじなわて》**を進み、街道は、つぎの宿、関《せき》へとむかう。

【ちょっと寄り道】

●亀山城跡

白壁に囲まれ堅固《けんご》な城郭をもった亀山城は、蝶の舞う姿にたとえられ、**粉蝶城《こちょうじょう》**とも呼ばれた。明治になって解体され、いまは石垣の上に多門櫓《たもんやぐら》、堀、土居《どい》の一部が残る。JR亀山駅から五〇〇メートルほど北の丘の上。

●亀山市歴史博物館

亀山城跡の亀山公園内に平成七年（一九九

五）秋にオープン。「道」をテーマに資料映像や町並模型がある。＊05958・3・3000／9時〜17時／休館日 火曜、祝日の翌日、年末年始

●かめやま美術館

広重《ひろしげ》の「東海道五十三次」を中心に、街道や旅を主題にした浮世絵版画を展示。JR関西本線・亀山駅下車、三交バス伊勢坂下行き「太岡寺」下車、徒歩三分。＊0595・83・1238／10時〜17時30分／休館日 第1、2、3火曜、偶数月の月末日）

【名物のうまいもの】

●亀《かめ》の尾《お》

江戸中期以来の銘菓。ぎゅうひで餡《あん》をくるんだ小ぶりな菓子。JR亀山駅前の**瑞宝軒**《ずいほうけん》（05958・2・3331／木曜定休）で。亀山駅でも。

●食事処

むかい（05958・2・3344／11時〜14時、17時〜21時／第1、第3日曜定休）では昭和一〇年（一九三五）から牛肉の水炊きを出している。JR亀山駅から徒歩一五分。東町四辻周辺。

●名物志ぐれ茶漬け弁当

桑名の時雨蛤《しぐれはまぐり》を使った駅弁。亀山駅前の**いとう弁当店**（05958・2・1225）で。要予約。

【気のきいたおみやげ】

●ロウソク

亀山は全国シェア四割。和ロウソクのほか、結婚式のキャンドルサービス用、パーティー用の豪華なものから、進物《しんもつ》用、クリスマス向けと、さまざまな種類がある。

江戸より 47 番目の宿

関 せき

【最寄り駅】▼JR関西本線・関駅。北へおよそ三〇〇メートルで、街道に。左に曲がると、宿の中心。

【街道を歩く】

関宿は、古代に**鈴鹿《すずか》の関《せき》**があったところ。町並は約一・八キロ。古い建造物がよく残り、昭和五九年（一九八四）には国の重要伝統的建造物群保存地区に指定された。地区内の七割二七〇戸は戦前までの建物。二二三の伝統的建物がある。中心部には電柱がなく、残っていた東西両端でも完全に一掃された。

亀山からは**大岡寺畷《たいこうじなわて》**から関西本線を越え国道1号歩道橋をわたって左手に進み、すこし行ってななめ右へ入る。

分岐点付近に**小万《こまん》のもたれ松**。そのさきに**東の追分《おいわけ》**がある。ここは伊勢別街道との分岐点で、**一《いち》の鳥居《とりい》**、**常夜灯《じょうやとう》**、**道標**も残っている。かつては西から伊勢にお参りする際の入口で、この鳥居をくぐって、おかげ参りの時期には日に数万人もの人が参宮。東海道の旅人もここから、はるか伊勢を拝んだ。

この東にあった**一里塚**は、明治初年に取り壊されたが、石垣の上に一里塚跡の石碑が残る。

街道沿いの主な町屋《まちや》などには案内板があってわかりやすい。**宝林寺《ほうりんじ》**を右に見て、**弘善寺《こうぜんじ》**入口道標のむかい側には、鉄の馬繫《うまつな》ぎの輪と塗籠《ぬりごめ》の壁が残る**江戸屋《えどや》**。そのさきの右に**関神社**の参道。神社前には**山車《だし》倉庫**。

参道に入る角に**御馳走場《ごちそうば》跡**。大名行列を送迎したところ。そのさきの街道右手の**甲州屋《こうしゅうや》**は、休日はときどき内部を開放している。

そばの十字路の左が関駅に通じる道。角か

ら右奥に見える**延命寺《えんめいじ》山門**は**川北《かわきた》本陣**の表門を移築したもの。すこし行くと、町屋を開放した**関まちなみ資料館**がある。

　すこしもどって右手に入ると家康ゆかりの権現柿のある**瑞光寺**。街道にもどって西へむかうと、**西尾《にしお》脇本陣跡**、**問屋場《といやば》跡**、**川北本陣跡**、**ふるさと茶屋**、**橋爪《はしづめ》家**とつづく。

　左側には二階が建築当時のまま残る**伊藤《いとう》本陣跡**、**萩野《はぎの》脇本陣跡**、江戸の商家のたたずまいの菓子舗**深川屋《ふかがわや》**、慶応《けいおう》年間（一八六五〜一八六八）創業の茶屋**かねき**など古い家がならぶ。

　その筋向いには土蔵《どぞう》風の郵便局。天正《てんしょう》年間（一五七三〜一五九二）から四〇年間、徳川《とくがわ》家の直轄地で代官所や亀山藩吏《はんり》の詰め所が置かれたところ。**陣屋《じんや》跡**の標識がたち、**高札場《こうさつば》**が復元されている。その隣の旅籠《はたご》、玉屋《たまや》は、町が建物を買いあげて**旅籠「玉屋」歴史資料**

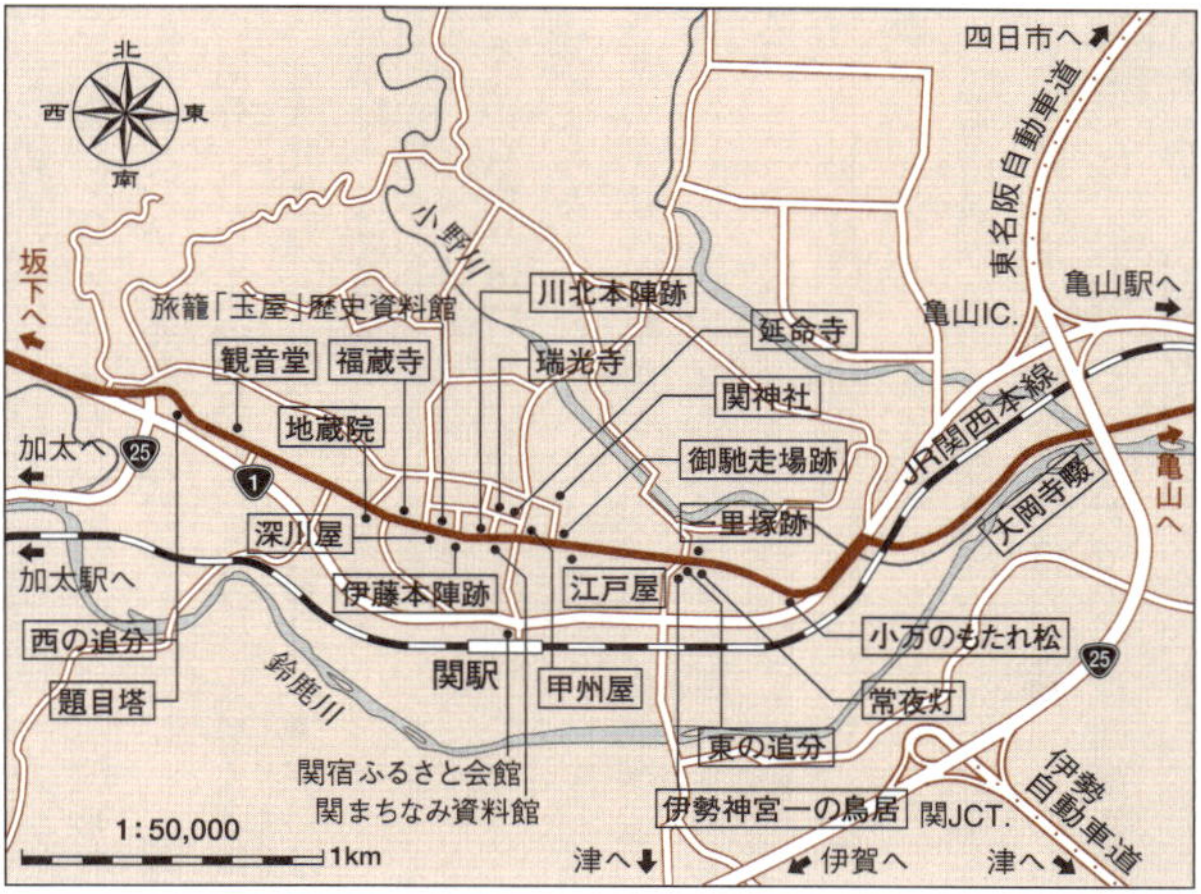

館（0595・96・0468）として一般に公開している。

そのさきにある**福蔵寺**《ふくぞうじ》は織田信孝《おだのぶたか》の菩提寺《ぼだいじ》。境内には、父親の仇討《あだう》ちをした**小万の墓**や碑もある。

やがて関の**地蔵院**《じぞういん》。本堂と、それに隣接してたつ**愛染堂**《あいぜんどう》、**鐘楼**《しょうろう》はともに国の重要文化財。**明治天皇行在所**《あんざいしょ》や**藤原定家**《ふじわらのさだいえ》**の歌碑**もある。

その地蔵は「振袖《ふりそで》着せて奈良の大仏さん婿《むこ》に」と鈴鹿馬子唄《すずかまごうた》に歌われるほど美しいことで評判だ。

すこし西へ行くと**火縄屋**《ひなわや》。むかし関宿には六軒以上の火縄屋があって、江戸城にも納めたほど。火災に備えて境町の西には火除土手《ひよけどて》、**長徳寺**《ちょうとくじ》前には火除松林がつくられていた。

観音堂から**西の追分**まで、およそ一五〇メートル、このあいだには民家や商店があった。かつては、この追分付近から街道沿いに松並木があったが、いまはそのおもかげはない。**西の追分**も県指定の史跡で、左は加太越《かぶとご》え奈良への大和《やまと》街道が分岐する。道標は「南無妙法《なむみょうほう》蓮華経《れんげきょう》」の**題目塔**《だいもくとう》。ここから二〇〇メートルほどで国道1号と合流、坂下《さかのした》へ。

【ちょっと寄り道】

●関まちなみ資料館

関の伝統的な町屋を再現、その内部構造や歴史資料を展示。宿場に関するビデオもある。

＊0595・96・2404／9時～16時30分／休館日　月曜（休日の場合は翌日）、年末年始

●関ロッジ（0595・96・0029）

旧街道沿いに西進、地蔵院の西を右手に入ったさきにある国民宿舎。**ぼたん鍋**（いのしし鍋）は、宿泊しなくても予約すれば賞味できる。近くの**観音山**《かんのんやま》には安政《あんせい》四年（一八五

七)、名工が彫った三三体の観音像が置かれ、観音堂から関宿が一望できる。

【名物のうまいもの】

●**関《せき》の戸《と》**

寛永《かんえい》年間(一六二四〜一六四四)創業の**深川屋**がいまに伝える関宿の銘菓《めいか》。こし餡《あん》をぎゅうひでつつみ、和三盆《わさんぼん》(最上の砂糖)をまぶした上品な菓子。店舗は天明《てんめい》四年(一七八四)の建物がいまに残るもので、江戸期の商《しょう》家《か》そのままに営業する。*05959・6・0008/9時〜18時/定休　木曜

●**志《し》ら玉《たま》**

餡入りの白玉団子《しらたまだんご》。旅人の茶請《ちゃう》けとして、江戸のむかしから親しまれた関の銘菓。街道筋、地蔵院近くの「志ら玉」の古い木の看板、**前田屋製菓**(05959・6・2008)で。

●**食事処**

地蔵院では、抹茶を飲みながら庭や仏像、行在所を拝観できる。予約すれば、昼は精進料理も味わえる。JR関駅から、歩いて約一五分。*精進料理の予約　05959・6・0018/11時30分〜14時/定休日　月曜、火曜、毎月24日

歌川広重「東海道五十三次　関」

江戸より 48 番目の宿

坂下 さかのした

【最寄り駅】▼JR関西本線・亀山駅。駅前から三重交通バスに乗り関駅経由「伊勢《いせ》坂下《さかした》駅」で下車すると、旧宿場のほぼ中心地。ただし、バスの本数が少なく、特に日曜祝日は日に一本しか出ないので注意。

【街道を歩く】

トラックや乗用車がたえまなく走る、峠の国道1号。それを見上げる山間《やまあい》の宿が、坂下である。

東海道は、関宿の「西の追分《おいわけ》」から国道1号とほぼ重なってゆるやかな坂を行く。約三〇〇㍍で**転《ころ》び石《いし》**。直径二㍍ほどの岩は何度かたづけても街道にころがりでたという伝説の石である。

さらに進んで鈴鹿《すずか》川《がわ》上流の橋を越え、市瀬《いちのせ》

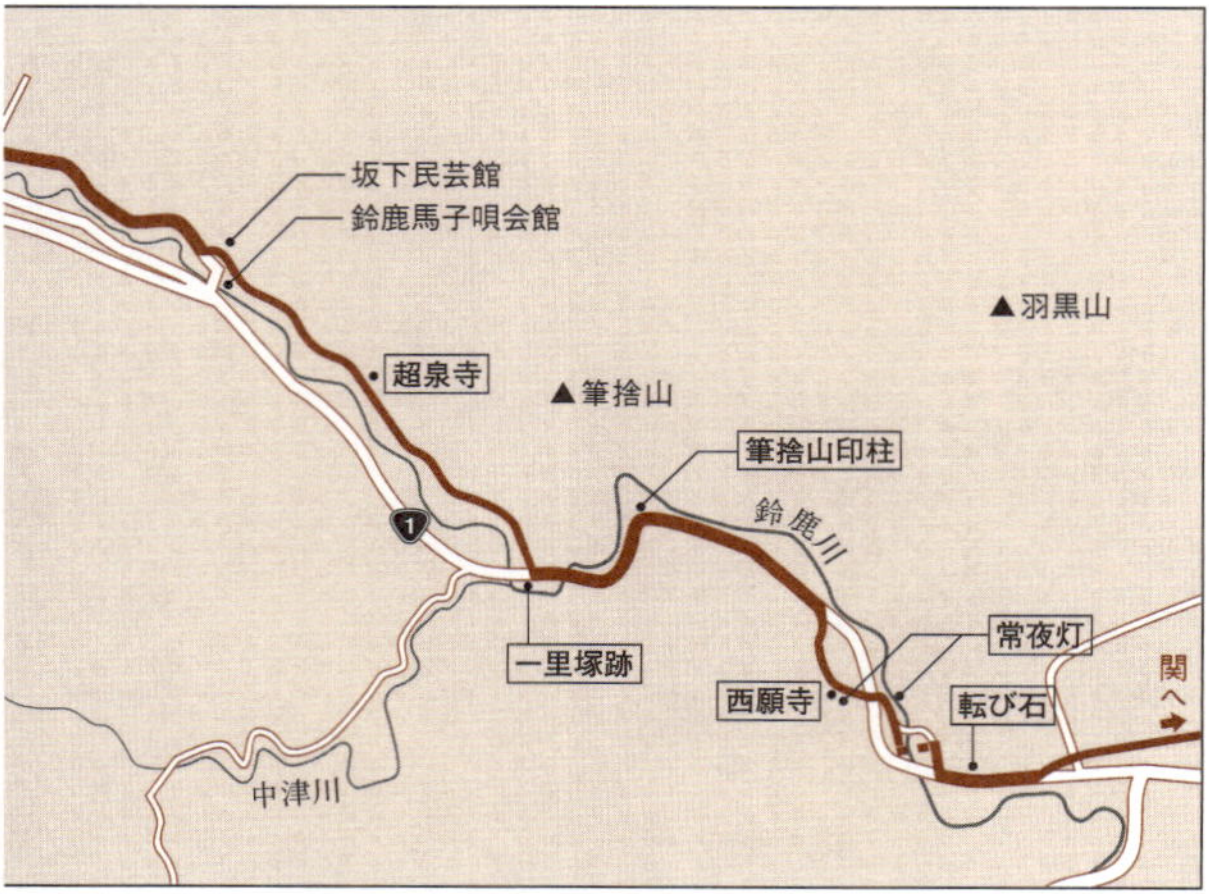

地区に入る。しばらく行くと**市之《いちの》瀬社《せやしろ》常夜灯**、筋むかいに**西願寺《せいがんじ》常夜灯**がたつ。そこから七〇〇メートルほど行くと筆捨《ふですて》地区。関と坂下の中間にあたり、**四軒茶屋《しけんぢやや》**あるいは**筆捨茶屋**と呼ばれていた。いまは農家が数軒だけ。裏手の山が名勝・**筆捨山**である。あまりの素晴らしい景観に、絵師も筆を捨てて眺めたので、この名前がついたといわれる。

国道と合流して四〇〇メートルほど行くと**弁天《べんてん》橋《ばし》**。そのたもとに**弁財天社《べんざいてんしや》**。左手土手の上には**一里塚跡**の碑がある。

国道と分かれて街道は右へ。騒音のたえない国道とは、うってかわった静かな山間の農家のたたずまいが素晴らしく、往時をしのばせる街道がつづく。土地の人が「町」と呼ぶ沓掛本郷《くつかけほんごう》あたりには、むかしの町屋がそのまま残っている。

超泉寺《ちようせんじ》をすぎて、六〇〇メートルほど行くと左側

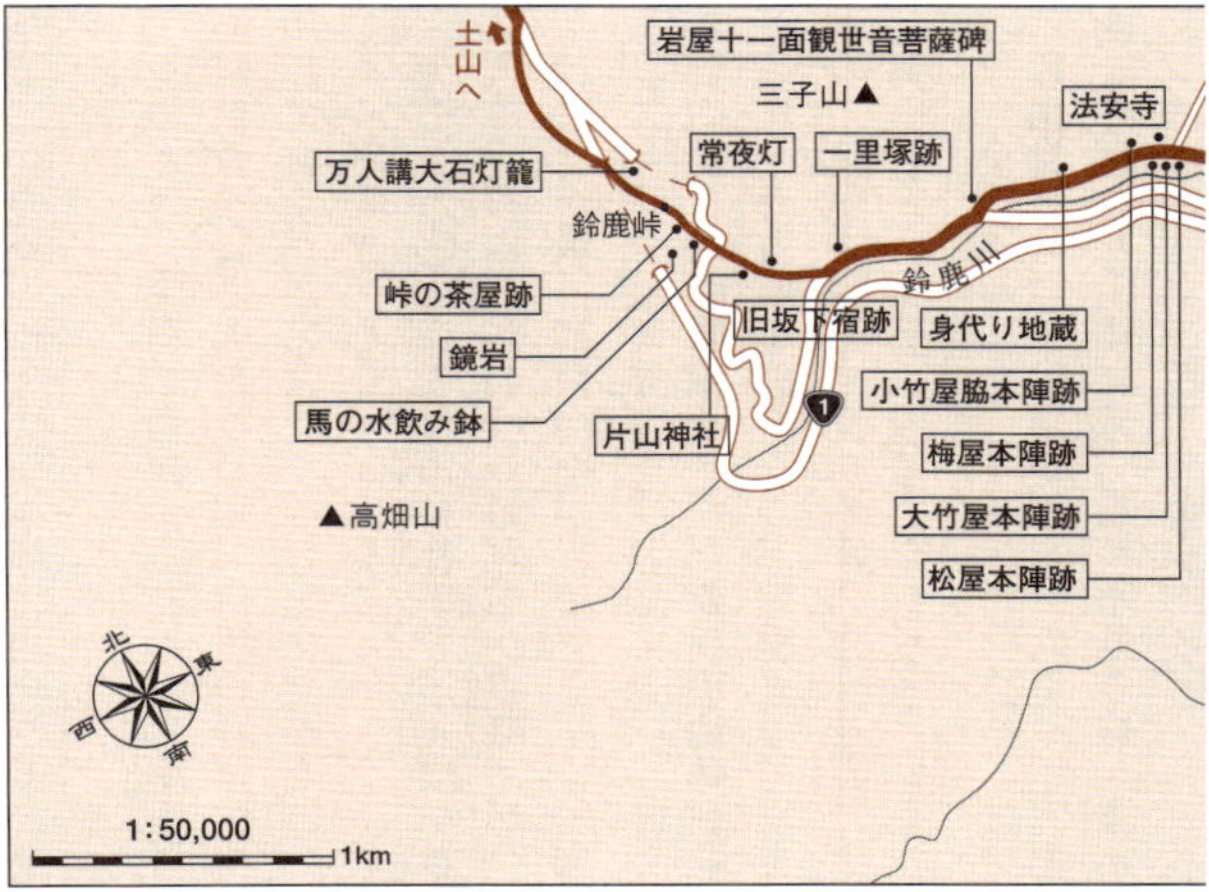

に**鈴鹿馬子唄会館**《すずかまごうたかいかん》。右に**坂下民芸館**。
そのさきの**河原谷橋**《かわらやばし》をわたると、鈴鹿峠越えをひかえた坂下宿の跡。かつては、のぼりくだりの旅人でにぎわい、大きな旅籠《はたご》が軒を連ねた。本陣、脇本陣の規模も、街道有数だったという。総戸数も一六〇ほどの宿場だったが、明治以降、近代交通の谷間に残されたかたちで、急速にさびれた。いまは約四〇の民家と茶畑の中に**大竹屋本陣跡**《おおたけや》、**梅屋本陣**《うめや》**跡**、**小竹屋脇本陣跡**《こたけや》の標柱がたつだけだ。
松屋本陣《まつや》は小学校になり、廃校後は公民館やバス車庫となった。宿のほぼ中央を流れる**若妻川**《わかつまがわ》の東にある**法安寺**《ほうあんじ》の庫裏《くり》玄関は、その松屋の玄関を移したもの。
そこから西へ二〇〇㍍《メートル》ほど行くと、街道は二叉《ふたまた》に分かれる。角屋の角を左に行くのが旧道。やがて合流するが、右手の石垣が**金蔵院**《こんぞういん》**跡**。**身代わり地蔵**がある。大名行列を横切った子どもの身代わりになったお地蔵さまと伝えられる。
そのさき、国道と合流する右手に**岩屋十一面観世音菩薩**《いわやじゅういちめんかんぜおんぼさつ》の大きな石碑。自然の岩窟を利用してお堂がたてられ、その左に滝があるので「**清滝観音**《きよたき》」とも呼ばれる。
国道を六〇〇㍍《メートル》で**片山神社**《かたやま》の参道入口を右に入る。杉木立《すぎこだち》のなかの左手が**古町**《ふるまち》。かつてはここが坂下宿だったが、慶安《けいあん》三年（一六五〇）の大水害で壊滅《かいめつ》して移設した。
境内には、**鈴鹿流なぎなた術発生地碑**があり、**孝子万吉顕彰碑**《こうしまんきちけんしょうひ》がたつ。峠越《とうげご》えの荷物を運び、病気の母親を助けた孝行息子をたたえた碑である。社殿は近年火災で焼失している。
片山神社の右手の道が旧道。**八町**《はっちょう》**二十七**《にじゅうなな》**曲**《まがり》と呼ばれた山道には、**馬の水飲み鉢**が置かれ、そのさきには**芭蕉句碑**がある。

すこし行くと左に「**鏡岩《かがみいわ》**」の標示。山賊が山道をのぼる旅人を、岩鏡に映して待ちぶせしたといわれる。道がけわしく、箱根とならぶ難所だったことがうかがわれる。

やがて、街道は広い平地に出る。このあたりに**峠の茶屋**があった。名残の石垣が残っている。

峠のトンネル上の滋賀県甲賀市土山町側には**万人講大石灯籠《まんにんこうおおいしとうろう》**。ここには、東海道ネットワークの会が平成四年（一九九二）四月に植樹した松が元気に育っている。

つぎの宿、土山へは、まだ数キロの道がつづく。

【ちょっと寄り道】

●鈴鹿馬子唄会館

平成七年（一九九五）七月に開館。国道1号の鈴鹿峠上下線分岐点からすぐ、多球面型のユニークな建物で、周囲には、五十三次の宿場名を記した柱がたっている。多目的ホールには昇降式ステージも。玄関ロビーには坂下宿や鈴鹿峠の資料を展示、宿の歴史はビデオでも紹介している。隣には宿泊できる青少年研修センターがあり、民具や寺子屋《てらこや》資料を展示した民芸館もある。＊0595・96・2001／8時30分〜17時／休館日　月曜、年末年始

歌川広重「東海道五拾三次之内　阪ノ下筆捨嶺」

江戸より 49 番目の宿

土山 つちやま

【最寄り駅】▼JR草津線・貴生川《きぶかわ》駅より市営バス（あいくるバス）。バス（田村神社行き、または大河原《おおがわら》行き）四〇分「田村神社」下車。ここが宿の東端あたり。

【街道を歩く】

「坂は照る照る鈴鹿《すずか》は曇《くも》る　あいの土山雨が降る」と鈴鹿馬子唄に歌われた土山宿は、近江五宿の東端にあって鈴鹿峠をひかえ、また多賀《たが》大社《たいしゃ》への御《ご》代参《だいさん》街道の分岐点の宿としてにぎわった。

鈴鹿峠を越えると、滋賀県に入る。国道1号に沿って坂道をくだって、およそ六キロで、**田村神社**の前に出る。

神社前の飴《あめ》店の横を通り、**道の駅・あいの土山**にそって道なりに進むと、宿場に入る。

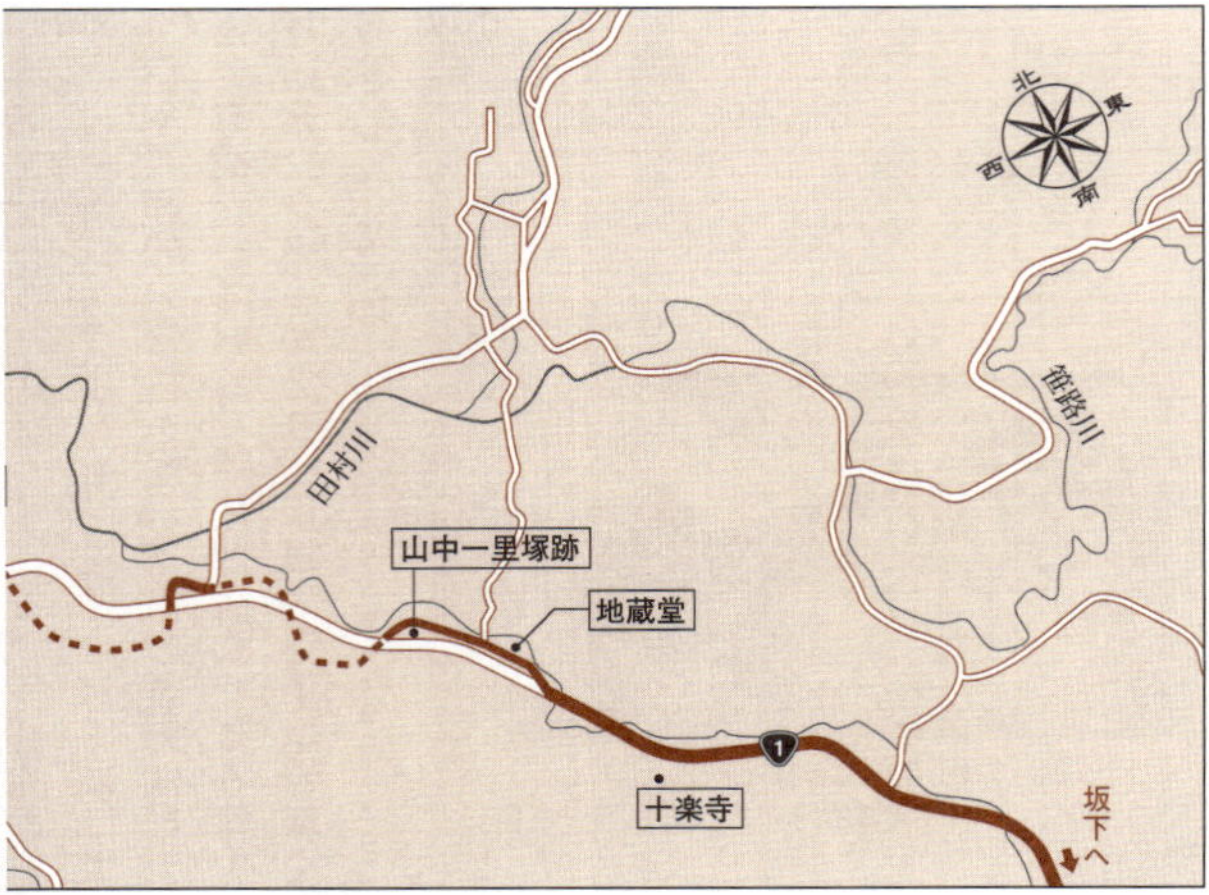

連子格子《れんじごうし》の町屋《まちや》風の家が残る宿場である。旅《はた》籠《ご》・大槌屋《おおつちや》跡のさき右手に**一里塚**の標柱。**地蔵堂**《じぞうどう》を二つすぎると、やがて道の左に**井**《い》**筒屋**《づつや》**跡**。明治の文豪、森鷗外《もりおうがい》の祖父は、ここで亡くなった。

さらに行くと、右側に、平成一三年に開館した**東海道伝馬**《てんま》**館**（9時～17時／休館日　祝日を除く月曜、火曜、年末年始）。宿場・伝馬制度等を映像で紹介している。つづいて右手に**土山宿本陣**。いまもほぼ遺構が残る。

寛永《かんえい》一一年（一六三四）三代将軍家光《いえみつ》の上《じょう》洛《らく》に際して設けられ、明治三年（一八七〇）までつづいた。明治天皇が即位後初の天長節《てんちょうせつ》を土山で迎えたことでも知られる。当時の玉《ぎょく》座《ざ》、手桶《ておけ》が残るほか、江戸時代の宿泊記録などの古文書も多数保存されている。付近には、**脇本陣跡**や、鷗外が泊まった**平野屋**《ひらのや》**跡**もある。

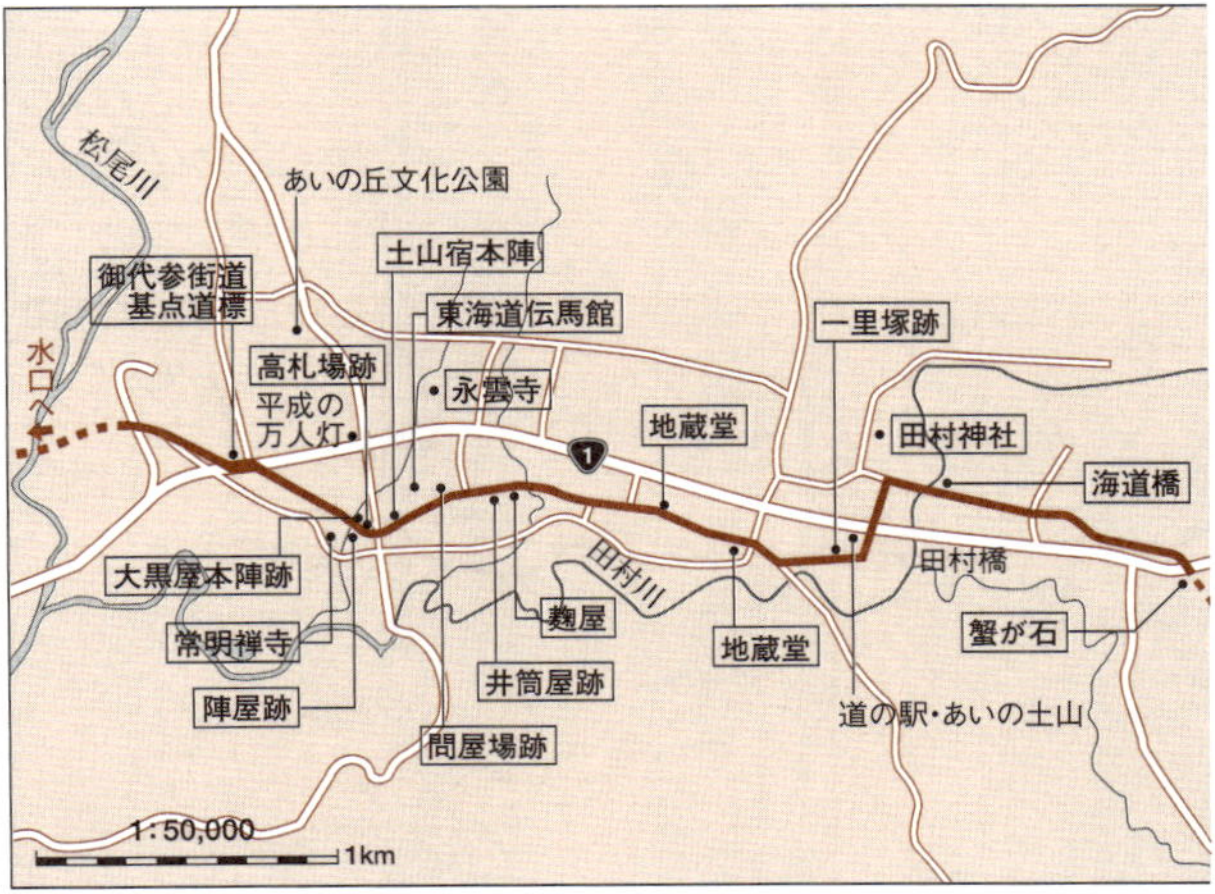

幕府直轄地として代官が詰めていた**陣屋《じんや》跡**から、街道を左にすこし入ったところにある**常明禅寺《じょうみょうぜんじ》**は、皇子《おうじ》長屋《ながや》王《おう》が母親の死を悼《いた》んで納めたと伝わる国宝の大般若経《だいはんにゃきょう》があるほか、芭蕉《ばしょう》句碑、森家の墓がある。**高札場《こうさつば》跡**、**大黒屋《だいこくや》本陣跡**を右に見て、しばらく行くと、街道は国道1号と合流。

すぐに道の右側に「**御代参街道基点**」の**道標**。すぐに右に入ると、松尾川《まつおがわ》の**松尾の渡し跡**で道は行き止まりになる。

国道1号にもどり、白川橋《しらかわばし》を越えてすぐに、国道1号から左に分かれ、しばらく行くと、松並木があり、むかしのおもかげをしのばせる。

街道の北を走る国道1号のすぐ北には、平安時代に斎王群行のときに宿舎がたてられた**垂水《たるみ》頓宮《とんぐう》跡**がある。杉の香りがただよう杉林の中に碑がたっている。さらに行くと、大野

市場地内の右手に**一里塚跡**の標柱。

街道はやがて、国道1号を横切って右に入る。水口《みなくち》バイパス入口で左へ。水口町の標示のさきから右に分かれて、つぎの宿、水口宿へとむかう。

【ちょっと寄り道】

●平成の万人灯《まんにんとう》

平成四年（一九九二）、ふるさと創生資金でたてられた。岐阜県蛭川《ひるかわ》から運んだ巨石を組み合わせた灯籠《とうろう》は、高さ九・三三メートル、重さ一五六・八トン。高札場跡の角から北へ約三〇〇メートル、国道1号沿いにある。

●あいの丘文化公園

平成の万人灯からさらに北へ三〇〇メートルほど行った左側。園内には、平成六年（一九九四）、脇本陣を現代風にアレンジして開設された**歴史民俗資料館**（0748・66・1056／10時～18時／休館日　祝日、月曜・火曜、ただし第3週は日曜・月曜、

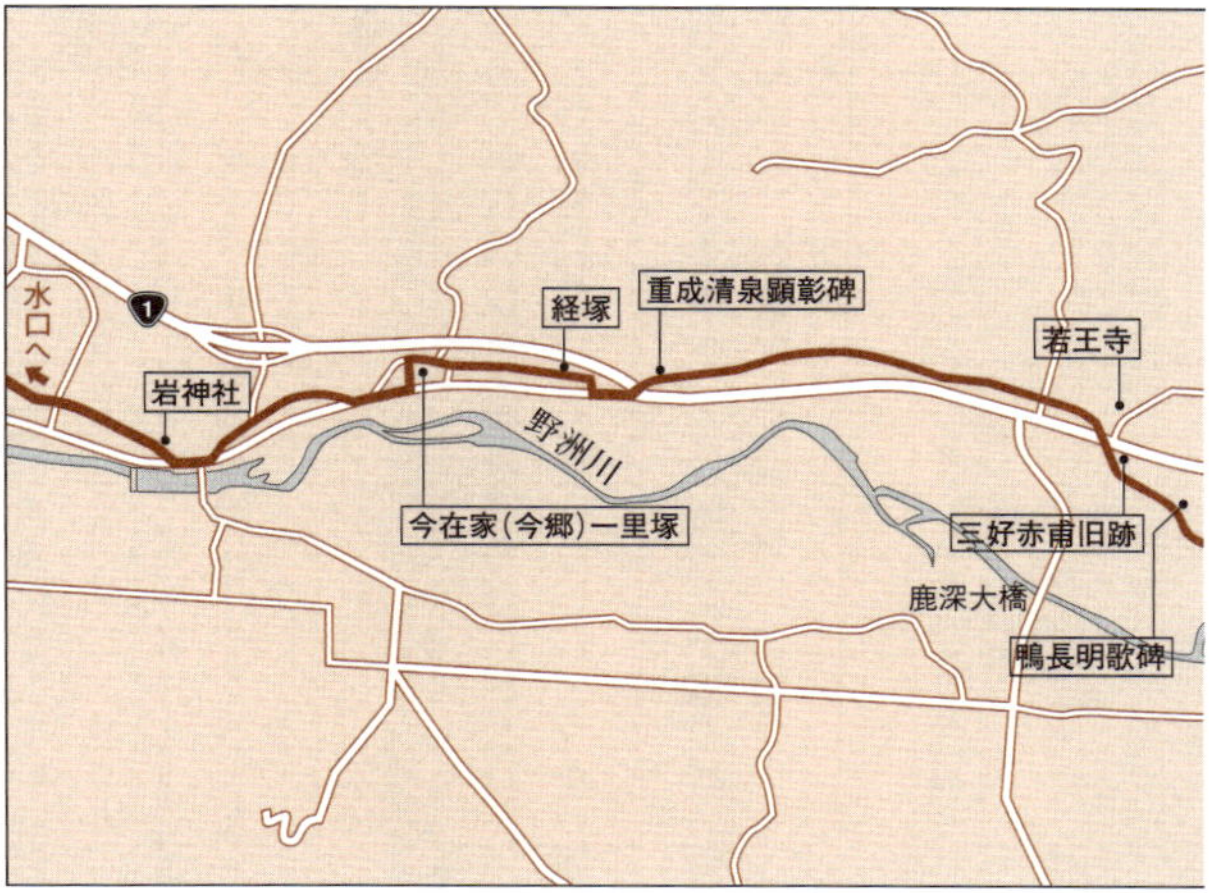

年末年始)、**図書館**をはじめ、本陣風の**文化ホール**、町屋風の**森林文化ホール**がならぶ。宿場おこしを提唱した青年たちが、昭和六三年(一九八八)にここ土山宿で第一回東海道五十三次シンポジウムを開いた。

【名物のうまいもの】

●かにが坂飴《さかあめ》(蟹坂八《かにさかや》つ割飴《わりあめ》)

むかし、このあたりに出たカニの化け物の伝説から生まれた飴。米の粉と麦の粉だけでつくられ、春さきまでは八個の飴を竹の皮でくるみ、それを四つの束にして売り、その後、五月末までは袋入りで、気温が上がる六月頃から一〇月頃までは、水飴状のものを売っている。

田村神社前の**高岡商店**(0748・66・1426)、**道の駅・あいの土山**(0748・66・1244)で。

●いが饅頭

むかし鈴鹿越えの際の主食になっていた白《しら》団子《だんご》と山栗《やまぐり》を菓子に加工したもの。舌ざわりがよい餅《もち》の上に、色づけした米粒がのった愛らしい菓子。**正和堂《しょうわどう》製菓舗**(0748・66・0056/第1、第3日曜定休)で。

●食事処

むかし土山宿に着いた旅人の多くは、ここに古くから伝わる**夕霧《ゆうぎり》そば**を食したという。くわしい資料は残されていないが、**うかい屋**(0748・66・0168)ではこの製法を研究し、地元の山菜をふんだんに使った夕霧そば(鴨なんばん)を再現している。

江戸より **50** 番目の宿

水口《みなくち》

【最寄り駅】▼JR草津線・貴生川《きぶかわ》駅から近《おう》江《み》鉄道に乗り換え、水口石橋駅下車。駅前が東海道、三筋《みすじ》の広場前。

【街道を歩く】

水口宿は、土山宿から西へ約一〇キロ、甲賀《こうか》市の中心地で、町には旧国道1号が東海道に沿って走り、近江鉄道が縦断している。

もとは天正《てんしょう》一三年（一五八五）に**大岡山《おおかやま》**（**古城山《こじょうさん》**）に築かれた**岡山城**の城下町。関ヶ原の合戦の後に落城、寛永《かんえい》一一年（一六三四）、徳川家光《とくがわいえみつ》が上洛《じょうらく》する際の居館《きょかん》として、新たに水口城が築かれ、水口はその城下町として栄えた。

東海道は、土山から今宿《いまじゅく》をすぎ、稲川畔で道が分かれたところが土山と水口の町境。橋の手前に、**いな川の清水《しみず》跡**。水がとぼしく旅人がこまっていたのを知って井戸を掘った山《やま》口《ぐち》重成《しげなり》をたたえた**顕彰碑《けんしょうひ》**がある。

そのさき国道をわたってしばらく行くと、左手にエノキが植えられた塚があり、**一里塚跡**の標柱が立つ。

およそ二〇分歩くと岩神をまつる**岩《いわ》神社**があり、さらに二〇分ほどで**山川橋《やまかわばし》**をわたると、水口宿である。

旧国道1号を越えて一〇〇メートルほどで、左に**本陣跡**。かつては、このあたりから、現在の水口石橋駅あたりまでの**三筋の通り**に多くの旅籠《はたご》が軒を連ねていたという。いまもそのおもかげが残る建物が見つかる。

家並の北側には**大岡寺《だいこうじ》**。参道入口には**鴨《かもの》長明発心所《ちょうめいほっしんどころ》の碑**があり、本尊《ほんぞん》の**十一面千手《じゅういちめんせんじゅ》観音立像《かんのんりゅうぞう》**、**阿弥陀如来立像《あみだにょらいりゅうぞう》**がある。境内には**芭蕉《ばしょう》句碑**「命二つ中《なか》に活《い》きたる桜かな」も。

やや西には徳川家康《いえやす》が泊まった**大徳寺**《だいとくじ》、東に岡山城天守の焼け残り材でたてたという**善福寺**《ぜんぷくじ》、南には伝統の春の例祭で知られる**水口神社**がある。

街道に戻る。近江鉄道を越え、右、左と折れ、さらに進んで左折し、かぎの手になった南方に**水口城資料館**がある。西見付のあたり、**五十鈴神社**前に**林口一里塚跡**の標柱がある。

街道は、宿をすぎ、西端からおよそ四キロで、このあたりでは**横田川**《よこたがわ》と呼ばれる**野洲川**《やすがわ》につきあたる。その手前右手には**泉一里塚跡**の標柱とエノキのある塚。堤には**横田の渡し**の標柱と**大常夜灯**《だいじょうやとう》がたち、休憩所からは、川が一望できる。

渡しのない現在は、川に沿って西下、湖南市に入り、横田橋をわたる。街道はJR三雲駅の北を通り、石部宿《いしべじゅく》へとむかう。

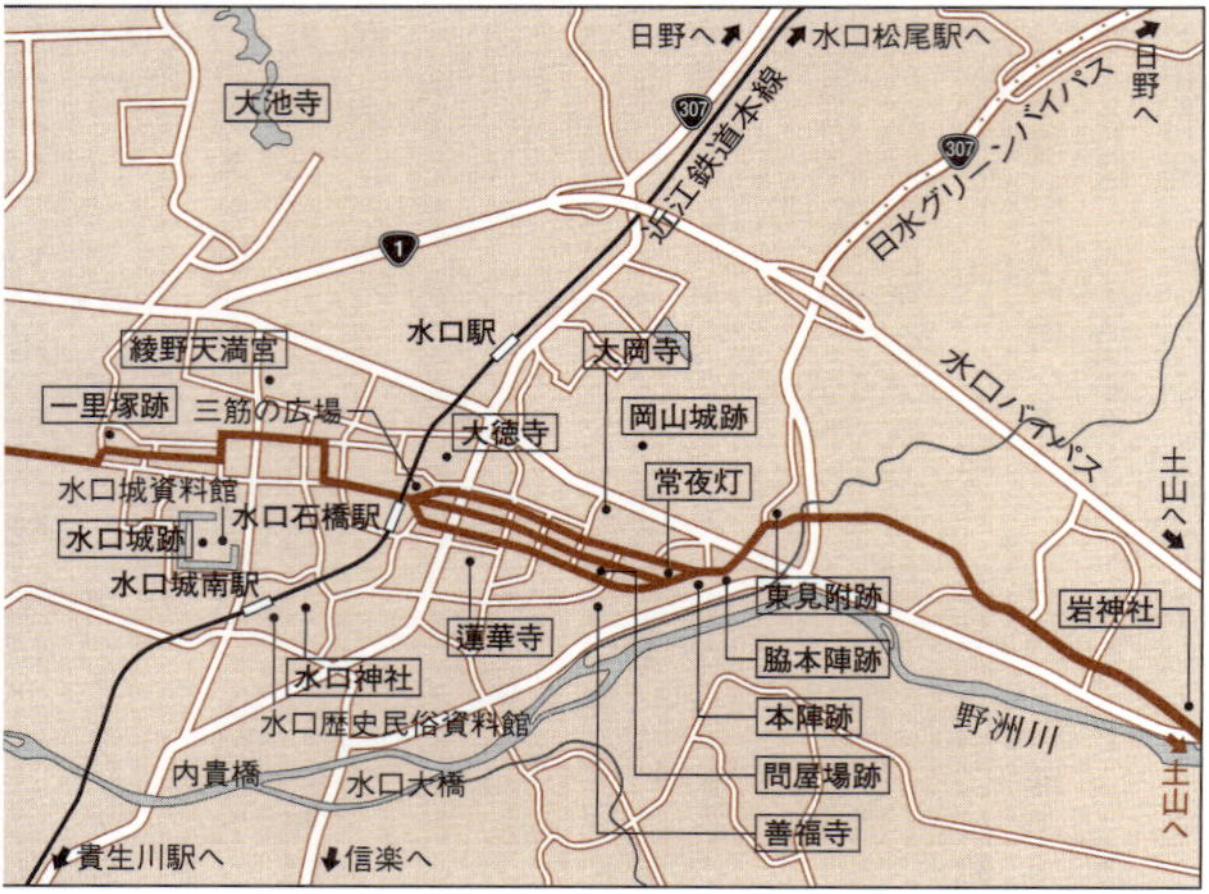

【ちょっと寄り道】

●水口城資料館

近江鉄道・水口城南駅下車すぐ。平成三年（一九九一）に水口城の**角櫓**《すみやぐら》を復元した。水口の歴史をビデオで紹介するほか、水口城に関する歴史資料、かつての名産品である籐《とう》細工を展示。＊0748・63・5577／10時～17時／休館日 木曜、金曜、年末年始

●水口歴史民俗資料館

水口曳山祭《ひきやままつり》をはじめ、水口宿、水口城に関する歴史資料が豊富。＊0748・62・7141／10時～17時／休館日 木曜、金曜、年末年始

●横田の渡し大常夜灯

当時は舟渡しで渡った野洲川（横田川）の堤にあり、旅人の夜間の目標として灯がともされた。日本一ともいわれる大きさと存在感は、今でもひときわ目立つ。

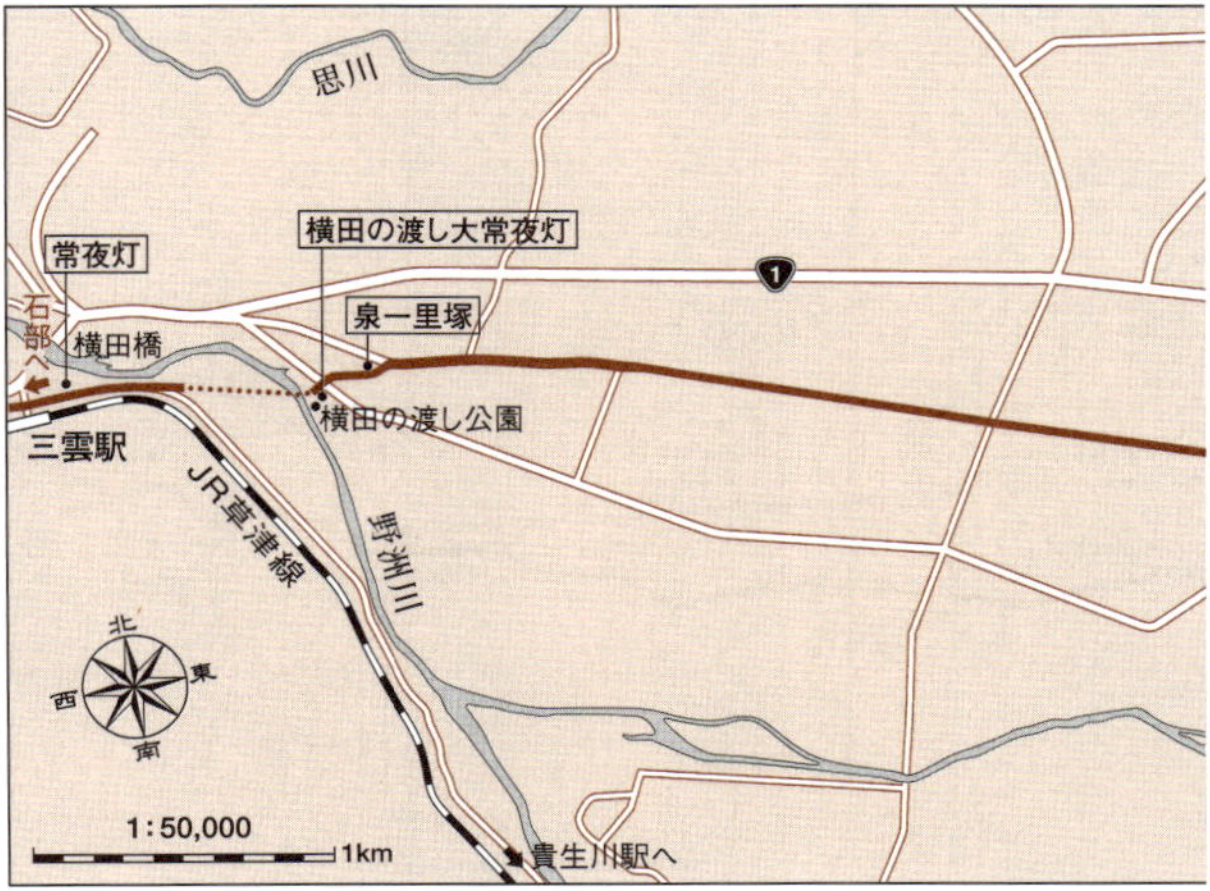

江戸より51番目の宿

石部《いしべ》

【最寄り駅】▼JR草津線・石部駅。駅前からまっすぐのびる道を数十メートル行くと、宿の西のはずれに出る。

【街道を歩く】

「京立《きょうだ》ち石部泊《どま》り」といわれ、京をたった旅人の一泊めが、石部。宿駅としてにぎわった。金山《きんざん》があって、堅実な人物のたとえにいわれる「**石部の金吉《きんきち》**」もここから出た。

水口からは、三雲《みくも》駅前を通り西へ。JR線を南に越えるあたりの左手に**立志《りゅうし》神社**、**永照《えいしょう》院《いん》**、その奥に**三雲城跡**、**妙感寺《みょうかんじ》**がある。

街道はJR線にほぼ並行して西へと進む。トコロ天が名物だった**夏見《なつみ》**をすぎ、**美松《うつくしまつ》の自《じ》生地《せいち》**の平松地区をへて**上葦穂《あしほ》神社**を左手奥に見て進み、落合川をわたると湖南市石部に入

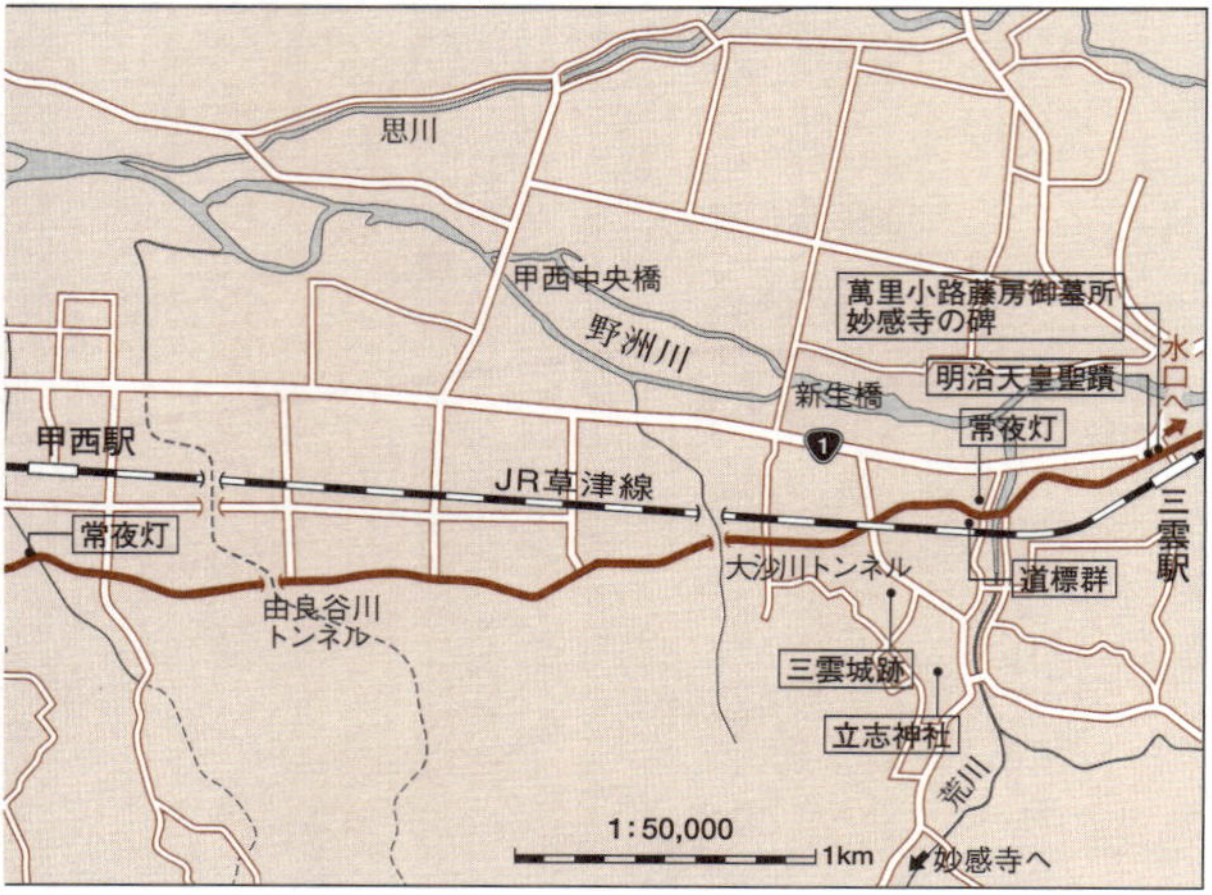

る。そこから約三〇〇メートルで石部宿の**東口跡**《ひがしぐち》である。

すぐさきの左手にある**吉姫神社**《よしひめ》は、およそ一キロさきの**吉御子神社**《よしみこ》と対の社で**石部**《いしべ》**社**《しゃ》とも呼ばれる。

宿場の中心部の狭い道筋を行くと、**本陣跡**の標石。そのさきの**真明寺**《しんみょうじ》に、芭蕉《ばしょう》が石部の茶店で詠《よ》んだといわれる**句碑**がある。

道は右へかぎ形に折れ、さらに左折して**西**《にし》**口**《ぐち》**跡**。

川が荒れるため、道は**金山の跡**の手前で左折して大きく迂回、この上道《うえみち》が本街道。直進すれば、草津線沿いの下道《したみち》。名神高速道路をくぐってすこし行くと、右手奥に鳥居。右手には俵藤太《たわらとうた》の大ムカデ退治《たいじ》で知られる**三**《み》**上山**《かみやま》(近江《おうみ》富士《ふじ》)が見える。

道標をたよりに右折。線路をわたって、家並をすぎると、**新善光寺**《しんぜんこうじ》のりっぱな山門が見

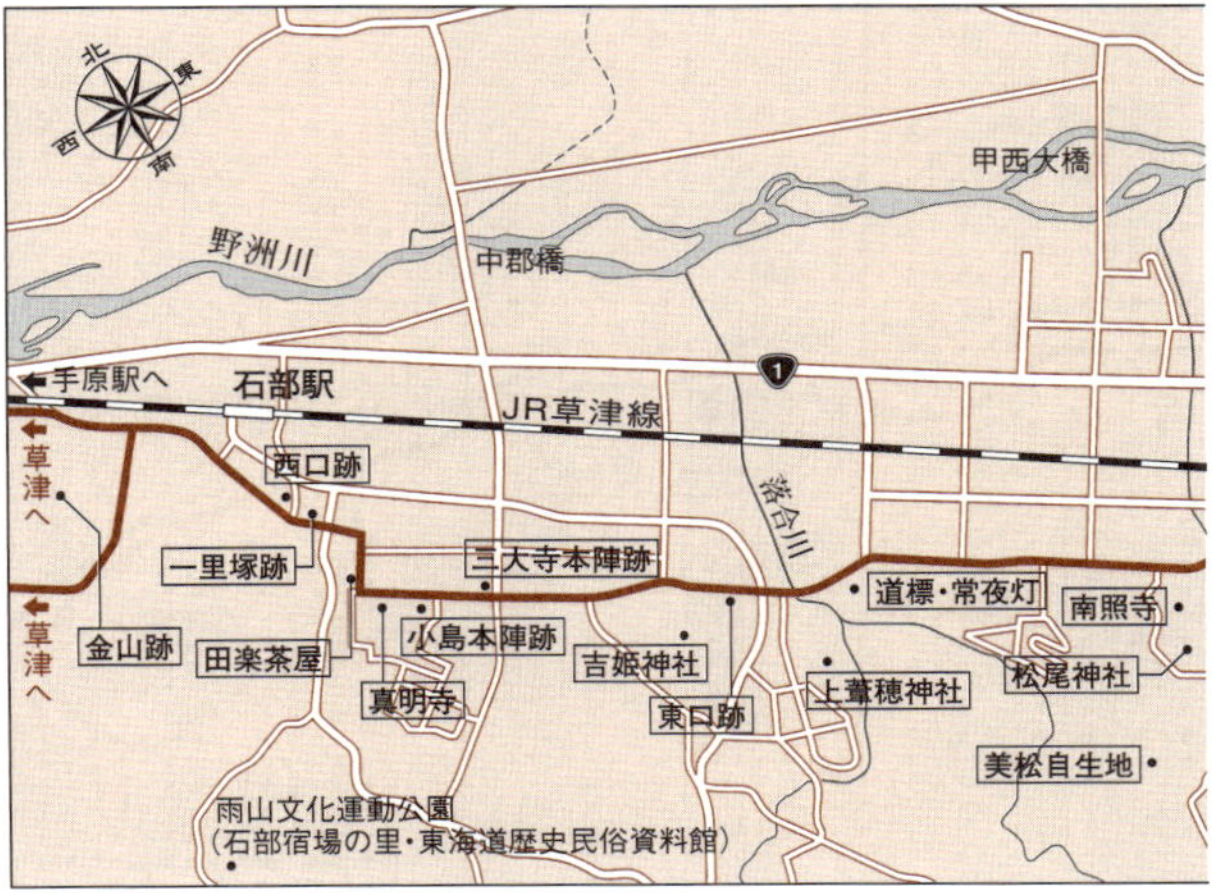

える。

街道にもどり、さらに行くと、**六地蔵《ろくじぞう》**。秋には門前から見る紅葉《こうよう》がすばらしい。

やがて街道に面して豪華な建物、史跡「**旧和中散本舗《わちゅうさんほんぽ》**」の石柱。このあたりは石部と草津の中間にある間《あい》の宿《しゅく》として栄え、道中薬を売る店が数軒あった。ここはもと、和中散を売る**ぜさいや本舗**で、**茶屋本陣**にもなった。家康《いえやす》が永原《ながはら》（現在の野洲《やす》市永原）に滞在中、腹痛を起こしたときにこの薬で治り、この名を与えたと伝わる。

ぜいを尽くした玄関の欄間《らんま》や重厚な店構えは江戸時代の豪商の姿をそのまま伝えている。すばらしい庭は**小堀遠州《こぼりえんしゅう》**の作。池と岩、ツツジなどの緑が美しい。街道に面した作業場には高い天井にとどく大きな水車のような木枠を回すと、木製歯車が連動して石臼《いしうす》をひき、薬を作る。江戸時代のオートメ工場だ。

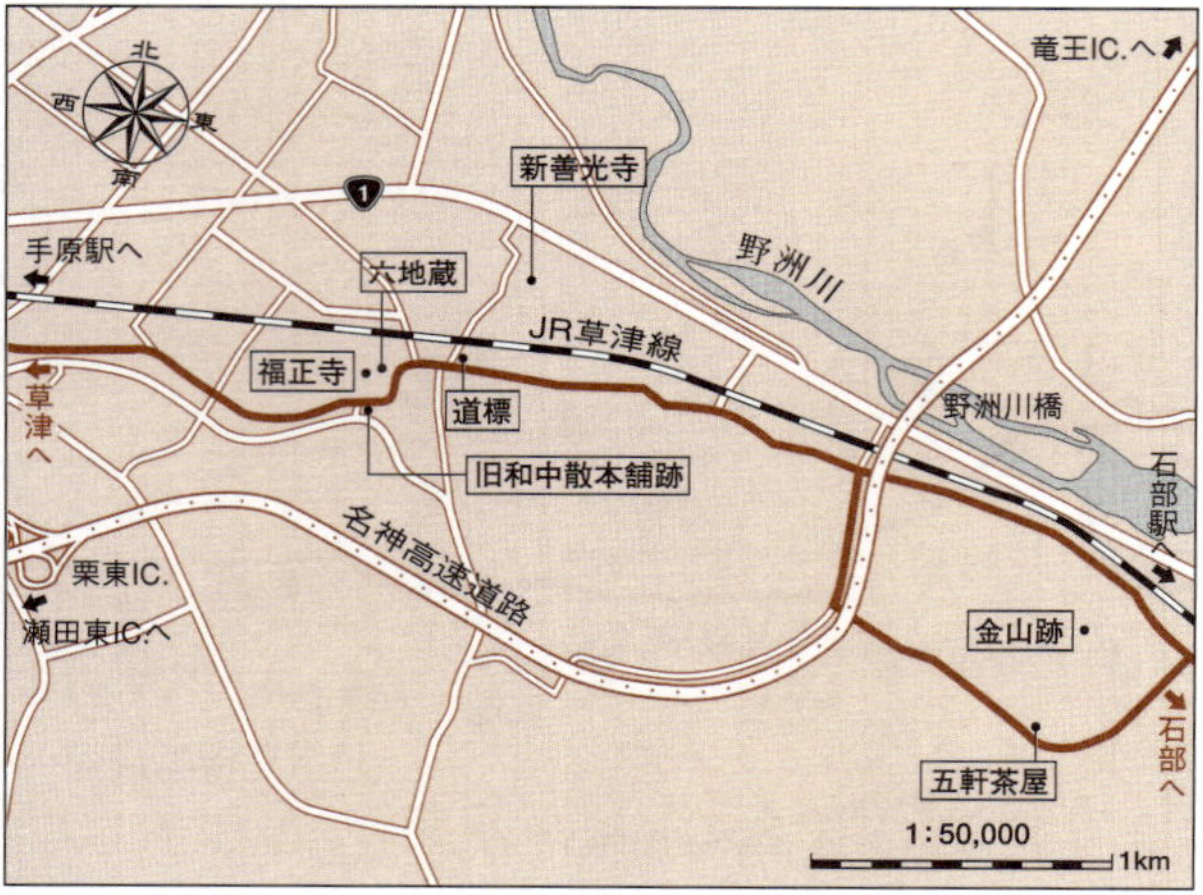

道の北側には隠居《いんきょ》所などが残っている。

　街道を道なりに進み、手《て》原《はら》駅前をすぎると、道は左へ迂《う》回《かい》、土手に沿って右へ行くと、新幹線のガード。草津《くさつ》市に入ったところで左手の土手に上り、草津川を越える。東海道は草津宿にむかう。

【ちょっと寄り道】

●石部宿場の里

　JR石部駅の南方にある雨山《あめやま》文化運動公園内。江戸時代の旅籠、農家、商家や茶店をならべ、当時の生活を再現している。敷地内には**東海道歴史民俗資料館**もあり、石部宿の模《も》型《けい》などが展示されている。＊0748・77・5400／9時〜16時30分／休館日　月曜、祝日の翌日、年末年始

★JR石部駅前から町内循環バス「めぐるくん」が運行。八時台から一八時台までは、ほぼ一時間に一本ずつの便。駅前を出て、町の東にある長寿寺《ちょうじゅじ》方面を通り、東南の常楽寺《じょうらくじ》、歴史民俗資料館への入口がある石部中学校前を通って駅前にもどってくる。バスを降りる際、つぎの便の時間を調べておけば、効率よく町内の観光ポイントをめぐることができる。

歌川広重「東海道五拾三次之内
石部目川里」

江戸より **52** 番目の宿

草津《くさつ》

【最寄り駅】▼JR草津駅。東口から東へすぐの交差点を右へ、およそ三〇〇メートルで草津川をくぐると、東海道と中山道の追分、史跡・草津宿本陣。

【街道を歩く】

草津宿は、中山道《なかせんどう》と東海道の分岐点、琵琶《びわ》湖《こ》の湖南の要衝《ようしょう》として栄えた。

石部宿からは、JR草津線・手原《てはら》駅の南を通り、しばらく行くと、**金勝川《こんぜがわ》**につきあたる。そこを右に曲がると**目川《めがわ》**である。むかしは街道名物の目川田楽《でんがく》の店も多かったという。街道沿い右手には**目川一里塚跡**の標柱がある。

目川の立場《たてば》跡をすぎて、まもなく街道は右に折れ、東海道新幹線をくぐる。

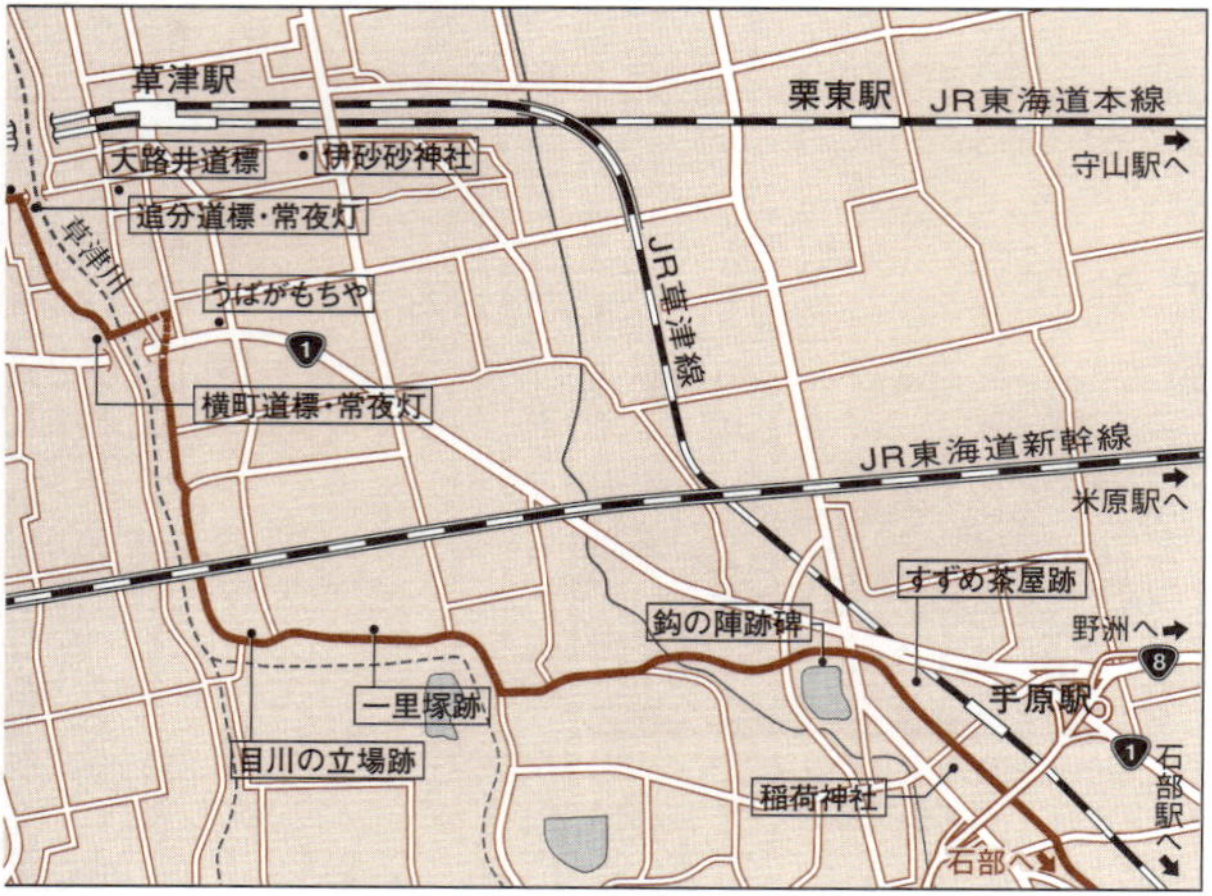

さらに進み、栗東《りっとう》市から草津市へ、国道1号の上を越え、草津川の橋をわたって右折すると、草津宿の入口である。

道の左に**横町《よこまち》道標**。「**左東海道いせ道《みち》　右金勝寺、志《し》がらき道《みち》**」と書かれている。

かつての宿場は、東横町の草津川入口から矢倉《やくら》村との境までのおよそ一・三キロで、東横町、西横町、一町目から六町目、宮町《みやまち》を中心とした集落が、宿場の典型的な町並をつくっていた。

横町をすぎると、まもなく東海道と中山道の分岐点。ここが宿の中心地だった。「右東海道いせみち　左中仙道美のぢ」と彫られた高さ四メートルほどの**常夜灯《じょうやとう》**の石造道標がたっている。

明治一九年（一八八六）に草津川（天井《てんじょう》川《がわ》）の下をくぐるトンネルが掘られるまで、旅人は徒歩で川をわたって中山道を通ってい

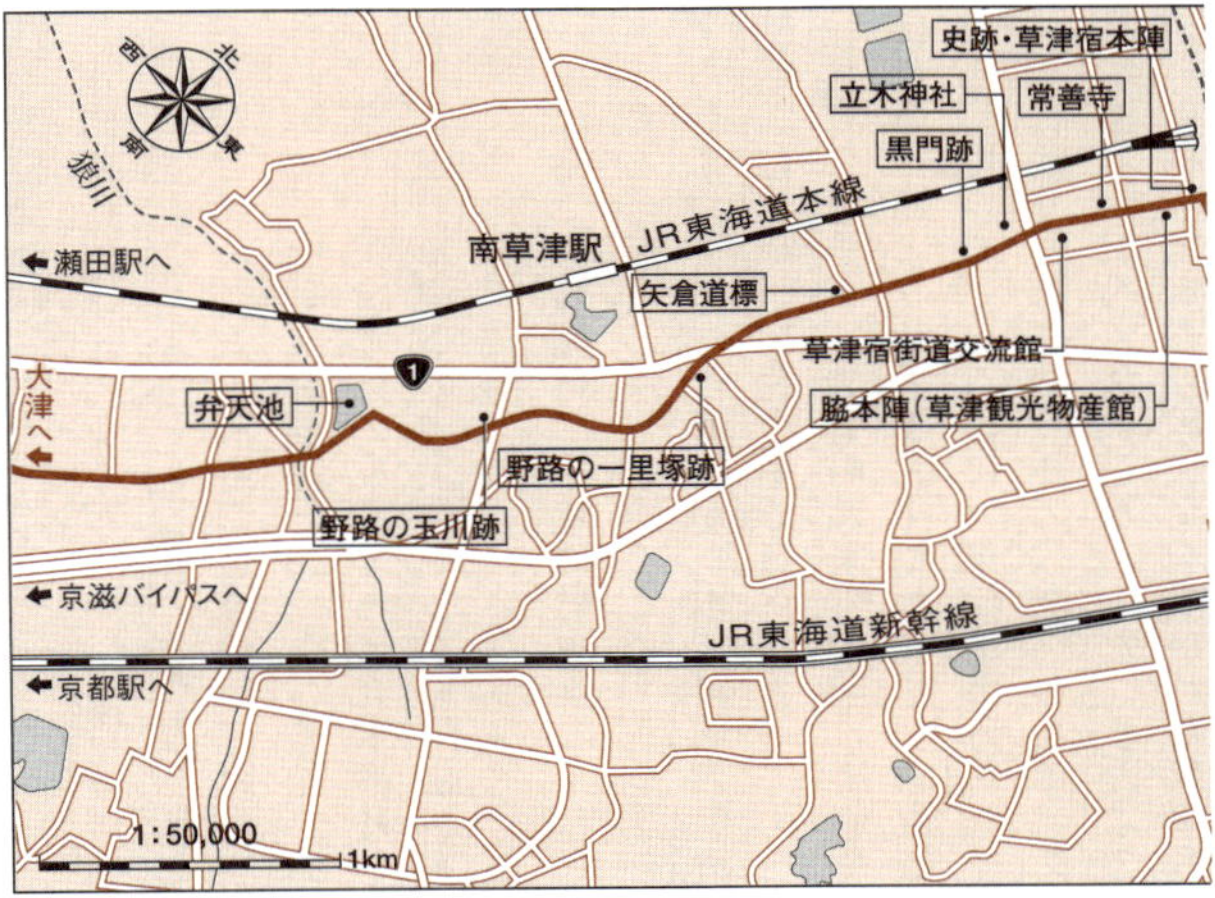

た。トンネルができたため、東海道は**大路井《おちのい》**までのび、**覚善寺《かくぜんじ》**の角で中山道と分かれた。いまは寺の前に道標がたっている。

　追分道標のさきに、国の史跡に指定された草津宿本陣、**田中七左衛門《たなかしちざえもん》本陣**がある。

　総坪数一三〇五坪、建坪四六八坪。東海道では唯一、むかしのままの遺構を伝える本陣建造物で、七年がかりで保存整備事業がおこなわれ、一般公開されている（0775・61・6636／9時～17時／休館日　月曜、ただし祝日の場合はその翌日、年末年始）。

　元禄《げんろく》年間（一六八八～一七〇四）から明治まで約一八〇年間の大福帳《だいふくちょう》が残されており、浅野内匠頭《あさのたくみのかみ》と吉良上野介《きらこうずけのすけ》が九日おいて泊まった記録や、街道文化を伝える数々の歴史資料も残されている。

　この田中七左衛門本陣のほか、かつては、もう一軒、**田中九蔵《くぞう》本陣**があったが、現在は残っていない。

　本町商店街を歩いていくと、**常善寺《じょうぜんじ》**がある。この付近はむかし**問屋場《といやば》**、**貫目改 所《かんめあらためどころ》**のあったところ。**太田酒造の道灌蔵《どうかんぐら》**や江戸後期からつづくという**野村屋《のむらや》**という古い旅館があり、草津、矢倉地区の氏神《うじがみ》である**立木《たちき》神社**をすぎると、草津宿の出入口だった**黒門《くろもん》跡**がある。

　草津宿では**筋違《すじか》い**（本陣に宿泊する大名たちをねらう曲者《くせもの》の侵入を防ぐため、四つ辻をずらしてつくられた道）が、本陣料理の魚寅《うおとら》楼《ろう》前をはじめ、宿場街道で見られる。

　さらに行くと、**矢倉町瓢泉堂《ひょうせんどう》**の前に「**右やばせ道古連《これ》より廿五丁《にじゅうごちょう》大津船わ多《た》し**」の**道標**がたっている。ここには、東海道と分かれて矢橋《やばせ》に入り、そこから船で大津へわたる「矢橋の渡し」に行く**矢橋道**があった。またこの付近には、広重《ひろしげ》の浮世絵にも描かれた草津名物の**うばがもちや**があった。いまは国道1号沿いに場所を移した。

矢倉小学校前の国道1号を横断して、街道は、野路町《のじちょう》に入る。鎌倉時代に**野路の宿**として栄えたところである。**野路一里塚跡**、**野路の玉川跡**がつづく。

平安時代に源《みなもとの》俊頼《としより》が「あすもこん野路の玉川萩《はぎ》こえて色なる波に月宿《つきやど》りけり」と詠んで以来、歌どころとしても知られる。**弁天池**《べんてんいけ》のなかの**弁天社**《べんてんしゃ》を右に見て、**狼川**《おおかみがわ》をわたってしばらく行くと、大津市月輪《つきのわ》に入る。月輪寺のさき一里山二丁目左角に**一里塚跡**の石碑が立つ。街道は、日本橋から数えて五三番目の宿、大津へとむかう。

【ちょっと寄り道】

●立木神社

神護景雲《じんごけいうん》元年（七六七）創建と伝えられ、古くから草津と矢倉の氏神。延宝八年（一六八〇）建立《こんりゅう》の銘のある県内最古の石造道標が東海道と中山道の追分にあったものを境内に移築、保存されている。推定樹齢三〇〇〜四〇〇年のウラジロガシの大木もみごとだ。

●草津宿街道交流館

JR草津駅東口から徒歩一五分。草津宿に関する資料や絵図を収蔵、展示。＊077・567・0030／9時〜17時／休館日 月曜（祝日の場合は翌日）年末年始ほか

●太田酒造の道灌蔵

江戸城の創建者、太田道灌が遠祖といわれる太田酒造では、宿場内の東海道に面した直売所の二階に展示室を設けている。もろみを酒袋に入れる際に使う小桶《こおけ》「きつね」などの道具を見ることができる。

●栗東歴史民俗博物館

栗東市や周辺地域で出土した縄文土器や弥生土器、和中散本舗《わちゅうさんほんぽ》の看板などを展示。第二

展示室では企画展も開催。JR草津駅からバス（金勝公民館行き）「図書館前」下車徒歩一分。またはJR手原駅より徒歩三〇分。＊0 7 7・5 5 4・2 7 3 3／9時30分〜17時／休館日　月曜、祝日の翌日（土曜・日曜・祝日に重なる場合を除く）、年末年始

【名物のうまいもの】

●うばがもち

信長に滅ぼされた佐々木《ささき》義賢《よしかた》から、その曽《そう》孫《そん》を託された乳母《うば》、福井とのは、郷里の草津に身を潜めていたが、養育費を捻出するため餅《もち》をつくって街道筋で売った。その餅をいまも売る**うばがもちや**（0775・66・2580）は創業およそ四三〇年。古くは矢倉（草津宿の西出口近く）にあったが、現在は、国道1号沿いにある。なかの餅がたいへんやわらかく、まわりの餡《あん》はさらりとした甘さ。

●食事処

田中本陣の修復、公開にあわせて、周辺の飲食店には「本陣メニュー」をうたうところが多いが、なかでも**魚寅楼**（0775・62・2202／月曜定休）は、古文書から当時の献立を再現し、味つけをすこし現代風にした。もとは、旅籠《はたご》「双葉屋《ふたばや》」で、明治のはじめ「双葉館魚寅楼」と改名した。現在、宿泊はできず、飲食のみ。

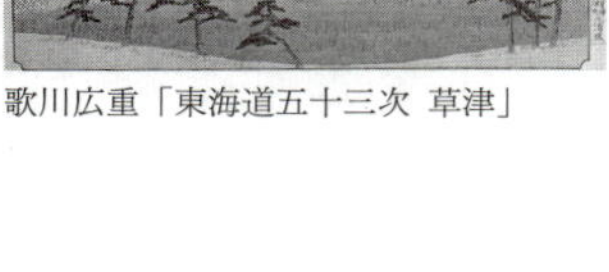

歌川広重「東海道五十三次　草津」

江戸より 53 番目の宿

大津《おおつ》

【最寄り駅】▼JR・京阪石山《いしやま》駅を出ると、旧東海道。ここから東にすこしもどると瀬田《せた》の唐橋《からはし》。

【街道を歩く】

琵琶湖《びわこ》の南端にある大津は、京都を目前に北国街道《ほっこくかいどう》（西近江路《にしおうみじ》）とまじわるほか、湖上交通の発着点でもある交通の要衝。滋賀県庁所在地として、近年は湖岸の埋め立てや近代化が着々と進んでいる。

草津宿から西へ、JR瀬田駅の南をさらに西進して、**浄光寺**《じょうこうじ》の前をすぎると、やがて、「瀬田の唐橋　右東海道」の石碑があり、唐橋にむかって進むと、**建部**《たけべ》**神社**の大きな石柱がある。石畳風の舗装道を行くと、ほどなく**瀬田の唐橋**。都への関門だったこの橋は、戦いで何度も焼け落ちたが、いまは自動車が行きかう鉄製の橋。**擬宝珠**《ぎぼうしゅ》だけがむかしをしのばせる。

橋の東詰《ひがしづめ》、南側に**道標**、そのさきに**竜王宮**《りゅうおうぐう》と**秀郷社**《ひできとしゃ》がある。俵藤太秀郷《たわらとうたひでさと》が瀬田川にすむ竜《りゅう》に頼まれて、**三上山**《みかみやま》の大ムカデを退治した伝説にちなんだ社である。

橋をわたり、京阪電車の踏切を越えたら右折。石山商店街、石山駅内を通り、粟津の**晴嵐**《せいらん》**跡**に。ほどなく、街道は**膳所**《ぜぜ》**の城下町**に入り、京阪・瓦ケ浜《かわらがはま》駅の手前に**勢多口総門**《せたぐちそうもん》**跡**がある。

そこから道は右に左にと直角に曲がり、踏切をわたると**若宮八幡**。さらに行くと、また踏切になり、その四〇〇メートルほどさきを左折すると**篠津**《しのづ》**神社**である。

そのあとすぐに右折して、しばらく行ったら左手に**膳所神社**がある。また、そのあたりを右に五〇〇《メートル》ほど入った琵琶湖畔には、**膳所城天守跡**があり、周囲が**膳所公園**として整備され、新緑や紅葉《こうよう》の時期は、それらが湖面に映えてあざやかだ。

街道は、さらに**膳所城中大手《なかおおて》門《もん》跡**、**縁心《えんしん》寺《じ》**、**和田《わだ》神社**、**敬願寺《けいがんじ》**の前をすぎ、道は**相模《さがみ》川**にさしかかる。ここから**石坐《いわい》神社**、**桃源禅《とうげんぜん》寺《じ》**、**法伝寺《ほうでんじ》**をすぎ、城下町の終わる**北総門《きたそうもん》跡**にたどりつく。

さらに四〇〇《メートル》ほど行くと、左手に、木曾《きそ》義仲《よしなか》と芭蕉《ばしょう》の墓のある**義仲寺《ぎちゅうじ》**。木曾義仲の愛《あい》妾《しょう》・巴御前《ともえごぜん》が供養《くよう》したことから**巴寺《ともえでら》**、**木曾寺《きそでら》**と呼ばれたこともある寺。芭蕉句碑や、芭蕉の弟子・又玄《ゆうげん》の句碑もある。

そのさきの大津警察署の裏手あたりが**石場《いしば》の渡し場跡**。かつてはここに**常夜灯《じょうやとう》**があったが、なぎさ公園に移設された。

蹴鞠《けまり》で知られる**平野《ひらの》神社**をすぎると、古い

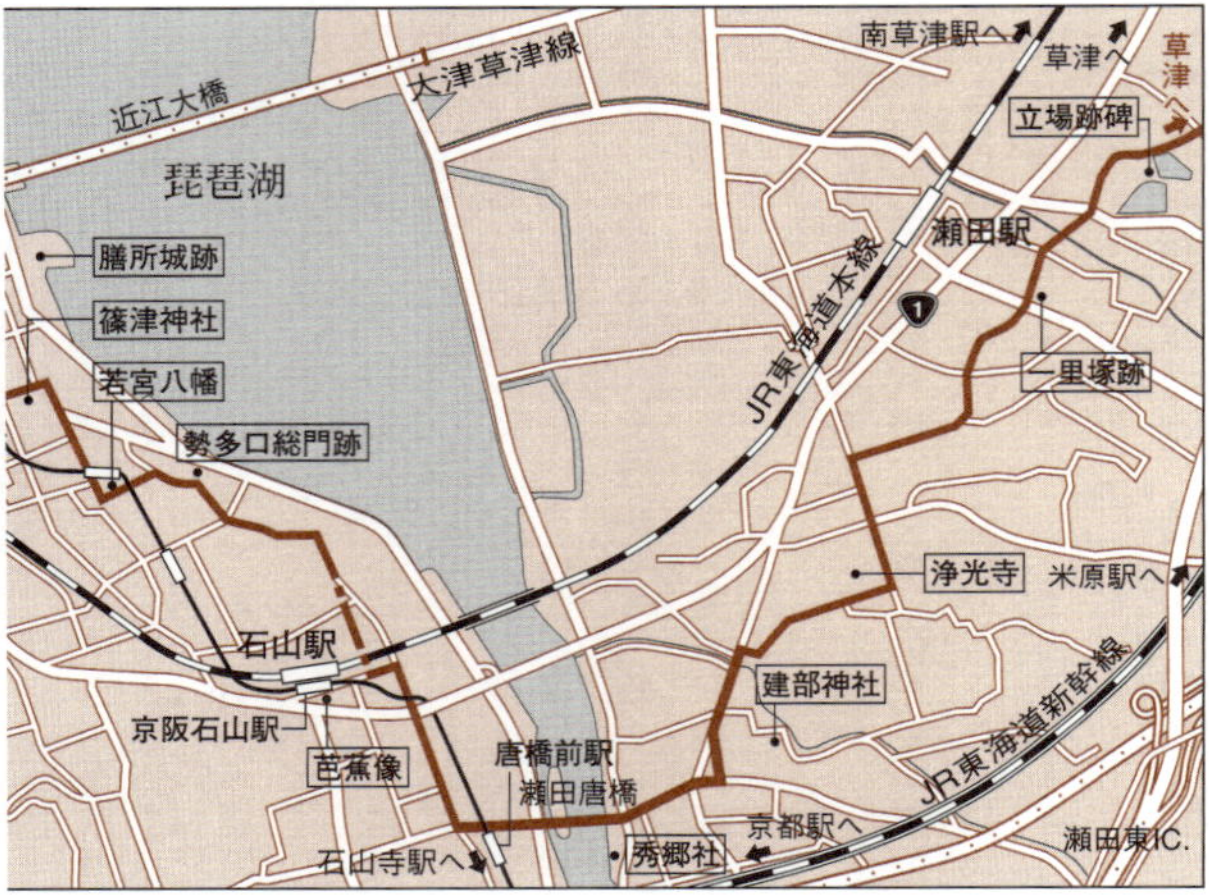

町並がつづき、やがて左に**大津事件碑**。それをすぎると**札《ふだ》の辻《つじ》跡**がある。このあたりがかつての大津宿の中心。

街道はここを左折。すぐの左手には**大津本陣跡**がある。さらに四〇〇メートルほど行くと、右手に**蟬丸神社下社**《せみまるじんじゃしもしゃ》。踏切をわたって入る境内には、**関《せき》の清水《しみず》**、琵琶の名人をまつる**音曲道**《おんぎょくどう》**祖神《そじん》の碑**がある。

蟬丸神社下社の前をすぎて、すぐにふたたび国道1号に合流。右に**蟬丸神社上社**《かみしゃ》、**常夜灯**、**逢坂関**《おうさかのせき》**跡碑**を見ながら、さらに行くと、やがて、走《はし》り井《い》餅屋《もちや》跡や、日本画家・橋本関雪《はしもとかんせっ》の別荘跡としても知られる**月心寺**《げっしんじ》がある。こんこんと清水がわきでる走り井があるほか、境内には**芭蕉句碑**「大津絵《おおつえ》の筆《ふで》のはじめは何仏《なにぼとけ》」がある。

そこをすぎると、街道は山科《やましな》方面へ。街道は、三条大橋へとむかう。

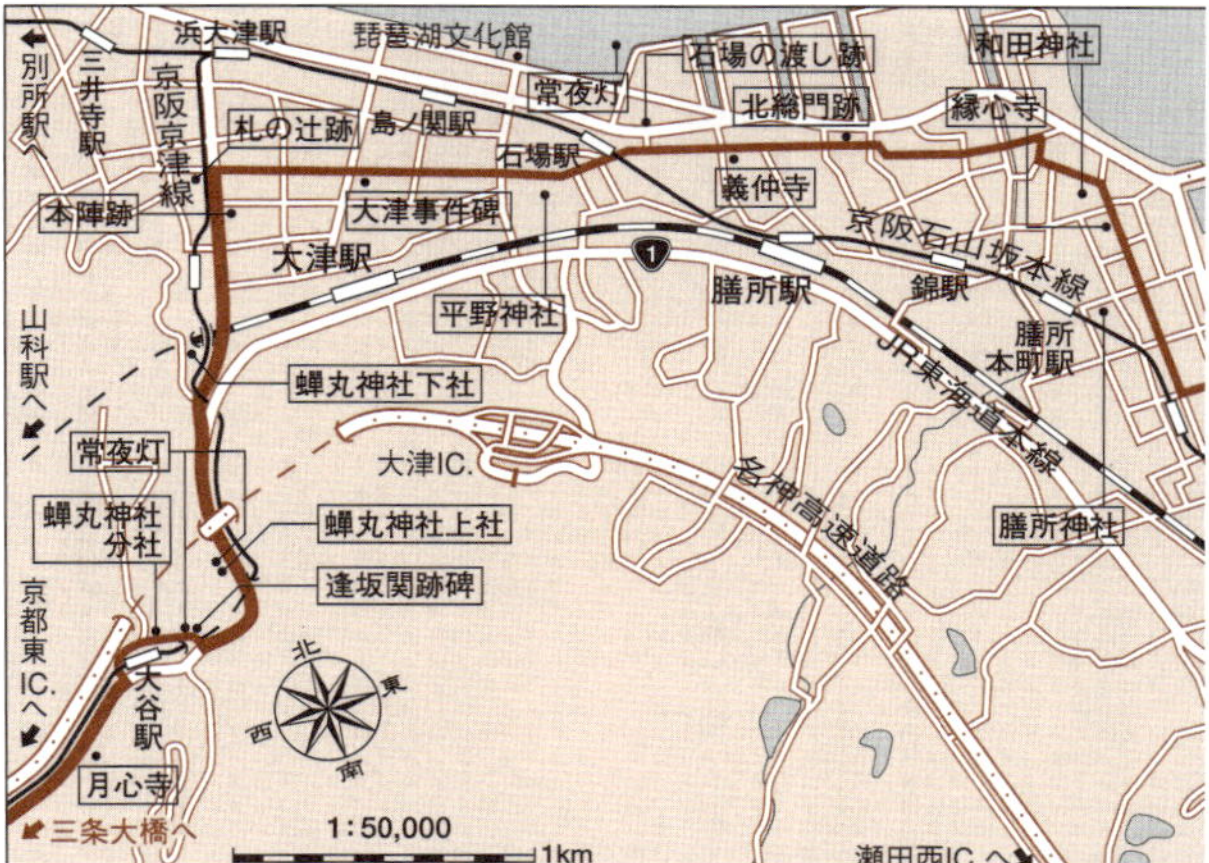

【ちょっと寄り道】

●**大津市歴史博物館**

一、二階の常設展示室では大津の歴史を紹介。宿場の中心地だった札の辻周辺の町並や生活のようすを示した模型があり、またコンピューターでクイズや県内の文化財の検索もできる。京阪石山坂本線・別所駅下車徒歩五分。＊077・521・2100／9時〜17時／休館日　月曜（祝日の場合はその翌日）、祝祭日の翌日、年末年始

●**大津祭曳山《おおつまつりひきやま》展示館**

江戸時代初期からつづく曳山例祭に登場する曳山を展示。曳山巡行などのビデオ映像を閲覧することもできる。大津事件の碑を右折、お茶の中川誠盛堂を左折してすぐ。＊077・521・1013／10時〜19時／休館日　月曜（休日の場合は翌日）、八月一四日〜一六日、年末年始

●**膳所焼美術館**

土の素朴さが人気の、現代の膳所焼はもちろん、梅林《ばいりん》焼や大江《おおえ》焼なども収蔵、展示。膳所焼の歴史や特徴などの説明展示があり、菓子と薄茶《うすちゃ》も味わえる。東海道沿いの京阪石山坂本線・瓦ケ浜駅の踏切を西へ越えてすぐ右折、道なりに進んだ正面右手。＊077・523・1118／10時〜16時／休館日　月曜（祝日の場合は開館）、年末年始

【名物のうまいもの】

●**鮒寿《ふなず》司《し》**

一五〇〇年前から伝わるといわれる鮒の熟《な》れ寿司は、独特の強烈なにおいで知られるが、最近は製法や保存方法の工夫で、かつてほどではない。札の辻の近くなら、木板の由《ゆ》来書《らいしょ》を掲げた**坂本屋《さかもとや》**（0775・24・2406／9時〜18時30分／日曜、祝日定休）で。

●**力餅《ちからもち》**

比叡山延暦寺《ひえいざんえんりゃくじ》で力自慢だった弁慶《べんけい》にちなみ、江戸時代からつづく餅。挽《ひ》きたてのきな

粉の香《こう》ばしさが味わえる。京阪・浜大津駅駅前の**三井寺力餅本家**（0775・24・2689／8時～20時）で。

●**走井《はしりい》餅**

江戸時代、旅人が峠の途中でのどをうるおした「走り井」の名水。明和《めいわ》年間（一七六四～一七七二）に走井市郎《はしりいいちろう》右衛門《えもん》がこの名水で餅をつくったのがはじまりという。市内各所で買える。

●**食事処**

古くから峠の茶屋《ちゃや》を営んでいた**かねよ**（0775・24・2222／11時～20時）では、庭園のなかの座敷でうなぎ料理が楽しめる。三代前の女主人が伊勢の川《かわ》もの問屋と所帯をもち、当時、伊勢はうなぎの産地だったのが縁で、うなぎ料理をはじめた。逢坂の峠を越えてすぐ国道1号は左へカーブするが、右へ入る東海道を入ってすぐ。

★琵琶湖岸は、近年になって大幅に埋め立てられ、様変わりした。東海道は、かつては湖岸に沿っていたことを思い浮かべて歩きたい。

歌川広重「東海道五拾三次之内
大津走井茶店」

◆東海道五十七次とは何か？

東海道といえば江戸・日本橋と京・三条大橋を結ぶ街道で、宿場町は品川宿から大津宿までの五十三次というのが一般的だ。しかし実際には、大津から南にのび、先の伏見、淀、枚方《ひらかた》、守口の四宿を加えた、江戸から大坂・京橋《きょうばし》までを結ぶ街道が「東海道」だった。

五十三次という呼び方が広く知られる理由は、当時江戸から京までの旅人が多かったこと、歌川広重や十返舎一九の作品で「東海道五十三次」という呼称が使われたことなどが考えられる。また、京から大坂までは淀川をくだることが多く、大津から先の四宿はのぼりが中心の「片宿」だったことも「五十三次」が定着した理由の一つだろう。ちなみに、大坂から京方向が「京街道」、京から大坂へは「大坂街道」と呼ばれていた。

伏見と大坂を結ぶ街道は、文禄三年（一五九四）に豊臣秀吉が、自ら築いた伏見城と大坂城を最短で結ぶ「文禄堤」を淀川左岸に造らせたのが始まりだ。やがて元和《げんな》五年（一六一九）、伏見と大坂が徳川幕府の直轄領となった際、街道に四つの宿が新設され、五十七次となった。

東から行くと、大津宿の先に分岐があり、一つは西に向かい京・三条へと至り、一つは山科のあたりを通って伏見へと南下した。これが京街道で、伏見をすぎてからは、淀川の東を、現在の京阪本線に沿って枚方へと南南西の方角に進む。そこからさらに淀川の東を淀川と並行して南西の方角に進み、守口を経て大坂・京橋へと至った。大津宿・大坂京橋間一三里三四丁（約五五キロ）。当時は、道幅二間（約三・六メートル以上）と定められ、両側の並木用敷地とあわせると五間（約九メートル）以上の堂々たる街道だった。

伏見宿　伏見は徳川家康によって日本最初の銀座（銀貨の鋳造・発行所）が設けられた商業地で、淀川水運の船着場でもあったため、水路陸路の要衝として発展した大宿場町である。鳥羽伏見の戦いで焼失し、明治になって再建された福井与左衛門家に往時の本陣の姿をしのぶことができるほか、寺田屋事件で知られる船宿・寺田屋が残され、見学できる。

淀宿　本陣や脇本陣はなく、おもに人馬の中継地として栄えた。江戸時代に築城された淀城の石垣、内堀の一部が残る。秀吉、淀君が暮らした淀城は、北方約一キロの現・妙教寺である。

枚方宿　枚方は三十石船の寄港地として栄えた。旧街道沿いには、今も古い町家が残っている。長く旅館として営業していた船宿・鍵屋は、今は「枚方市立枚方宿鍵屋資料館」（072・843・5128）としてその姿をとどめる。

守口宿　今も秀吉の築いた文禄堤の一部が残るあたりには古い料亭や商家があり、かつての宿場町の風情が味わえる。

◆京・三条大橋

【最寄り駅】▼地下鉄東西線・三条京阪駅から、目の前が東海道。▼京阪京津線《けいはんけいしん》・追分《おいわけ》駅。駅の南を東海道が東西に走る。▼JR山科駅。南に行くと、渋谷越《しぶたにごえ》道標のあたり。

【街道を歩く】

東海道は、**月心寺《げっしんじ》**からおよそ二〇分で山科《やましな》追分。「**柳緑花紅《やなぎはみどりはなはくれない》、みぎハ京ミち ひたりハふしミみち**」の**石碑**がたっている。ただし、元の石碑は安土城考古博物館に移され、これは複製。この追分で分かれる**大坂道《おおさかみち》**は、伏見《ふしみ》、淀《よど》、枚方《ひらかた》、守口《もりぐち》の四宿をへて大阪・**京橋《きょうばし》**へ約五〇キロの道のり。「東海道五十七次」という場合は、五十三次にこの四宿を加える。

五〇〇メートルほど行くと、右に**小関越《こぜきごえ》道標**。ほ

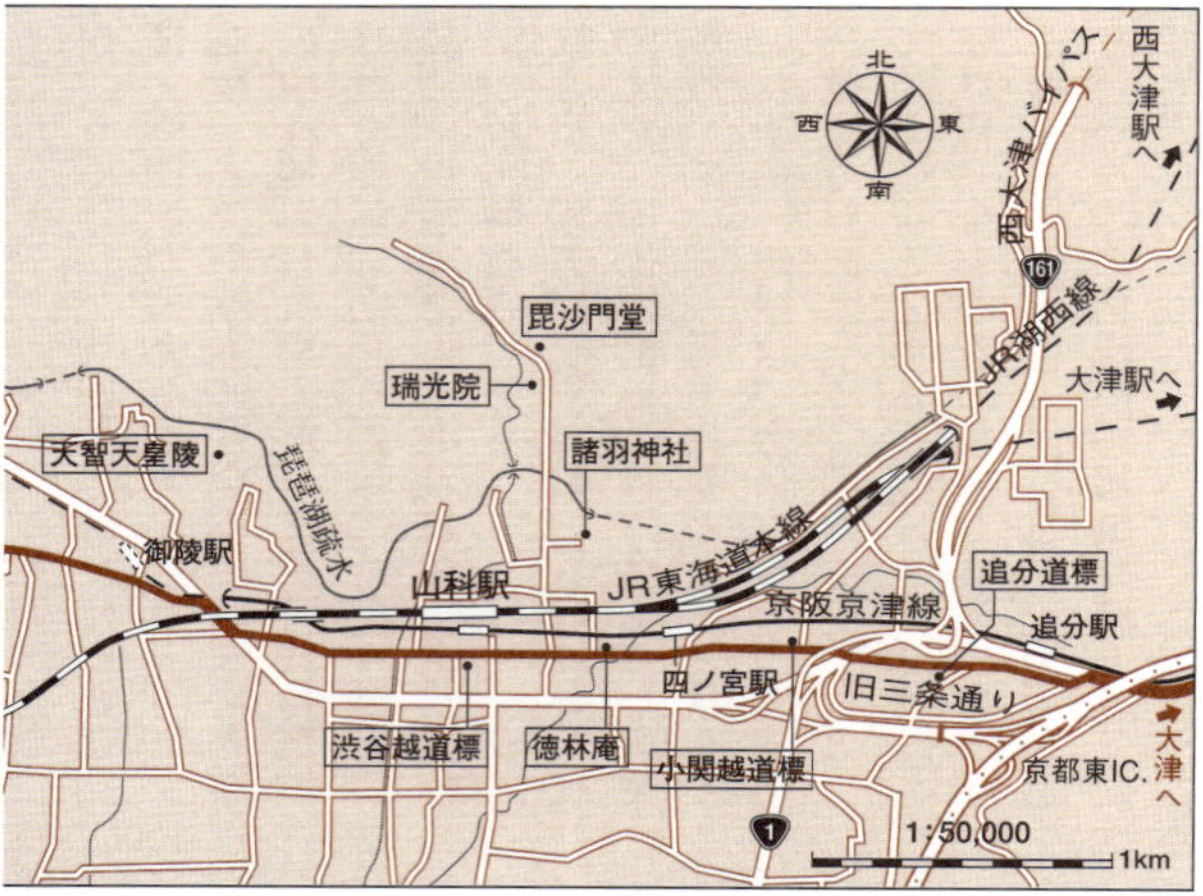

どなく街道は京都市山科区に入り、さらに四〇〇メートル《メートル》ほどさきの小川をわたると、右に**徳林庵**《とくりんあん》**（六角堂**《ろっかくどう》**）**がある。

　このあたり、京阪電車の線路の北には**十禅寺**《じゅうぜんじ》、**人康親王**《ひとやすしんのう》**の墓**、近くに**諸羽**《もろは》**神社**、**赤穂義士**《あこうぎし》**の供養塔**《くようとう》のある**瑞光院**《ずいこういん》、**毘沙門堂**《びしゃもんどう》がある。

　六角堂からさらに西進すると、左に**渋谷越道標**。三〇分あまり歩き、右に折れてJR線をくぐると、東海道は左手に入る。右手には**天智天皇陵**《てんじてんのうりょう》がある。

　東海道は、地下鉄東西線・御陵《みささぎ》駅の南をぬける。旧国道との合流点のさきには**蹴上**《けあげ》**の清水**《しみず》**跡**。あとは三条大橋まで三条通りを進む。いよいよ、日本橋からの長い旅の終点、三条大橋である。

　むかしの旅人をむかえ、また送り出した、この大橋のあたりは、すっかり近代化され、欄干《らんかん》の擬宝珠《ぎぼうしゅ》をのぞけば、むかしのおもかげ

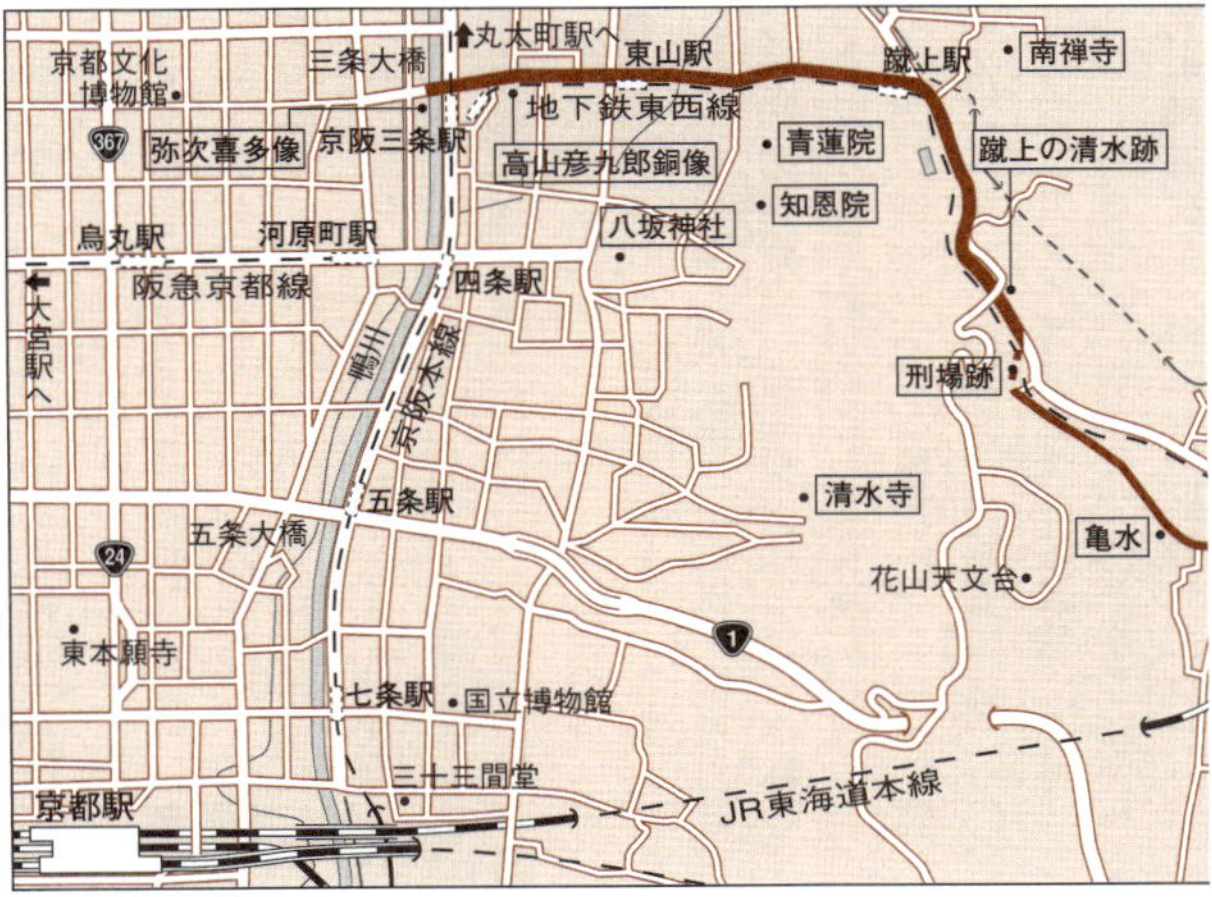

を見つけるのはむずかしくなった。

鴨川《かもがわ》は東側の疎水《そすい》が地下鉄と道路になったため、川幅が狭まり、大橋がそのぶん短くなったのもさびしい。橋の東南端にあった高山《たかやま》彦九郎《ひこくろう》銅像も、三条駅の東に移された。

だが、橋の手前右手、地元では「だんのうさん」と親しまれる檀王法林寺《だんのうほうりんじ》は、むかしと変わらず、境内《けいだい》の仁王《におう》さんも地蔵さんも大きなイチョウも健在である。

また、橋の西南に、地元商店会が近年たてた、弥次喜多像《やじきたぞう》がかつての東海道をしのばせる。


【ちょっと寄り道】

●京都文化博物館
平安建都一二〇〇年事業の一つとして昭和六三年（一九八八）一〇月にオープン。明治を代表する近代建築として名高い旧日本銀行京都支店が別館になっており、京都の歴史や民俗、工芸などをテーマに企画展も開催。かつての金庫室は喫茶室として使われている。
＊075・222・0888／10時～19時30分／休館日 月曜（祝日の場合は翌日）、年末年始

●徳林庵（六角堂）
町に入り込む悪霊《あくりょう》を封じて、都を守るため、後白河《ごしらかわ》天皇が京都に通じる街道沿い六ヵ所に地蔵尊を置いた、その一つ。予約すれば、拝観できる。＊075・581・0019

●京都には寺社、旧跡が数多い。三条大橋の約一・五キロ東には、山門や庭園、襖絵《ふすまえ》などが見ものの**南禅寺**《なんぜんじ》、モミジで知られる**禅林寺**《ぜんりんじ》、クスノキの巨木がみごとな**青蓮院**《しょうれんいん》、日本最大の山門をはじめ広大な建物がならぶ**知恩院**《ちおんいん》、明治二八年（一八九五）の平安遷都《せんと》一一〇〇年を記念してたてられた**平安神宮**、祇園まつりや大晦日のおけら参り、初参りでにぎわう**八坂**《やさか》**神社**など、東山一帯にも名所が多い。

　また、**京都御所**、**仙洞《せんとう》御所**、**桂離宮《かつらりきゅう》**、**修学《しゅがく》院離宮《いんりきゅう》**は無料だが、宮内庁京都事務所（075・211・1211）へ参観願書を出して許可証をもらう。京都御所は春、秋におよそ五日間、一般公開される。

【名物のうまいもの】

●懐石料理や弁当などが楽しめる料理店や茶屋が数多い。また和菓子の老舗も多く、四季折り折り京ならではの味覚が楽しめる。

●京みやげとして根強い人気があるのは、**五《ご》色豆《しきまめ》**、**八《や》ツ橋《はし》**。**生八ツ橋**や**味噌《みそ》松風《まつかぜ》**、**干菓子《ひがし》**も知られる。**宇治茶**、ゆば、**京昆布**、**漬け物**、**七味とうがらし**などもおすすめ。

●**本家　船はしや**

　三条大橋西詰にある豆菓子、あられの専門店。手間と時間をかけてつくられる彩り美しい五色豆は伝統の味。＊075・221・2673／9時30分〜21時30分

【泊まってみたい宿】

●宿はお寺か民宿か、むかしながらの風情がのこる町の宿か、それともホテルか。ふところ具合と相談の上で。中京《なかぎょう》の、格式を重んじる宿は紹介者が必要。紹介のいらない宿も早めに予約を。

歌川広重「東海道五拾三次之内
京師三条大橋」

あとがき

　平成一三年（二〇〇一）は「東海道四〇〇年」という記念年でした。それを祝って、各地で盛大な行事が行われました。私どもの「東海道ネットワークの会21」の前身であった「東海道ネットワークの会」も、この年、創設以来一三年の歴史に終止符を打つべく「比叡山延暦寺の御法灯リレー」を行いました。これは一二〇〇年間消えることなく燃え続ける比叡山延暦寺の御法灯を、京都から日本橋まで、東海道をリレーして運ぶことでした。この行事は、会が目標としておりました「東海道サミット」にいっそうの華やぎを添えるものとなりました。

　これらのイベントは、新聞・テレビなどで大きく報道されましたので、記憶に新しい方も多いかと思います。行事には、会員ばかりでなく、大勢の東海道ファンが参加し、ご協力をいただきました。東海道を愛する人と東海道の宿場の皆さんの心が一つに繋ぎ合わさった劇的な瞬間でもありました。

　このとき、「東海道ネットワークの会」は役目を終えたのですが、その直後、多くの旧会員から、会の復活・継続を希望する声が上がりました。もちろん、会員外からも同様の声が起こりました。

そして平成一四年四月、新たに「東海道ネットワークの会21」として再出発することになりました。「21」は二一世紀の出発を表したものです。東海道記念年は終わっても、東海道の歴史はさらに未来へと続きます。未来永劫《えいごう》に東海道は存続するでしょう。その限りでは、東海道を歩こうという熱愛の炎は、私たちの心の中に燃え続けることを確信しています。

ひとくちに東海道のファンとはいっても、動機や目的はさまざまです。会員の中には学者もいれば、ごく普通のサラリーマンも主婦もいます。年齢もさまざまです。ただ共通することは、東海道が好きなこと、そして趣味として東海道を旅することです。

私たちの会は、旧東海道を歩きながら宿場や沿道を訪ね、史跡や文化遺産を実地に見学することに目的があります。そして、宿場に暮らす人々と心を通わせることです。

東海道の宿場には、今日まで蓄積され、継承されてきた日本人固有の文化遺産が息づいています。そこでは営々と暮らし続けてきた宿場の人々の営みを今に見ることができます。それが日本人の懐しい心の故郷を思い出させてくれます。

今、東海道は誰でも歩ける江戸文化探求の場になりました。

さあ、皆さん。旧東海道を江戸時代の旅人のペースで自分の故郷探しに歩いてみませんか。まず、この『決定版　東海道五十三次ガイド』を案内人にして。

東海道ネットワークの会21　会長　秋庭　隆

●執筆協力
秋山民野　秋山佳史　石野武文　市川鴻之祐　伊藤澄夫　岩本秀彦　鵜飼秀郎
宇佐美慶一　漆畑光雄　太田銀蔵　蔭山理三郎　加藤淳子　加藤利之　川島佐登子
上林武人　切池融　小杉達　駒井敏男　佐野益子　杉村斉　杉山博敏　鈴木邦男
高橋桂一　高柳政司　田中鍔生　中島博　中村静夫　西羽晃　原田啓二　平野雅道
星加満久　三世善徳　三輪修三　山内政三　山元泰生　萬谷耕造

●校正協力
秋庭隆　秋山民野　伊藤澄夫　鵜飼秀郎　宇佐美慶一　加藤敏勝　上林武人
葛岡徹　四ノ宮尹　馬場鈞　平野雅道　松林一弘　山口惣一　吉田四郎

※敬称略・アイウエオ順とさせていただきました。

観光に関する問い合わせ先

日本橋	東京都中央区観光協会　03-3546-6525
品川	品川区広報広聴課　03-5742-6612 しながわ観光協会　03-5751-7600 旧東海道品川宿周辺まちづくり協議会　03-3472-4772
川崎	川崎市文化財団　044-222-8821 川崎市経済局商業観光課　044-200-2327 川崎市観光協会連合会　044-544-8229
神奈川	横浜市国際観光コンベンションビューロー　045-221-2111
保土ケ谷	保土ケ谷区広報相談係　045-334-6221
戸塚	神奈川県観光協会　045-681-0007
藤沢	藤沢市観光課　0466-25-1111 藤沢市観光協会　0466-22-4141
平塚	湘南ひらつか総合案内所　0463-23-2753 平塚市経済部商業観光課　0463-23-1111 平塚旅館組合　0463-21-0026
大磯	大磯町観光協会　0463-61-3300 大磯町役場経済観光課　0463-61-4100
小田原	小田原市観光課　0465-33-1521 小田原市観光協会　0465-22-5002
箱根	箱根町観光部観光振興課　0460-5-7410 箱根町観光協会　0460-5-5700
三島	三島観光協会　055-971-5000
沼津　原	沼津市産業振興部観光交流課　055-934-4747 沼津観光協会　055-964-1300
吉原	富士市観光協会　0545-52-0995
蒲原	蒲原町役場まちづくり課　0543-85-7725
由比	由比町役場企画観光課　0543-76-0113
興津　江尻	静岡市役所清水庁舎　0543-54-2111 静岡市観光協会清水支部　0543-52-7331

観光に関する問い合わせ先

府中	丸子	静岡ホテル旅館協同組合　054-253-1165 静岡市観光協会静岡支部　054-251-5880 静岡市観光課　054-221-1105
	岡部	岡部町役場観光協会　054-667-3425
	藤枝	藤枝市観光協会　054-645-2500
	島田	島田市観光協会　0547-37-1241
	金谷	島田市役所商工課観光係　0547-36-7163 金谷町観光協会　0547-46-2844
	日坂	掛川市役所　0537-21-1111（代表）
	掛川	掛川市商工観光課　0537-21-1149
	袋井	袋井市商工課観光振興係　0538-44-3156 袋井市観光協会　0538-43-1006
	見付	磐田市商工観光課　0538-37-4819
	浜松	浜松市役所観光コンベンション課　053-457-2295 浜松観光コンベンションビューロー　053-458-0011
	舞坂	浜松市に合併（'05.7.1.） 舞阪町観光協会　053-592-0757
	新居	新居町観光協会　053-594-0634
	白須賀	湖西市商工労政課　053-576-1230
二川	吉田	豊橋市商業観光課　0532-51-2430
	御油	豊川市観光協会　0533-89-2140
	赤坂	音羽町役場産業課　0533-88-8005
藤川	岡崎	岡崎市観光課・岡崎市観光協会　0564-23-6217
	知立	知立市役所経済課商工観光係　0566-83-1111（代表） 知立市商工会　0566-81-0904

観光に関する問い合わせ先

鳴海	有松商工会	052-621-0178
	金山観光案内所	052-323-0161
宮	名古屋市名古屋駅観光案内所	052-541-4301
	名古屋旅館協同組合	052-932-6311
桑名	桑名市商工課	0594-24-1199
	桑名遊覧船組合	0594-23-3232
四日市	四日市観光協会	0593-57-0381
石薬師　庄野	鈴鹿市観光協会	0593-80-5595
亀山	亀山市商工振興係	0595-84-5049
関　坂下	亀山市観光協会	0595-96-1212
土山	甲賀市土山町観光協会	0748-66-1101
水口	甲賀市水口町観光協会	0748-62-4271
石部	湖南市観光物産協会	0748-71-2331
草津	草津市観光物産協会	077-566-3219
大津	びわ湖大津観光協会	077-528-2772
	大津駅観光案内所	077-522-3830
三条大橋	京都市産業観光局	075-222-3333
	京都市観光協会	075-752-0227
	京都市観光案内所	075-343-6655
	京都民宿予約センター	075-744-3933

「東海道五十三次」を知るインターネット・サイト30

関連ページ名／URL／内容

東海道品川宿

http://japan-city.com/sina/

品川宿の歴史、周辺の観光スポット、裏道など、品川宿のあれこれを詳細に紹介。五十三次の宿場町関係のサイトへのリンクも充実。

江戸東京博物館

http://www.edo-tokyo-museum.or.jp/

開催される企画展や催し物などの情報を常時発信している。関東の博物館や歴史民俗館へのリンクも豊富。

観光かながわ NOW

http://www.kanagawa-kankou.or.jp/

神奈川県内の観光スポットを紹介。「かながわの古道50選を歩く」のページには「古東海道」を巡るコースなどユニークな道筋の紹介もある。

川崎市

http://www.city.kawasaki.jp/

川崎市の公式ホームページ。観光情報のコーナーには、川崎宿の歴史や見どころの紹介、川崎の年中行事の情報もある。

横浜市歴史博物館

http://www.rekihaku.city.yokohama.jp/

横浜に生きた人々の生活の歴史を学べる歴史博物館。東海道絵巻物、東海道五十三次名所図絵など収蔵品の紹介もある。

小田原市観光情報

http://www.city.odawara.kanagawa.jp/kanko/index.html

小田原城をはじめ史跡の紹介や箱根の景勝地などのリゾート案内、「小田原ものしり事典」のページには浮世絵による歴史紹介もある。

「東海道五十三次」を知るインターネット・サイト30

関連ページ名／**URL**／内容

Hello Navi 静岡

http://kankou.pref.shizuoka.jp/

静岡県内のさまざまな観光スポットを案内。「静岡県東海道宿場町ガイド」のコーナーでは、三島から白須賀までの宿場を紹介。

ずっと富士山

http://live-fuji.jp/

固定カメラによる富士山の24時間をライブ映像で伝えてくれる。富士山がよく見える日をメールで知らせてくれるサービスもある。

静岡市観光協会

http://www.ejyshizu.shizuoka.shizuoka.jp/

静岡市内の観光情報を写真や映像を使って発信。街道沿いや丸子、興津などの旧宿場周辺の見どころ紹介も豊富。

はままつホームページ

http://www.hamamatsu.tokai-ic.or.jp/

浜松と周辺地域の生活情報、観光情報を紹介。歴史や浜松弁がわかるほか、中田島砂丘、浜松まつり、浜松城などの画像も楽しめる。

新居町

http://www.town.arai.shizuoka.jp/

新居町のホームページ。町の歴史や行事、新居宿の紹介、舞坂宿と新居宿を結んでいた関所渡しの体験情報などを発信。

豊橋観光コンベンション協会

http://www.honokuni.or.jp/toyohashi/

吉田宿、二川宿をはじめ、豊橋市内の観光スポットや観光ルートを、地図や写真をふんだんに使って紹介。年間イベントカレンダーも便利。

「東海道五十三次」を知るインターネット・サイト30

関連ページ名／**URL**／内容

豊橋市美術博物館

http://www.toyohaku.gr.jp/bihaku/index.htm

博物館の収蔵する資料を写真などで紹介。「東海道図屛風」「東海道名所風景」「伝馬朱印状」など、東海道に関する資料もある。

岡崎市観光協会

http://www.city.okazaki.aichi.jp/kankokyokai/top.htm

岡崎市内の観光スポット情報。家康公ゆかりの寺社や、岡崎宿、藤川宿を巡るコースなど、岡崎市内の名所を地図、写真入りで紹介。

愛知事典

http://www.japan-net.ne.jp/~hit/aichi/

市町村、学校、歴史、街道、寺社など愛知県内のあらゆる情報を項目別にまとめたサイト。県内にある旧東海道沿いの見どころも紹介。

三重県

http://www.pref.mie.jp/

三重県のホームページ。「三重の歴史街道」のページは風情を残す関宿の紹介や街道マップ。観光スポットの検索機能も便利。

桑名ふるさと CITY

http://www.kuwana.ne.jp/kip/travel/index.html

桑名と周辺の情報ネット。各サイトへのリンクが豊富。観光案内、石取祭、七里の渡しなどの紹介がある。

近江の歴史

http://www.kyoto-np.co.jp/kp/koto/ohmi/oumi.html

京都新聞社のサイト内の１コーナー。写真を使った古代から現代までの近江の歴史紹介は、わかりやすく読みごたえがある。

「東海道五十三次」を知るインターネット・サイト30

関連ページ名／URL／内容

滋賀県の情報

http://www.shiga-irc.go.jp/shiga/

滋賀県工業技術総合センターのサイト内の１コーナー。琵琶湖八景の美しい写真、広重の浮世絵「近江八景」を紹介。

京都府観光情報

http://www.kyoto-kankou.or.jp/

「京都の歴史街道」のページでは、北部、中部、南部に分類した京都から周辺の歴史都市に伸びる街道を、地図と詳細な解説で紹介。

京都の社寺：一般拝観情報

http://web.kyoto-inet.or.jp/org/orion/jap/masuken/exhibit.html

京都の社寺の拝観情報を掲載。社寺を各区に分け、場所、問い合わせ先、見どころなどが簡潔にまとめられている。

関西デジタル・アーカイブ&歴史街道

http://www.kiis.or.jp/rekishi/

近畿を中心とした歴史文化の紹介。都市、ルート、歴史などの視点から、歴史文化のデータベースの構築をめざしたページ。

東海道五十三次今昔物語

http://gakubee2.web.infoseek.co.jp/

広重の「東海道五十三次」全作品を現在のその地点の写真と並べ、風景を比較できるユニークなサイト。江戸幕府関連の情報も満載。

東海道五十三次をゆく

http://bruce.milkcafe.com/kaidou/index.shtml

東海道の全宿場の紹介をはじめ、当時の旅装、宿場の施設、大名行列や関所、舟渡など、周辺知識の解説も充実している。

「東海道五十三次」を知るインターネット・サイト30

関連ページ名／**URL**／内容

みちくさ！東海道五十三次

http://www.chiebukuro.com/53/index.html

宿場ごとに「歴史」「町」「食」の３つの項目を立て、界隈の建物や見どころ、名物をかいつまんで解説。

東海道一人旅

http://japan-city.com/toukai/index.html

踏破した53の宿場や、宿から宿への道程の見どころスポットを詳細に解説する旅の日記は、わかりやすく、臨場感がある。

東海道中平成膝栗毛

http://homepage3.nifty.com/kjimbo/

29日間かけて踏破した全行程の旅の記録が、宿場別ではなく、１日ごとにコンパクトに整理、写真を付して解説されている。

東海道53次徒歩の旅

http://www.asahi-net.or.jp/~yx6o-ontk/tokaido53/

踏破までの37日の記録を１日ごとに紹介。見どころスポットへの到着時刻が記載され、行くさきざきで俳句を詠む「吟行」形式がユニーク。

東海道五十三次徒歩一人旅＋１人

http://homepage2.nifty.com/hat-nif/tokaido/index2.html

「日付」と「宿場」の２種類の Index があり、情報がよく整理されている。全行程を写真、図、地図を駆使して詳細に解説。

東海道五十三次平成ひとり旅

http://www3.cnet-ta.ne.jp/o/okamoto/mokuji.htm

踏破21日間の記録を１日ごとに、詳細に掲載している。１日に歩いた距離、ゴールまでの残りの距離が記されていて便利だ。

本作品は一九九六年、当文庫のために書き下ろされた『完全 東海道五十三次ガイド』を、再刊行にあたり情報を一新し、さらに加筆・再編集したものです。

東海道ネットワークの会21―1989年に設立された旧「東海道ネットワークの会」を母体に、2002年4月より新たに活動を開始。「東海道四〇〇年」の記念年に、21世紀の新たな出発をふまえて名付けられた。会員は、性別・年齢・職業・居住地もさまざま。東海道を沿線別に4ブロックに分けて企画を立て、会員の参加を呼びかけて活動を行っている。日頃のウォーキングを旧東海道に当てはめて、「仲間といっしょに見聞し、東海道を歩こう」を趣旨に、年4回、順次宿場を実際に訪ね、史跡や文化遺産の見学を続けている。

講談社+α文庫 決定版《けつていばん》 東海道《とうかいどう》五十三次《ごじゅうさんつぎ》ガイド

東海道《とうかいどう》ネットワークの会《かい》21

2005年8月20日第1刷発行
2025年6月3日第13刷発行

発行者――篠木和久
発行所――株式会社 講談社
東京都文京区音羽2-12-21 〒112-8001
電話 編集(03)5395-3522
販売(03)5395-5817
業務(03)5395-3615

P6〜7イラスト――市川興一
本文地図――ぴあ
編集協力――有限会社インクス
デザイン――鈴木成一デザイン室
カバー印刷――TOPPANクロレ株式会社
印刷――株式会社新藤慶昌堂
製本――株式会社国宝社

KODANSHA

落丁本・乱丁本は購入書店名を明記のうえ、小社業務あてにお送りください。
送料は小社負担にてお取り替えします。
なお、この本の内容についてのお問い合わせは
第一事業本部企画部「+α文庫」あてにお願いいたします。
Printed in Japan ISBN4-06-256957-4
定価はカバーに表示してあります。

講談社+α文庫 Ⓔ歴史

書名	著者	内容	価格	番号
マンガ 孔子の思想	蔡志忠・作画 和田武司・訳 野末陳平・監修	二五〇〇年受けつがれてきた思想家の魅力を描いた世界的ベストセラー。新カバー版登場	690円	E 5-2
マンガ 孫子《そんし》・韓非子《かんぴし》の思想	蔡志忠・作画 和田武司・訳 野末陳平・監修	深い人間洞察と非情なまでの厳しさ。勝者の鉄則を明らかにした二大思想をマンガで描く	750円	E 5-3
*マンガ 菜根譚《さいこんたん》・世説新語《せせつしんご》の思想	蔡志忠・作画 和田武司・訳 野末陳平・監修	乱世を生きぬいた賢人たちの処世術と数々のエピソードが現代にも通じる真理を啓示する	700円	E 5-7
マンガ 禅の思想	蔡志忠・作画 和田武司・訳 野末陳平・監修	悟りとは、無とは!? アタマで理解しようと力《りき》まず、気楽に禅に接するための一冊!!	780円	E 5-8
*マンガ 孟子《もうし》・大学《だいがく》・中庸《ちゅうよう》の思想	蔡志忠・作画 和田武司・訳 野末陳平・監修	政治・道徳・天道観など、中国の儒教思想の源流を比喩《ひゆ》や寓話《ぐうわ》、名言で導く必読の書!!	680円	E 5-9
マンガ 皇妃エリザベート	名香智子 ジャン・デ・カール原作 塚本哲也監修・解説	今なお、全世界の人々を魅了する、美と個性の皇妃の数奇な運命を華麗なタッチで描く!!	1000円	E 28-1
*オールカラー 完全版 世界遺産 第1巻 ヨーロッパ①	講談社 編 PPS通信社 写真 水村光男 監修	美しい写真! 歴史的背景がわかりやすい! ギリシア・ローマ、キリスト教文化の遺産!	940円	E 32-1
*オールカラー 完全版 世界遺産 第2巻 ヨーロッパ②	講談社 編 PPS通信社 写真 水村光男 監修	フランス、イギリス、スペイン。絶対君主の威厳と富の蓄積が人類に残した珠玉の遺産!	940円	E 32-2
*歴史ドラマが100倍おもしろくなる 江戸300藩 読む辞典	八幡和郎	歴史ドラマ、時代小説が100倍楽しめることウケあいの超うんちく話が満載!	800円	E 35-6
*井伊直虎と謎の超名門「井伊家」	八幡和郎 八幡衣代	大河ドラマの主人公、井伊直虎を徹底解剖。知られざる秘密に歴史作家の第一人者が迫る!	780円	E 35-7

*印は書き下ろし・オリジナル作品

表示価格はすべて本体価格(税別)です。本体価格は変更することがあります

講談社+α文庫 Ⓖビジネス・ノンフィクション

ひどい捜査 検察が会社を踏み潰した
石塚健司
なぜ検察は中小企業の7割が粉飾する現実に目を背け、無理な捜査で社長を逮捕したか?
780円 G 285-1

ザ・粉飾 暗闘オリンパス事件
山口義正
調査報道で巨額損失の実態を暴露。ジャーナリズムの真価を示す経済ノンフィクション!
650円 G 286-1

マルクスが日本に生まれていたら
出光佐三
出光とマルクスは同じ地点を目指していた!〝海賊とよばれた男〟が、熱く大いに語る
500円 G 287-1

完全版 猪飼野少年愚連隊 奴らが哭くまえに
黄民基
真田山事件、明友会事件——昭和三十年代、かれらもいっぱしの少年愚連隊だった!
720円 G 288-1

サ道 心と体が「ととのう」サウナの心得
タナカカツキ
サウナは水風呂だ! 鬼才マンガ家が実体験から教える、熱と冷水が織りなす恍惚への道
750円 G 289-1

新宿ゴールデン街物語
渡辺英綱
多くの文化人が愛した新宿歌舞伎町一丁目にあるその街を「ナベサン」の主人が綴った名作
860円 G 290-1

マイルス・デイヴィスの真実
小川隆夫
マイルス本人と関係者100人以上の証言によって綴られた「決定版マイルス・デイヴィス物語」
1200円 G 291-1

アラビア太郎
杉森久英
日の丸油田を掘った男・山下太郎、その不屈の生涯を『天皇の料理番』著者が活写する!
800円 G 292-1

男はつらいらしい
奥田祥子
女性活躍はいいけれど、男だってキツイんだ。その秘めたる痛みに果敢に切り込んだ話題作
640円 G 293-1

永続敗戦論 戦後日本の核心
白井聡
「平和と繁栄」の物語の裏側で続いてきた戦後日本体制のグロテスクな姿を解き明かす
780円 G 294-1

＊印は書き下ろし・オリジナル作品

表示価格はすべて本体価格(税別)です。本体価格は変更することがあります